Susanne Schedel

»Wer weiß, wie es vor Zeiten wirklich gewesen ist?«

Textbeziehungen als Mittel
der Geschichtsdarstellung bei W.G. Sebald

Königshausen & Neumann

Den auf der Umschlagvorderseite abgebildeten Brief hat W.G. Sebald am 23.6.1997 an die Autorin des vorliegenden Buches geschrieben. Der Abdruck erfolgte mit freundlicher Genehmigung von Ute Sebald. Copyright © The Estate of W.G. Sebald 2003.

100394b432

Bibliografische Information Der Deutschen Bibliothek

Die Deutsche Bibliothek verzeichnet diese Publikation in der Deutschen Nationalbibliografie; detaillierte bibliografische Daten sind im Internet über <http://dnb.ddb.de> abrufbar.

D 473

© Verlag Königshausen & Neumann GmbH, Würzburg 2004
Gedruckt auf säurefreiem, alterungsbeständigem Papier
Umschlag: Hummel / Lang, Würzburg
Bindung: Buchbinderei Diehl+Co. GmbH, Wiesbaden
Alle Rechte vorbehalten
Dieses Werk, einschließlich aller seiner Teile, ist urheberrechtlich geschützt.
Jede Verwertung außerhalb der engen Grenzen des Urheberrechtsgesetzes ist
ohne Zustimmung des Verlages unzulässig und strafbar. Das gilt insbesondere
für Vervielfältigungen, Übersetzungen, Mikroverfilmungen und die Einspeicherung
und Verarbeitung in elektronischen Systemen.
Printed in Germany
ISBN 3-8260-2728-0
www.koenigshausen-neumann.de
www.buchhandel.de

Danksagung

An erster Stelle danke ich meinem Doktorvater Prof. Dr. Wulf Segebrecht, der mir so vieles beibrachte – nicht nur über die deutsche Literatur – und der diese Arbeit vom ersten Gedanken bis zur Fertigstellung mit regem Interesse begleitet hat. Meinem Zweitgutachter PD Dr. Stefan Neuhaus sei für seine langjährige Freundschaft und liebe Unterstützung gedankt, für die Gespräche, die nicht nur in fachlicher Hinsicht Anregung waren, und ebenso dafür, daß er mir, gemeinsam mit PD Dr. Oliver Jahraus und Dr. Thomas Neumann, die Möglichkeit eröffnet hat, meine Arbeit an dieser Stelle zu publizieren. Der Studienstiftung des deutschen Volkes und der Graduiertenförderung der Universität Bamberg danke ich für die großzügige Gewährung von Stipendien, ohne die diese Arbeit nicht hätte entstehen können.

Immer werden mir die langen Diskussionsabende in Erinnerung bleiben, die ich mit Johannes Birgfeld, Dr. Claude Conter, Dr. Julia Schöll und Ulrich Simon verbringen durfte und die so wertvoll für den Fortgang und den Abschluß dieser Dissertation waren. Meinen Eltern und meiner Schwester Barbara danke ich für ihren Zuspruch in schwerer Zeit. Dankbar bin ich auch den vielen, hier nicht namentlich genannten, die mich und meine Arbeit in irgendeiner Weise gefördert haben.

Dir, Johannes, danke ich noch für viel mehr, als ich hier sagen könnte, vor allem jedoch dafür, daß es Dich gibt.

INHALTSVERZEICHNIS

A. EINLEITUNG

I. PROBLEMSTELLUNG UND VORGEHENSWEISE

Im Winter des Jahres 2001 erlebte die deutsche Literaturlandschaft eine nachhaltige Erschütterung. Am 14. Dezember starb der Schriftsteller und Literaturwissenschaftler W.G. Sebald in Norwich (England) an den Folgen eines Autounfalls, es war ein jäher und vorzeitiger Tod. Mit seinem Roman *Austerlitz,* der von der deutschen Literaturkritik als Meisterwerk gerühmt wurde,[1] war ihm noch im Frühjahr 2001 ein großer Erfolg geglückt.

Zuvor jedoch war Sebalds Ruhm im englischsprachigen Ausland lange Zeit größer gewesen als in Deutschland. Der Grund dafür lag vor allem in der Art und Weise, in der er in seinem Prosaband *Die Ausgewanderten* über die deutsche Geschichte, genauer über den Holocaust und seine Folgen schrieb: Sebald recherchierte behutsam und detailgenau in den Biographien von Überlebenden, suchte nach den neuralgischen Punkten ihres Unglücks und nach persönlichen, oft stillen Zeichen und Äußerungen ihres Schmerzes. Er erzählte vor allem von den Leiden an Heimatverlust und Exilierung, aber auch von der Erinnerung an das jüdische Alltagsleben in Deutschland. Dabei lieh er, wie Patrick Bahners in seinem Nachruf auf W.G. Sebald formulierte, „den vertriebenen Juden seine Stimme in dem präzisen Sinne [...], daß sein Erzähler ihnen zur Seite ging, sie reden ließ, bisweilen mit ihnen zu verschmelzen schien und sich dann doch respektvoll von ihnen trennte."[2]

Die Geschichte und ihre Darstellung im literarischen Werk W.G. Sebalds sind auch das Thema der vorliegenden Arbeit. Der Geschichtsbegriff[3] bleibt dabei je-

---

[1] Siehe hierzu beispielsweise Andrea Köhler: Der Staub der Toten, die Asche der Zeit (2000) oder Boyd Tonkin: Ghostly Trains of Thought (2001).

[2] Patrick Bahners: Wanderers Nachtmarsch (1995).

[3] Der Begriff der Geschichte ist von jeher indifferent und schillernd. Ich werde ihn im Rahmen meiner Fragestellung eingrenzen und so gebrauchen, wie ihn Peter Hanenberg in seiner Studie zu Peter Weiss definiert hat: „Von Geschichte zu sprechen sei dann legitimiert, wenn in der Gegenwart [des Textes, Ergänzung d. Verf.] ein vergangenes Ereignis erscheint. Vergangenheit und ihre Vergegenwärtigung sind die beiden Kennzeichen dessen, was hier unter Geschichte verstanden wird." (Peter Hanenberg: Peter Weiss. Vom Nachteil und Nutzen der Historie für das Schreiben (1993), S. 10.) Diese Definition impliziert, und das ist ihr Vorteil, sowohl den Aspekt des Ereignisses als auch den Aspekt seiner Erzählung und Vermitteltheit. Ich möchte den Geschichtsbegriff, von dieser Definition ausgehend, jedoch noch weiter differenzieren: Historische Geschehnisse oder Entwicklungen können sich auf verschiedene Gegenstände, so beispielsweise auf Personen, Länder, Städte oder Völker beziehen. Diese Unterscheidungen fasse ich mit dem Begriff der verschiedenen „Sinnzonen" von Geschichte. Reinhart Koselleck verwendet diese „Sinnzonen" beiläufig in seiner Einleitung zur Erläuterung des Geschichtsbegriffs (Reinhart Koselleck u.a. (Hg.): Geschichtliche Grundbegriffe (1975), S. 594) und ich möchte diese Wortverwendung für die Zwecke meiner Arbeit zu einem Begriff ausbauen, der die verschiedenen Gegenstandsbereiche meint, denen eine Ge-

doch nicht auf die Holocaust-Thematik beschränkt, denn Historie in einem allgemeineren Sinne, ob nun auf der Ebene des individuellen Erlebens oder auf der Ebene ihrer gesellschaftlichen Implikationen, ist der zentrale Gegenstand in der Dichtung W.G. Sebalds.[4] Die Auseinandersetzung mit dem Holocaust und seinen Folgen für das beteiligte Individuum sind zwar ein wichtiger, aber bei weitem nicht der einzige Aspekt in der von Sebald literarisch gestalteten Geschichte.

Dabei beschreibt er in seinen Texten nicht nur historische Ereignisse wie etwa die Schlacht von Frankenhausen in *Nach der Natur*, die im Zusammenhang mit den Reformationskriegen der Frühen Neuzeit steht, oder die Schlacht auf dem Lechfeld im Jahr 955 in *Schwindel.Gefühle*. Ebenso erzählt er Biographien, also die Lebensgeschichten einzelner Personen, die an derartigen historischen Ereignissen beteiligt waren, und er bezieht in dieses Erzählen die unterschiedlichsten Epochen der europäischen Geschichte mit ein, so beispielsweise die Renaissance, das Zeitalter Napoleons oder die Zeit des Ersten Weltkriegs. Gleichzeitig schreibt Sebald über mögliche Geschichtsverläufe und setzt sich immer wieder mit dem Problem der Zerstörung in der Geschichte auseinander.[5] Anders als in der bisherigen (vor allem in der angelsächsischen und auf die Thematik der Shoah konzentrierten) Forschung soll hier nun erstmals die Sebaldsche Geschichtsdarstellung in ihrer mehrere Jahrhunderte umfassenden Komplexität betrachtet und untersucht werden.

Die Geschichtsthematik wird dabei mit dem für Sebalds Dichtung zentralen poetischen Verfahren, der Intertextualität,[6] verknüpft. Diese Beziehung von Geschichtsdarstellung und Intertextualität wird erstmalig systematisch untersucht, denn die durchgehende und variantenreiche Bezugnahme auf Prätexte[7] ist eines der hervorstechendsten Gestaltungsmerkmale der zu analysierenden Werke.

---

schichte zugeordnet werden kann, so daß man etwa von politischer Geschichte, Biographie/Individualgeschichte, Literaturgeschichte sprechen kann. Eine besondere Rolle spielt bei Sebald, wie zu zeigen sein wird, das Zusammenspiel der Sinnzonen Naturgeschichte, Weltgeschichte und Biographie.

[4] Siehe hierzu beispielsweise auch Thomas Anz: Feuer, Wasser, Steine, Licht (1989); Gunhild Kübler: Von der Schönheit einer weißen, leeren Welt (1989); Martin Meyer: Memoria (1990).

[5] Aufsehen hat W.G. Sebald diesbezüglich mit seinen unter dem Titel *Luftkrieg und Literatur* erschienenen Zürcher Poetikvorlesungen erregt, in denen er beklagt, daß literarische Zeugnisse über die verheerenden Bombenangriffe der Alliierten auf Deutschland im Zweiten Weltkrieg fast vollständig fehlen. Vorweggenommen erscheinen diese Thesen bereits in einem seiner früheren Aufsätze: Zwischen Geschichte und Naturgeschichte – Versuch über die Beschreibung totaler Zerstörung mit Anmerkungen zu Kasack, Nossack und Kluge (1982). Siehe dazu auch W.G. Sebald: Schock und Ästhetik (1975). Eine Fortführung der Debatte zu Luftkrieg und Literatur geschah in jüngster Zeit beispielsweise durch die Bücher *Schweigen oder Sprechen* von Dieter Forte, *Der Brand* von Jörg Friedrich oder *Die Literaten und der Luftkrieg* von Volker Hage. Literarisch reagierte etwa Günter Grass mit seiner Novelle *Im Krebsgang*.

[6] Die Begriffe „Textbeziehungen" und „Intertextualität" werden im folgenden synonym gebraucht. Zum Bedeutungsspektrum des polysemischen Begriffs des Intertexts siehe Udo J. Hebel: Intertextuality, Allusion and Quotation (1989), S. 13f.

[7] Der Begriff des Prätextes meint hier den jeweiligen Bezugstext. Genaueres siehe im Kapitel „Definitionen des Prätextbegriffs."

Die von Sebald verwendeten und zitierten Prätexte sind dabei unterschiedlichster Herkunft, entstammen den Werken und autobiographischen Schriften von Literaten ebenso wie (geistes- und natur-) wissenschaftlichen Abhandlungen, Lexikonartikeln, historischen Berichten, um nur einige Beispiele zu nennen. Ebenso tauchen Figuren aus literarischen Texten anderer Autoren auf, es sei hier nur an jene rätselhafte Figur des „butterfly man" in *Die Ausgewanderten* erinnert, hinter der sich die Person Vladimir Nabokovs verbirgt.[8] Im Erzählband *Schwindel.Gefühle* hingegen erwacht die Figur des Jägers Gracchus aus der gleichnamigen Erzählung von Franz Kafka zu neuem Leben. Auch Fotografien und Reproduktionen von Kunstwerken montiert Sebald in seine Texte hinein. Durch diese sehr heterogene Herkunft der Prätexte und die hohe Varianz bezüglich Formen und Stärken der Prätextverweise entsteht ein hochkomplexes, die Einzelwerke übergreifendes Verweissystem.

Der besondere Stellenwert, den die Intertextualität in Sebalds Geschichtsdarstellung einnimmt, wird evident, wenn man berücksichtigt, daß die geschichtlichen Geschehnisse, von denen die Rede ist, bei Sebald nie vom Erzähler selbst erlebt, sondern ausschließlich über Prätexte vermittelt werden. Die Geschichte ist stets in Zitaten, Paraphrasen, Abbildungen anwesend, womit Sebald einen starken Akzent auf den Aspekt der Medialität und Überlieferung von Geschichte setzt. Die Frage nach dem Zusammenhang von Textbeziehungen und Geschichtsdarstellung ist von daher naheliegend und notwendig.

Ich konzentriere mich bei meiner Untersuchung dieser Frage auf jene vier literarischen Werke Sebalds, die er in den Jahren 1989 bis 1995 veröffentlicht hat. Es handelt sich dabei um den Gedichtzyklus *Nach der Natur,*[9] um die Erzählbände *Schwindel.Gefühle*[10] und *Die Ausgewanderten*[11] und schließlich um den Prosaband *Die Ringe des Saturn.*[12] Die nach 2000 erschienenen Bücher, der Roman *Austerlitz,*[13] der Gedichtband *For Years Now*[14] und die posthum erschienenen Bände *Unerzählt*[15] und *Campo Santo*[16] hingegen sind, ebenso wie W.G. Sebalds literaturwissenschaftliche und essayistische Schriften, nicht Gegenstand dieser Arbeit. Dies hat seinen Grund zum einen darin, daß zum Zeitpunkt der Konzeption der Studie noch die Aussicht auf ein weiter wachsendes Oeuvre Sebalds bestand, eine Beschränkung des Untersuchungsgegenstandes schien deshalb geboten. Zum zweiten ist der Roman

---

[8] Dazu Oliver Sill: Migration als Gegenstand der Literatur (1997).

[9] W.G. Sebald: *Nach der Natur. Ein Elementargedicht.* Nördlingen: Greno 1989 (wird im folgenden mit der Sigle NN abgekürzt).

[10] Ders.: *Schwindel.Gefühle.* Frankfurt: Eichborn 1990 (wird im folgenden mit der Sigle SG abgekürzt).

[11] Ders.: *Die Ausgewanderten. Vier lange Erzählungen.* Frankfurt: Eichborn 1992 (wird im folgenden mit der Sigle A abgekürzt).

[12] Ders.: *Die Ringe des Saturn. Eine englische Wallfahrt.* Frankfurt: Eichborn 1995 (wird im folgenden mit der Sigle RS abgekürzt).

[13] Ders.: *Austerlitz.* München: Hanser 2001.

[14] Ders.: *For Years Now.* Poems by W.G. Sebald. Images by Tess Jaray. London: Short Books 2001.

[15] Ders./Jan Peter Tripp: *Unerzählt.* München: Hanser 2003.

[16] Ders.: *Campo Santo.* München: Hanser 2003.

Austerlitz, der als das opus magnum Sebalds bezeichnet werden kann, derart komplex, daß er meines Erachtens eine gesonderte Analyse benötigt. Hinzu kommt zum dritten, daß die enge Verknüpfung der Geschichtsthematik mit dem Verfahren der Intertextualität, die Sebalds erste vier Werke kennzeichnet, für *Austerlitz* nicht im gleichen Maße zuzutreffen scheint.

Aus den genannten Festellungen und Erfordernissen ergibt sich für meine Arbeit im Anschluß an die theoretischen Vorüberlegungen die folgende Vorgehensweise: Der erste Hauptteil der Untersuchung, Teil B, besteht aus einer systematisch angelegten Überblicksdarstellung der intertextuellen Erscheinungsformen und Verweisstrategien in den vier untersuchten Werken. Diese Gesamtdarstellung ist erforderlich, um das komplexe intertextuelle Verweissystem in den Büchern Sebalds vorzuführen und faßbar zu machen. Es geht außerdem darum, die verschiedenen Verweisformen und -stufen auf der Text- und auf der Bildebene ins Verhältnis zueinander zu setzen und damit eine Basis für die Untersuchung des Zusammenhangs von Intertextualität und Geschichtsdarstellung zu schaffen.

Mit diesem Zusammenhang werde ich mich im zweiten Hauptteil der Arbeit befassen. Zunächst soll in Kapitel C.I. die Frage nach den Gegenständen und Verfahrensweisen des intertextuellen Geschichtserzählens beantwortet werden. Dabei liegen die Schwerpunkte auf jenen beiden Sinnzonen, die bei Sebald die wichtigste Rolle spielen, erstens auf der Sinnzone der Weltgeschichte, die in Form von Schlachten und kriegerischen Ereignissen in den Texten erscheint, sowie zweitens auf der Sinnzone der Biographie. Es wird dabei vor allem um eine Verdeutlichung der Struktur der Geschichtserzählung und um eine Ausdifferenzierung des intertextuellen Erzählverfahrens gehen, um auf dieser Basis zu einer Interpretation dieser Parameter zu kommen. In diesem Zusammenhang werden auch Vorstellungen von Geschichte und ihrer Überlieferung aus Sebalds Texten extrapoliert. Das Kapitel C.II. wird dann ausgewählte Einzeltextreferenzen der Sebald-Texte untersuchen, die für die Geschichtsdarstellung besonders ergiebig sind und die aus diesem Grund eine gesonderte und auch ausführlichere Betrachtung erfordern, als sie im Zusammenhang des vorangehenden Teilkapitels möglich ist. Dabei wird das Problem des Umgangs mit historischer Zeit eine besondere Rolle spielen.

II. DIE PROBLEMSTELLUNG VOR DEM HINTERGRUND BISHERIGER SEBALDFORSCHUNG

W.G. Sebald wird, wie oben bereits angedeutet, als einer der wenigen deutschen Autoren auch von ausländischen Kritikern, vor allem des angelsächsischen Raumes, verstärkt zur Kenntnis genommen. So schrieb beispielsweise Thomas Steinfeld anläßlich der Titelgeschichte, die das in New York erscheinende „Times Literary Supplement" W.G. Sebald gewidmet hat: „Die britische und amerikanische Kritik pflegt neue deutsche Literatur eher pflichtbewußt als begeistert zu behandeln. Diesem Autor aber hat sie sich in Leidenschaft und Bewunderung zugewandt."[17] Ein Blick in den bibliographischen Teil des Sebald-Artikels im Kritischen Lexikon der deutschsprachigen Gegenwartsliteratur KLG[18] kann jedoch die stetige Zunahme der Rezeption und Bedeutung dieses Autors auch im deutschen Sprachraum verdeutlichen. Für diesen Bedeutungszuwachs spricht zudem die Aufnahme von *Die Ausgewanderten* in Kindlers Literaturlexikon,[19] die Publikation eines Sebald gewidmeten Bandes der Reihe „Text und Kritik"[20] und eines „W.G. Sebald zum Gedächtnis"[21] veranstalteten Heftes der Zeitschrift „Akzente". Letzteres versammelt allerdings weniger literaturwissenschaftlich verwertbare als vielmehr essayistische und persönliche Erinnerungen an Begegnungen mit W.G. Sebald.

Ich werde im Folgenden die für meine Problemstellung wichtigen literaturwissenschaftlichen Aufsätze[22] in der Reihenfolge des Erscheinens der Primärtexte anführen und sie auf ihre Ergiebigkeit zu den Themen Intertextualität und Geschichtsdarstellung hin auswerten.

Mit *Nach der Natur* hat sich ausführlich Klaus Briegleb befaßt.[23] Briegleb sieht im Verhältnis von Natur und Mensch das Hauptthema des Elementargedichts dreifach variiert und an zwei Künstlerleben und einer Wissenschaftlerbiographie entwickelt. Sebalds Naturbeschreibungen liest er als „Topographien des Unbewußten",[24] als nachapokalyptische Szenerien, auf denen die Geschichte mit ihren Kriegen Verheerungen hinterlassen hat: „Das Wüten der Symbole im Unbewußten kor-

---

[17] Thomas Steinfeld: Der Eingewanderte (2000). Die große Resonanz auf Sebalds Werke im englischen Sprachraum sieht Rüdiger Görner in der Tatsache begründet, daß dessen Prosatechnik „mit ihren autonarrativen Bildkomponenten" in der englischsprachigen Gegenwartsliteratur kein vergleichbares Gegenstück hat und deshalb von der dortigen Kritik als Novum aufgefaßt wurde. (R. Görner: Im Allgäu, Grafschaft Norfolk (2003), S.27.) Bei Mark R. McCulloh ist gar zu lesen, Sebald „was quite possibly the first great new talent to appear on the German literary scene in the latter half of the twentieth century since Günter Grass." (M.R. McCulloh: Understanding Sebald (2003), S. xv.)

[18] Markus R. Weber: W.G. Sebald (2002).

[19] Stefan Neuhaus: W.G. Sebald: *Die Ausgewanderten* (1998).

[20] Heinz Ludwig Arnold (Hg.): W.G. Sebald (2003).

[21] Michael Krüger (Hg.): W.G. Sebald zum Gedächtnis (2003).

[22] Eine wissenschaftliche Monographie existiert zu Sebald bisher nicht, abgesehen vom Buch McCullohs, das jedoch als Einführung für interessierte Leser und Studierende in die Hauptwerke Sebalds konzipiert ist und keine diskursiv-argumentative Studie darstellt. McCulloh bietet einen aufschlußreichen Überblick insbesondere zur amerikanischen Sebald-Rezeption, nimmt ansonsten jedoch nur einen Bruchteil der bisherigen Sebald-Forschung zur Kenntnis. Franz Loquai hat seinerzeit die erste Sammlung von Essays, wissenschaftlichen Beiträgen, Porträts und Rezensionen zu W.G. Sebald erstellt (Franz Loquai (Hg.): Far from Home: W.G. Sebald (1995). Die Erweiterung dieses Bandes erfolgte mit Franz Loquai (Hg.): W.G. Sebald (1997), erschienen in der Reihe „Porträt" der Edition Isele. Auch Auch Gerhard Köpf hat einen Band zu W.G. Sebald herausgegeben, der zum Teil sehr persönlich gehaltene Betrachtungen zu diesem Autor versammelt, die sich allerdings für die vorliegende Arbeit als wenig fruchtbar erwiesen haben. (Gerhard Köpf (Hg.): Mitteilungen über Max (1998)).

[23] Klaus Briegleb: Preisrede auf W.G. Sebald (1992).

[24] Ebd., S. 476.

respondiert mit der geschichtlichen Welterfahrung.“[25] In diesem Zusammenhang assoziiert Briegleb auch Prätextbezüge:[26] *Nach der Natur* habe „einen Halt im Zitat“, es öffne den Text zu einem Korrespondenzraum, der jedoch Zitiertes und Eigenes nicht immer offenlege: „Werden Motive zitiert? Schreibweisen? Es ist nicht so einfach“,[27] zum Beispiel im dritten Langgedicht: „'Am Arlberg / ziehet ein Wetter herauf. / Ich seh hinab in das Tal / und mir schwindelt die Seele.' Hölderlin oder Sebald“?[28] Mit der Klärung solcher Unschärfen, aber auch mit ihren Wirkungspotentialen werde ich mich in dieser Arbeit befassen.

Markus R. Weber untersucht[29] *Nach der Natur* und *Schwindel.Gefühle* und thematisiert dabei Texteigenschaften, die auch schon einige Rezensenten als Hauptmerkmale der Sebald-Prosa festgestellt und zuweilen in raunenden Worten beschworen hatten: Die Ausgestaltung des thematischen Zusammenhangs von Reisen, Heimatverlust, Erinnern und Melancholie.[30] Nach Weber bewegt sich der Erzähler dabei in einem „Labyrinth der Wahrnehmungen,“[31] das aus den ineinanderprojizierten Landschaften, Figuren und Texten entsteht. Die Intertextualität des Bandes betrachtet Weber nur in diesem Zusammenhang. Er beschränkt sich auf die Nennung einiger Aspekte der Textbeziehung zwischen den Erzählungen aus *Schwindel.Gefühle* und ihrem wichtigstem Folientext, Franz Kafkas *Der Jäger Gracchus*. Diese Textbeziehung bringt er wiederum in Zusammenhang mit der Figur des „butterfly man“ in *Die Ausgewanderten*, die mit der Person des Schriftstellers Vladimir Nabokov gleichgesetzt werden kann. Weber geht in seiner Betrachtung jedoch über die Aussage, „daß sich allein von dieser Stelle aus ein umfassender Subtext zu Sebalds literarischem Werk entfaltet“,[32] nicht hinaus. Insgesamt sieht Weber die Sebaldsche Intertextualität „lesbar als ein Spiel nicht nur mit Leseerfahrungen, mit Figuren und Zitaten aus dem Werk anderer Autoren, sondern auch als Verweissystem innerhalb des Sebaldschen Werkes.“[33] Die vorliegende Arbeit unternimmt es, diesem Verweissystem eine Gestalt zu geben und dieses durch das Vierstufenmodell des Kapitels II faßbar zu machen.

Webers Erwähnung der intertextuellen Dreiecksbeziehung Sebald-Kafka-Nabokov hat Oliver Sill[34] aufgegriffen und ihr als bisher einziger einen ganzen Auf-

---

[25] Ebd., S. 487.

[26] Im Forschungsbericht schließt der Prätextbegriff den Bezug auf bildliche Prätexte aus, da sich die bisher vorliegenden Aufsätze fast ausschließlich mit den Bezügen auf literarische Prätexte beschäftigen. Nichtliterarisches Fremdmaterial wird zwar thematisiert, aber nicht als zu Sebalds Intertextualitätsstrategien gehörig betrachtet.

[27] Klaus Briegleb: Preisrede auf W.G. Sebald (1992) S. 482.

[28] Ebd., S. 483.

[29] Markus R. Weber: Phantomschmerz Heimweh (1993).

[30] So beispielsweise Martin Meyer: Memoria (1990); Jörg Drews: Meisterhaft suggerierte Angstzustände (1990).

[31] Markus R. Weber: Phantomschmerz Heimweh (1993), S. 60.

[32] Ebd., S. 61.

[33] Ebd., S. 58.

[34] Oliver Sill: Aus dem Jäger ist ein Schmetterling geworden (1997). Derselbe Beitrag findet sich nochmals in Sills „Der Kreis des Lesens. Eine Wanderung durch die europäische Moderne“.

14

satz gewidmet. Er beurteilt die Figuren des Jägers Gracchus und des „butterfly man" zu Recht als zentrale intertextuelle Strukturelemente in Sebalds Auseinandersetzung mit dem Thema Exil und Emigration in *Schwindel.Gefühle* und *Die Ausgewanderten* und interpretiert sie als Allegorien der ruhelosen Wanderung des heimatlosen Menschen, die in diesen Figuren auch als eine Wanderung zwischen Diesseits und Jenseits erscheint.[35] Sill beschränkt sich dabei nicht, wie viele andere Autoren es des öfteren tun, auf das Beschreiben der eigenen intertextuellen Assoziationen bezüglich des Sebald-Textes, sondern er recherchiert die Prätexte Nabokovs und Kafkas genau. Dadurch kann er fundierte Ergebnisse für diesen wichtigen Teilaspekt in Sebalds Intertextualität vorweisen.

Ergiebig in bezug auf die Intertextualität ist auch Marcel Atzes Beitrag „Koinzidenz und Intertextualität",[36] der die Schichtung von Prätexten in der Erzählung *All'estero* offenlegt. Atze macht im Sinne Renate Lachmanns den eigenen Lektürehorizont zum Horizont des Textes[37] und überläßt sich der von ihm so bezeichneten „Koinzidenzpoetik" Sebalds, die den Beziehungswahn des Erzählers auf den Leser gleichsam wie ein Virus überträgt. „Die Atmosphäre von Beziehungen, Zusammenhängen und Wahrnehmungen veranlaßt den Leser, nach ebensolchen zu fahnden."[38] Die eruierten Prätextbezüge ordnet Atze nach Einzel- und Systemreferenz, nach Art ihrer Markierung oder auch thematisch, z.B. nach Prätexten zum Motivkomplex „Venedig". Das Bedeutungspotential der einzelnen Prätexte für Sebald wird allerdings nur in wenigen Fällen ausführlicher entfaltet. Auch die Bedeutung der Intertextualität als poetische Strategie kommt nicht zur Sprache. Doch die Fülle der aufgdeckten Prätexte und die skizzierten Verbindungen zwischen ihnen machen den Beitrag zu einer wertvollen Quelle für die vorliegende Arbeit.

Die an den Rezensionen abzulesende starke Rezeption des Erzählbandes *Die Ausgewanderten* findet in der Menge literaturwissenschaftlicher Publikationen zu diesem Buch ihre Entsprechung. Mit *Die Ausgewanderten* setzt interessanterweise auch die Rezeption Sebalds in Großbritannien ein, die sich stark auf dieses Buch zu konzentrieren scheint. Als ein Grund dafür kann sicherlich Sebalds eigenwillige, vom Vexierspiel mit Biographie und Autobiographie, Fakt und Fiktion lebende Gestaltung der schwierigen und im Ausland besondere Aufmerksamkeit erregenden Holocaust- und Exilthematik gelten.

Das (auto)biographische, scheinbar dokumentarische, „quasi-detektorische"[39] und von persönlichen Erinnerungen ausgehende Geschichtserzählen ist für Eva Juhl der Hauptanknüpfungspunkt ihrer Betrachtung. In deren Verlauf streift sie verschiedene Darstellungsmittel, mit denen ihrer Ansicht nach der Erzähler nach der „Wahr-

---

[35] Mit dem Motiv des Schmetterlings und des „butterfly man" hat Sill sich schon einmal in seinem Aufsatz „Migration als Gegenstand der Literatur" von 1992 befaßt und die Fragestellung dieses ersten Aufsatzes offenbar auf *Schwindel.Gefühle* ausgeweitet. Die Ergebnisse des Textbezugs auf Nabokov sind in beiden Veröffentlichungen jedoch nahezu identisch. Dazu Oliver Sill: Migration als Gegenstand der Literatur (1997).

[36] Marcel Atze: Koinzidenz und Intertextualität (1997).

[37] Ebd., S. 152, dazu Renate Lachmann: Gedächtnis und Literatur (1990), S. 86.

[38] Marcel Atze: Koinzidenz und Intertextualität (1997), S. 153.

[39] Eva Juhl: Die Wahrheit über das Unglück (1995), S. 645.

heit über das Unglück", so der Titel dieses Aufsatzes, sucht: mit der Erzählertätigkeit des Reisens, der Gestaltung von Naturräumen und mit der Hereinnahme von „Fotos [...], Zeichnungen, Tagebuchseiten oder Zeitungsausschnitten"[40] in den Text. Juhl bietet als eine der wenigen eine ausführlichere Text-Bild-Betrachtung an einem Einzelbeispiel und stellt zur oft postulierten „Realitätsfiktion",[41] die durch die Abbildungen und Fotografien erzeugt werde, differenziertere Betrachtungen an.[42] Die literarische Intertextualität hingegen läßt Juhl, abgesehen von der Feststellung der Anklänge an Prätexte, etwa von Johann Peter Hebel und Thomas Bernhard[43] und der fast schon obligatorischen Erwähnung des „butterfly man" auf sich beruhen. Fragwürdig erscheint ihre Randbemerkung, daß alle Verfahren, die Sebald zur Schaffung intertextueller Rekurrenzen verwende, rein assoziativer Natur seien.[44] Das dem gerade nicht so ist, sondern daß der Intertextualität zielgerichtete Gestaltungsstrategien innewohnen, werde ich in dieser Arbeit zeigen.

Sigrid Korff[45] konzentriert sich in ihrem Aufsatz auf die auffällig fein ausgearbeiteten, individuellen Details in den vier Lebensgeschichten von *Die Ausgewanderten*. In dieser Detailschärfe sieht sie Sebalds wichtigste poetische Antwort auf die in der Überlieferung oft anonymisierte Vernichtung der Juden während des Hitler-Regimes:

> Die Ausgewanderten verdeutlichen, daß Sebald in der Konzentration auf das Detail, das einzelne Schicksal und die individuelle Geschichte, die er aus dem öffentlichen Diskurs ausgegrenzt sieht, eine Möglichkeit erkennt, die der kompensatorischen Geste deutscher Nachkriegsliteratur den Modus eines anderen, verantwortungsvolleren Sprechens über die Opfer des Nationalsozialismus entgegensetzt. Doch ist zugleich unübersehbar, daß dieses Konzept auch die Gefahr der Verharmlosung in sich birgt: Wie soll der Blick aufs Detail der nach wie vor unfaßbaren Tatsache systematischer Massenvernichtung gerecht werden?[46]

---

[40] Ebd., S. 648.

[41] Ebd.

[42] Erkenntnisse zu Text-Bild-Beziehungen bei Sebald liefert beispielsweise auch Stefanie Harris, die sich in ihren diesbezüglichen Beobachtungen auf den Bereich der Repräsentation von Erinnerung und Verlust in *Die Ausgewanderten* konzentriert: „Sebald uses photographs not only for what can be shown, but also to give evidence of that which can no longer be seen." (Stefanie Harris: The Return of the Dead (2001), S. 385.) Markus R. Weber kommt in seinem Beitrag zum Thema zu dem Schluß: „Verschiedene Funktionsmöglichkeiten von Abbildungen relativieren sich gegenseitig und erzeugen eine gewisse Offenheit. [...] Sebalds Bildverwendung nutzt vielfältige Nuancen, um Bedeutung zu generieren, sie läßt sich nicht auf einen Begriff bringen." (Markus R. Weber: Die fantastische befragt die pedantische Genauigkeit 2003, S. 69 und 73.) Auch Markus Nölp stellt zu Recht die Verquickung verschiedener Text-Bild-Strategien fest. (Markus Nölp: W.G. Sebalds *Ringe des Saturn* im Kontext photobebilderter Literatur (2001).) Die Vielfalt der Text-Bild-Strategien zu systematisieren wird das Ziel in Teil B dieser Arbeit sein.

[43] Eva Juhl: Die Wahrheit über das Unglück (1995), S. 647f.

[44] Ebd., S. 648.

[45] Sigrid Korff: Die Treue zum Detail (1998).

[46] Ebd., S. 168.

Auch den Einsatz von Bildern beurteilt Korff vorrangig unter dem Gesichtspunkt der Möglichkeit des Schreibens über den Holocaust: „Im Kontext der umfassenden poetologischen Problematik, in der *Die Ausgewanderten* stehen, rechtfertigt sich der Einsatz von dokumentarischem Material deshalb nur, wenn das dadurch aufgerufene Realismuskonzept seinen fiktionalen Charakter offenbart [...]. Nur wenn sich der Text einem ‚einsinnigen Lesen verweigert', sich als ‚Störtext' zu erkennen gibt, leistet er einen nennenswerten Beitrag zur Auseinandersetzung über ein Schreiben über die Folgen der Shoah.“[47] Auch bei Korff finden sich Standards der Sebald-Forschung unter den nun schon bekannten Schlagworten „Verlust der Heimat“,[48] „Erinnerung – Die Last der Überlebenden“[49] oder „deutsches Geschichtsbewußtsein.“[50] Origineller sind hingegen ihre Sprachbetrachtungen: Sie attestiert Sebald eine eigene Kunstsprache, die mit Spuren einer mit dem Verlassen Deutschlands konservierten Emigrantensprache arbeite.[51]

Arthur Williams[52] nähert sich dem Werk *Die Ausgewanderten* im ersten von drei Beiträgen über die Rolle des Erzählers, den er als einen „first person altruist“[53] charakterisiert. Außerdem interpretiert er die Erzählungen im Spiegel der in ihre Gestaltung eingeflossenen Theorien aus Fotografie, Literatur und Kunst. Die Intertextualität ist hier wieder vor allem in an den Text herangetragenen Analogien präsent. In seinem zweiten Beitrag zu Sebald[54] verfolgt Williams dann erstmalig einen ganzheitlichen Ansatz in dem Sinne, daß er Sebalds literarische und wissenschaftliche Texte als Einheit liest. Williams benennt in diesem Zusammenhang zwei Aspekte als Schlüssel zu Sebalds Denken, zu seiner Ethik und Ästhetik: erstens „the exploitation of the techniques and theories of the visual arts“, zweitens seinen Lehrberuf, „for him learning and teaching are part of the same continuum.“[55] Dieses Denken beinhalte, so Williams, auch eine Auffassung, welche „die Geschichte der Menschheit als letzte Phase der Naturgeschichte begreift“,[56] was vor allem in der essayistischen Prosa von *Die Ringe des Saturn* evident werde. Auch die erzähltheoretischen Postulate aus Williams' zuerst publiziertem Aufsatz tauchen hier wieder auf: „Sebalds first person narrator and the first person essayist are both at once intermediary and interpreter.“[57] In seinem dritten Beitrag, der sich erneut in der Hauptsache auf *Die Ausgewanderten* bezieht,[58] aber auch die anderen Werke Sebalds bis hin zu *Luftkrieg*

---

[47] Ebd., S. 170.
[48] Ebd., S. 176.
[49] Ebd., S. 182.
[50] Ebd., S. 192.
[51] Ebd., S. 197.
[52] Arthur Williams: The elusive First Person Plural (1998).
[53] Ebd., S. 87.
[54] Arthur Williams: W.G. Sebald: A holistic Approach to Borders, Texts and Perspectives (2000).
[55] Ebd., S. 99.
[56] Ebd., S. 114.
[57] Ebd., S. 109.
[58] Arthur Williams: 'Das Korsakowsche Syndrom' (2001).

und Literatur berücksichtigt, rückt das Thema der Geschichte stärker in den Blickpunkt:

> Sebald's preoccupation with the suppressed history that formed the context of his childhood [...] becomes the motivation for literary acts of remembrance on behalf of the forgotten victims not only of recent German history but also those of the machinery of violence and exploitation which is the often disregarded palimpsest of the charters of today's Europe.[59]

Katharina Hall[60] sieht *Die Ausgewanderten* in der Tradition jener sogenannten Yizkor-Bücher, Erinnerungsbücher, die von Holocaust-Überlebenden geschrieben wurden, um das Andenken an das jüdische Leben vor der Zeit des Nationalsozialismus in Deutschland zu bewahren. Hall beschreibt sowohl inhaltliche (Entwicklung der Themen Erinnerung, Exil, Identität) als auch formale Parallelen (Verwendung von Bilddokumenten und Tagebuchaufzeichnungen) und liest Sebalds Erzählungen als Aktualisierungen dieser Gattung.

Ralf Jeutter hingegen betrachtet die Exilthematik in *Die Ausgewanderten* im Kontext der Poetik Sebalds,[61] wobei er stärker als andere Aufsätze Seitenblicke auf Sebalds literarische Texte außerhalb von *Die Ausgewanderten* und auch auf seine wissenschaftlichen Publikationen wirft. Ähnlich wie Williams liest er Sebalds literarisches und wissenschaftliches Schreiben als Einheit, die denselben Motivationen entspringt: „For Sebald, the Jewish experience contains both the threat of destruction and the promise of salvation. This also ist the role of art and the artist in modern history as outlined in Sebalds poetics."[62]

Iris Denneler[63] vertritt die Ansicht, es gehe Sebald vor allem um die „Restitution einer Erinnerungskultur."[64] Neu ist diese These inzwischen sicher nicht mehr. Neu ist aber, daß Denneler das Zitat als eine zentrale Technik dieser Restitution ausmacht unter Hinweis auf die antike Rhetorik, wo häufig durch ein belegendes Zitat der Alten Gültigkeit behauptet würde.[65] Konkrete Einzeltextbezüge untersucht Denneler dabei nicht, vielmehr konzentriert sie sich auf Sebalds Technik des Zitierens bzw. Wiedergebens von angeblich mündlich Erzähltem. Auch dies geschieht wieder im Spannungsfeld der Frage nach dem Zusammenspiel von Fiktivem und

---

[59] Ebd., S. 65.

[60] Katharina Hall: Jewish Memory in Exile (2000).

[61] Ralf Jeutter: Am Rand der Finsternis (2000).

[62] Ebd., S.165. Vgl. hierzu auch Ann Parry: „Sebald has achieved, through exploring the dynamics of trauma, a means of representation that allows him to break through the unrepresentability of the Shoah and provide a continuing testimony to its unsayability." (Ann Parry: Idioms for the Unrepresentable (2000), S.120.)

[63] Iris Denneler: Formel und Gedächtnis (1999).

[64] Ebd., S. 161. In einem zweiten Aufsatz mit dem Titel „Das Gedächtnis der Namen" thematisiert Denneler erneut Sebalds poetische Erinnerungsstrategien in *Die Ausgewanderten,* wobei nicht weniges als Wiederholung des ersten Beitrags erscheint. Daß die Namen der Sebaldfiguren mit (auch intertextuellem) Bedeutungspotential angereichert sind, steht außer Zweifel. Dennoch ist zu fragen, ob Denneler diese Namen nicht überbewertet, wenn sie sie als „Basis des Dokumentarischen" in Sebalds Werk benennt. (I. Denneler: Das Gedächtnis der Namen (2001), S.135)

[65] Iris Denneler: Formel und Gedächtnis (2001), S. 175.

Authentischem[66] in Geschichte und Erinnerung. Nach Denneler geht es Sebald bei seinem Spiel mit Dokumentarischem und Fiktionalem um Möglichkeiten, wie es gewesen sein könnte, keineswegs um realistische Behauptung oder Darstellung.[67]

Bisher existieren nur wenige Forschungsbeiträge, die sich ausschließlich oder vorwiegend mit *Die Ringe des Saturn* beschäftigen. Thomas Kastura[68] unternimmt in seinen Überlegungen keine systematische Untersuchung von Einzelproblemen dieses Buches, vielmehr ließe sich von einer Betrachtung sprechen, die unterschiedlichste Aspekte zur Sprache bringt: den Begriff der Transmigration, der als Stoff- und Formprinzip benannt wird,[69] oder die Manifestation der auch in diesem Buch gegenwärtigen Melancholie, labyrinthische Textstrukturen, das Sammeln als Geste des Eingedenkens. Kastura liefert zudem interessante und fruchtbare Betrachtungen zum Verhältnis von Intertextualität und Erzählerrolle und deckt aufschlußreiche Prätextbezüge auf. Auch geht er als einziger so weit, die Abbildungen in einen erweiterten Textbegriff einzubeziehen.[70] Mit der Tätigkeit des Sammelns in bezug auf die intertextuelle Geschichtsdarstellung wird sich diese Arbeit in Kapitel C.1. noch genauer auseinandersetzen.

Marcel Atzes „Bibliotheca Sebaldiana"[71] handelt im Unterschied zum oben erwähnten Beitrag nicht ausschließlich von *Die Ringe des Saturn,* ist jedoch für meine Arbeit vor allem hinsichtlich dieses Buches eine wichtige Quelle. Atze beleuchtet den Zusammenhang von Dichtung und Bibliophilie und nimmt das Büchersammeln als wesentliche Voraussetzung für Sebalds schriftstellerisches Schaffen an, da sich Sebald in vielen Fällen nicht nur einfach auf Prätexte beziehe, sondern vorzugsweise auf antiquarisch wertvolle, seltene Ausgaben dieser Prätexte. Dies geschieht vor allem in *Die Ringe des Saturn*, aber auch in *Schwindel.Gefühle*. Zu Sebalds Erinnerungsarbeit gehöre, so Atze, nicht nur das Wachhalten der Erinnerung an Menschen und Ereignisse, sondern ebenso an „versunkene Texte."[72] Atze leistet hier wichtige

---

[66] Mit diesem Zusammenspiel befaßt sich neben vielen anderen auch James Wood: „Sebald so mixes established fact with unstable invention that the two categories copulate and produce a kind of truth which lies just beyond verification: that is, fictional truth." (James Wood: The Uncertainity of W.G. Sebald (1999), S. 274.) Jan Ceuppens stellt als einer der wenigen die Frage nach der moralischen Problematik dieses künstlerischen Prinzips. Ansonsten bleibt der Ertrag seines Aufsatzes jedoch dünn, denn letzterer enthält, angesichts der vor seiner Veröffentlichung 2002 bereits zugänglichen Forschung entschieden zuviel an Gemeinplätzen und Selbstverständlichkeiten. (Jan Ceuppens: Im zerschundenen Papier herumgeisternde Gesichter (2002).)

[67] Hier trifft sich Denneler mit vielen anderen Autoren, die über Sebald geschrieben haben, beispielsweise mit Gray Kochhar-Lindgren, der über Sebalds Darstellung kolonialgeschichtlicher Ereignisse in *Die Ringe des Saturn* bemerkt: „His work is an anguished rendering of the very question of literature, whose paradoxical essence is to pose the question of the truth of events in the act of writing without claiming the capacity to adequately respond to the question. (Gray Kochhar-Lindgren: Charcoal (2002), S. 376.) Vgl. dazu auch Heinrich Detering: Schnee und Asche, Flut und Feuer (1998), S. 152.

[68] Thomas Kastura: Geheimnisvolle Fähigkeit zur Transmigration (1996).

[69] Ebd., S. 199.

[70] Ebd., S. 216.

[71] Marcel Atze: Bibliotheca Sebaldiana (1997).

[72] Ebd., S. 231.

und wertvolle Recherchearbeit und verifiziert bzw. falsifiziert in einigen Fällen Sebalds bibliographische Angaben zu seltenen Texten und schwer zu findenden Ausgaben. Zudem macht Atze auf Sebalds Spiel mit sogenannten virtuellen, d.h. nicht existenten Buchtiteln aufmerksam.

Eine Sonderstellung in der Sekundärliteratur zu *Die Ringe des Saturn* darf wegen der gedanklichen Komplexität seiner Untersuchungen Dieter Wrobel beanspruchen, der Sebald neben anderen Autoren wie Gerhard Köpf oder Klaus Modick ein Kapitel in seiner Studie „Postmodernes Chaos – Chaotische Postmoderne"[73] widmet. Wrobel vertritt die These, daß die sogenannte postmoderne, deutschsprachige Prosaliteratur, insbesondere der 80er und 90er Jahre, auffällige Motiv- und Strukturanalogien zur Chaostheorie aufweise.[74] Dabei geht Wrobel von der Annahme aus, daß beide, Postmoderne und Chaostheorie, auf Umbruchphänomene wie etwa die Abkehr von modernen Einheitsvorstellungen reagieren, und daß diese einen Wandel des Weltbildes zur Folge haben, der auch in der Kunst nicht wirkungslos geblieben ist.

Relevant für die vorliegende Arbeit ist dabei, daß Wrobel derartige Analogien bei Sebald vor allem bezüglich seines Geschichtsbildes feststellt und diese punktuell mit dem Phänomen der Intertextualität verbindet. Er beschreibt als zentrale Elemente in Sebalds narrativem Muster sowohl die Schnittstellenbildung als auch das Wandern zwischen Knotenpunkten einer Netzstruktur. Diese Elemente seien zum einen typisch postmodern, zum anderen ein zentrales Kriterium in der Ordnungsbildung der Chaostheorie.[75] In der Geschichtsdarstellung Sebalds sieht Wrobel diese Muster dergestalt verwirklicht, daß Sebald durch ein Gespinst aus Einzelgeschichten die Geschichte neu erzählbar macht, daß historische Ereignisse sich in den Texten vernetzen und sich überlagern.[76] Bestechend ist in diesem Zusammenhang Wrobels Analyse von Sebalds Bezugnahme auf Thomas Brownes Muster der Quincunx, die sich *Die Ringe des Saturn* findet, und die Feststellung der Strukturanalogie zwischen diesem Muster und dem Erzählen Sebalds.[77] Wrobels Ansatz ist zweifelsohne faszinierend. Dennoch sind manche Thesen mit Skepsis zu betrachten, beispielsweise dann, wenn Wrobel den Begriff der Selbstähnlichkeit, der in der Chaostheorie eine Rolle spielt, auf Sebalds Texte anwendet und schreibt: „Mandelbrot-Menge und Geschichte offenbaren in der – postmodernen – Sebaldschen Lesart immer Selbstähnlichkeit [...]. Es geschieht nie wirklich Neues, es gibt keine zusätzliche Information, in der Geschichte ereignen sich ständig Katastrophen als Neuauflagen und Wiederholungen von Katastrophen."[78] Dies mag auf der inhaltlichen Ebene und der Oberfläche der Texte zutreffen. Aber in der vorliegenden Arbeit wird zu zeigen sein, daß

---

[73] Dieter Wrobel: Postmodernes Chaos (1997).

[74] Ebd., S. 123.

[75] Dieter Wrobel: Postmodernes Chaos (1997), S. 299f. Wrobel begründet auch die für Sebald schon häufig formulierte These von der Geschichte und ihrer Darstellung als lediglich einer Möglichkeit von Wahrheit mit Modellen der Chaostheorie. Dies erscheint zunächst hochinteressant, auf den zweiten Blick aber doch nicht unbedingt zwingend. (Ebd. S. 315.)

[76] Ebd., S. 92 und 305.

[77] Ebd., S. 344ff.

[78] Ebd., S. 321.

gerade die Rückbindung der Geschichtsthematik an die Analyse der Intertextualität entscheidende Differenzierungen und Interpretationen für das Geschichtsbild und seine Darstellungsmodi liefert. Aus Sebalds Schriften geht im übrigen bisher in keiner Weise hervor, daß er sich mit der Chaostheorie auseinandergesetzt hätte.[79]

Wie deutlich geworden sein dürfte, finden die einzelnen Beiträge wohl unterschiedliche Zugänge zu Sebalds literarischen Texten. Dennoch spielen Schlagworte wie „Heimatverlust" und „Erinnerungsarbeit" in fast allen Aufsätzen gleichermaßen eine Rolle. In den literaturwissenschaftlichen Publikationen, aber auch in Essays, vor allem zu *Die Ausgewanderten*, kommt es diesbezüglich zuweilen zu erheblichen Redundanzen, die es zweifelhaft erscheinen lassen, ob die Autoren vorausgegangene Forschung überhaupt zur Kenntnis genommen haben. Aus den jeweiligen Aufsätzen zumindest geht dies in vielen Fällen nicht hervor. Die meisten stellen die reiche Intertextualität der Sebald-Texte fest, sehen sie sogar bis „ins Extrem gesteigert,"[80] beziehen aber meist nur literarische Prätexte in ihre Überlegungen ein, obwohl, wie in meiner Arbeit zu zeigen sein wird, auch das bildliche bzw. bildlich evozierte Fremdmaterial starkes Interpretationspotential enthält. Manche Beiträge verbleiben gar bei der aus subjektiver Leseerfahrung gespeisten, en passant formulierten Assoziation und der schon fast obligatorisch scheinenden Erwähnung der seit langem bekannten Textbeziehung zwischen *Schwindel.Gefühle* und Kafkas *Der Jäger Gracchus* sowie zwischen *Die Ausgewanderten* und Nabokovs Autobiographie. Atze, Sill, Kastura und Wrobel bilden hier die Ausnahmen, da sie von vornherein auch intertextuelle Fragestellungen angehen. Insgesamt hat die Forschung bisher jedoch trotz der festzustellenden Redundanzen zahlreiche Verweise im Werk Sebalds herausgearbeitet, und es gilt jetzt, diese verdienstvolle Quellenarbeit zu nutzen: Die Verweise zu erläutern und sie für eine Textauslegung fruchtbar zu machen, ist das Ziel dieser Studie.

Die Geschichtsdarstellung spielt in den meisten Publikationen meist nur insofern eine Rolle, als sie in Zusammenhang mit Sebalds poetischer, melancholisch gefärbter Erinnerungsarbeit steht und mit der Holocaust- und Exilthematik von *Die Ausgewanderten* in Verbindung gebracht wird.[81] Dabei stellen die meisten Autoren

---

[79] Einmal, im Interview mit Volker Hage, verwendet Sebald zwar den Begriff des Chaotischen im Zusammenhang mit seiner Vorstellung von Verlaufsmodellen der Geschichte, beschreibt damit jedoch eher den Aspekt des Absurden: „Wir wissen ja inzwischen, daß Geschichte nicht so abläuft wie die Historiker des 19. Jahrhunderts uns das erzählt haben, also nach irgendeiner von großen Personen diktierten Logik, nach irgendeiner Logik überhaupt. Es handelt sich um ganz andere Phänomene, um so etwas wie ein Driften, um Verwehungen, um naturhistorische Muster, um chaotische Dinge, die irgendwann koinzidieren und wieder auseinanderlaufen. Und ich glaube, daß es für die Literatur und auch für die Geschichtsschreibung wichtig wäre, diese komplizierteren chaotischen Muster herauszuarbeiten. Das ist nicht auf systematische Weise möglich. Plötzlich blitzt etwas auf: Man sieht, wie absurd das von uns organisierte gesellschaftliche Leben ist, wie abgrundtief absurd." (Volker Hage: Gespräch mit W.G. Sebald (2003), S. 38.)

[80] Oliver Sill: Aus dem Jäger ist ein Schmetterling geworden (1997), S. 599.

[81] Ein weiteres Beispiel hierfür ist auch der Beitrag von Ernestine Schlant: „Alle vier Erzählungen der *Ausgewanderten* artikulieren die vom Holocaust geprägte Weltsicht der Zerrissenheit, des Bruchs, der Zerstörung. [...] *Die Ausgewanderten* bewahrt die Erinnerung an jene, die gestorben

die Frage nach dem Verhältnis von Fakt und Fiktion in den erzählten Lebensge-schichten. Die zentrale Rolle, welche die Geschichte, und hier nicht nur der Zeitab-schnitt des Dritten Reiches und des Holocaust, in allen Werken Sebalds spielt, ist je-doch bisher nicht angemessen und auch nicht als Einzelproblem berücksichtigt wor-den. Diese Lücke soll mit der vorliegenden Studie geschlossen werden.

In der Bewertung der in die Texte integrierten Abbildungen scheint Konsens zu bestehen, auch über die Koexistenz verschiedener Text-Bild-Strategien bei Sebald. Ansonsten gelten die Abbildungen entweder als Illustration oder als Mittel zur Er-zeugung einer scheinbar dokumentarischen Realitätsfiktion und werden nicht als die beglaubigenden Dokumente aufgefaßt, die einige Rezensenten in ihnen sahen. Diese Bewertung geschieht jedoch nicht selten als ad hoc-Postulat und stützt sich nicht immer auf differenzierte, nachvollziehbare Betrachtungen einzelner Text-Bild-Bezüge. Die Abbildungen, gleich, welchen Gegenstand sie zeigen, werden in kei-nem Beitrag mit den Verfahren der Intertextualität in Zusammenhang gebracht.

Die Notwendigkeit einer systematischen Untersuchung, die sich die vielfältigen intertextuellen Verfahren des Sebaldschen Verweissystems, die Formen und Funk-tionen der Textbeziehungen differenziert vornimmt und sie mit der Geschichtsdar-stellung bei Sebald verknüpft, dürfte nun einmal mehr deutlich geworden sein. Die Tatsache, daß Prätexte nicht nur in Text-, sondern auch in Abbildungsform vorhan-den sind, und nicht nur literarische Intertextualität umfassen, erfordert eine Herein-nahme der Abbildungen in die Untersuchung, ein Zusammendenken der beiden Me-dien unter dem Oberbegriff der Intertextualität und damit eine Erweiterung des Textbegriffs.

III. DIE THEORETISCHE FUNDIERUNG

III.1. Definition des Prätextbegriffs

Als Prätexte gelten in dieser Untersuchung alle Fremdmaterialien erstens aus dem Text- und zweitens aus dem Bildbereich, auf die sich Sebald als Ganze oder in (auch neu angeordneten) Ausschnitten bei der Gestaltung seiner Texte bezieht. Im ersten Falle kann es sich um literarische oder auch nichtliterarische Texte handeln, im zweiten Fall bestehen die Prätexte meist in reproduzierten Fotografien oder Gemäl-den. Die Materialien können sowohl aus künstlerischen als auch nichtkünstlerischen Kontexten stammen. Der Begriff der Fremdmaterialien soll für alle Prätexte bedeu-ten, daß ihr Urheber, soweit der Text darüber Auskunft gibt oder Recherchen Ein-sicht ermöglichen, nicht Sebald selbst ist. Abbildungen, bei denen dies nicht eindeu-tig festzustellen ist, wie beispielsweise bei einigen Landschaftsfotografien in *Die Ringe des Saturn*, werden in der Untersuchung deshalb nicht berücksichtigt. Dies wiederum heißt, daß die in den Text einmontierten Abbildungen nicht aufgrund ihrer

sind oder ermordet wurden. Das Buch selbst kann als einer der in ihm beschriebenen Grabsteine be-trachtet werden." (Ernestine Schlant: Die Sprache des Schweigens (2001), S. 279 und 288.)

semiotischen Eigenschaften, die sich von denen der Texte unterscheiden, als Fremdmaterialien definiert werden.

Diese beiden Prätextarten, Texte und Bilder, erscheinen wiederum durch zwei Verfahrensweisen in den Sebald-Text integriert: erstens durch sprachliche Bezugnahmen, etwa durch Zitate im sprachlichen Fall oder Gemäldebeschreibungen im bildlichen Fall, zweitens durch Abbildung, etwa den Faksimileabdruck eines literarischen Textes oder die Abbildung einer Fotografie.

Im Unterschied zu den Abbildungen gilt für die auf sprachlichem Wege evozierten Prätexte, daß ihre Erkennbarkeit im Sebald-Text erstens vom Vorhandensein einer Markierung, das heißt einer Kennzeichnung des importierten Fremdtextes, und zweitens von deren Verweisstärke abhängig ist. Ein Prätext in Abbildungsform hingegen benötigt wegen der unterschiedlichen Zeichensprache seines Mediums keine sprachliche Markierung, die auf sein bloßes Vorhandensein hinweist.

Als „Text" soll im folgenden jede „Äußerung oder Teiläußerung" bezeichnet werden, „die sich eines natürlichsprachlichen Zeichensystems bedient", als „Bild" hingegen „jede Äußerung/Teiläußerung, die sich [...] eines non-verbalen Zeichensystems bedient, dessen Zeichen einerseits visuell wahrnehmbar sind und nicht nur als abbildendes Notationssystem (zum Beispiel Schrift bei Sprache, Noten bei Musik) eines andersartigen Zeichensystems fungieren [...]."[82] Eine Äußerung aus dem einen semiotischen System kann dabei, wie bereits gesagt, auf eine Äußerung aus dem anderen System referieren.

Ich werde die Bilder bzw. die Abbildungsformen, in denen Prätexte bei Sebald erscheinen können, als eine Erweiterung der sprachlichen Intertextualität behandeln: aus den Textbeziehungen können also auch Text-Bild-Beziehungen werden. Bei den Textinterpretationen im Teil C dieser Arbeit werden die sprachlichen und bildlichen Prätextbezüge dann nicht mehr getrennt behandelt, die theoretische Fundierung der sprachlichen und bildlichen Bezugnahmen muß im folgenden jedoch getrennt geschehen, da sich die Zeichensprache beider Medien voneinander unterscheidet. Die existierenden Beschreibungsmodelle und Theorieansätze zur intertextuell orientierten Textinterpretation haben Prätexte nicht textueller Herkunft lange weitgehend ignoriert. In Texte einmontierte Abbildungen wurden bis in die jüngste Vergangenheit vielmehr in der traditionellen Text-Bild-Forschung analysiert, aber selten im Zusammenhang mit Intertextualität. Erst das noch junge Paradigma der sogenannten Intermedialitätsforschung vereint beide Medien diesbezüglich auch in der textanalytischen Praxis.

---

[82] Michael Titzmann: Semiotik der Text-Bild-Relation (1990), S. 368 und 376. Titzmann definiert die Wort-Bild-Beziehung als Beziehung zwischen verbalen und ikonischen Äußerungen. Dabei sind die Signifikanten der sprachlichen Äußerung die Lexeme, diejenigen der ikonischen Äußerung die Kombinationen aus Linien, Formen und Farben.

III.2. Die Studie im Kontext der Intertextualitätsforschung

Wie umfangreich und ausdifferenziert die Forschung zum Thema Intertextualität inzwischen ist, wird aus den Forschungsberichten und Überblicksdarstellungen deutlich, die beispielsweise Udo Hebel,[83] Susanne Holthuis[84] oder Graham Allen, der auch jüngste Entwicklungen berücksichtigt,[85] vorgelegt haben. Ich werde im folgenden die wichtigsten Grundlinien der Intertextualitätsforschung skizzieren, um die dieser Arbeit zugrunde liegende Auffassung von Intertextualität im Forschungskontext zu verorten und anschließend meinen Ansatz zur kategorisierenden Beschreibung der Sebaldschen Textbezüge vorzustellen.

Das Phänomen der Textreferenzen ist bekanntlich kein spezifisches Phänomen des 20. Jahrhunderts oder gar der sogenannten postmodernen Literatur. Autoren aller Zeiten haben in ihren Werken Fremdtexte in den unterschiedlichsten Formen implizit oder explizit verarbeitet. Doch der Begriff der „Intertextualität" wurde erst Ende der sechziger Jahre von Julia Kristeva in die Philosophie und damit auch in die Literaturtheorie eingeführt. Kristevas Begriffsbildung ist ein Ergebnis ihrer Bachtinrezeption.[86] Ausgangspunkt ihrer Überlegungen war Michail Bachtins Konzept der „Dialogizität", das Sprache als einen kommunikationsorientierten, dynamischen Vorgang versteht, der Gegenrede herausfordert. Mit Dialogizität bezeichnet Bachtin zum einen den „Mikrokosmos der Redevielfalt" im von ihm eingeforderten sogenannten „polyphonen" Roman, der die „sozioideologischen Stimmen einer Epoche" in sich vereinigen müsse.[87] Die Dialogizität umfaßt nach Bachtin jedoch nicht nur diese Stimmenvielfalt innerhalb eines literarischen Werkes, sondern ebenso die Beziehungen der darin verwendeten Worte zu den Worten und Reden außerhalb des konkreten Textes, da „jedes konkrete Wort (die Äußerung) jenen Gegenstand, auf den es gerichtet ist, immer schon [...] besprochen, umstritten bewertet" vorfindet und von „einem ihm verschleiernden Dunst umgeben oder umgekehrt vom Licht über ihn bereits gesagter, fremder Wörter erhellt."[88]

Ein entscheidender Anknküpfungspunkt für Kristevas Neu- und Umdeutung des Dialogizitätskonzept war dessen ideologiekritische Zielrichtung: Bachtin glaubte die Grundprinzipien der Monologizität und Dialogizität bzw. Redevielfalt nicht nur in literarischer Gattungen, sondern auch in gesellschaftlichen Strukturen wiederzufinden: die Redevielfalt sei imstande, autoritäre und damit monologische, Redevielfalt nicht zulassende Gesellschaftsstrukturen zu unterwandern. Kristevas antibürger-

---

[83] Udo J. Hebel: Intertextuality, Allusion and Quotation (1989).

[84] Susanne Holthuis: Intertextualität (1993).

[85] Graham Allen sieht Zukunftsperspektiven der Intertextualitätsforschung vor allem im Phänomen des Hypertextes in der Literatur oder in der Ausweitbarkeit des Konzepts auf die Semiotik nicht-literarischer Künste. (Graham Allen: Intertextuality (2000), S. 174 und S. 199ff.)

[86] Julia Kristeva: Bachtin, das Wort, der Dialog und der Roman. Die hier zitierte deutsche Fassung des Aufsatzes findet sich in: Jens Ihwe (Hg.): Literaturwissenschaft und Linguistik (1972), S. 345-375.

[87] Michael M. Bachtin: Die Ästhetik des Wortes (1979), S. 290.

[88] Ebd., S. 169.

lich-kommunistisch gefärbtes Denken sah deshalb (und wegen des seinem Konzept innewohnenden Verständnisses von Sprache als dynamischem Vorgang) in Bachtin den Überwinder des statischen Strukturalismus, der für Kristeva das texttheoretische Äquivalent zum bürgerlichen Bewußtsein darstellte.[89]

Ausgehend von den genannten Voraussetzungen leitete Kristeva den Intertextualitätsbegriff folgendermaßen ab:

> [...] jeder Text baut sich als Mosaik von Zitaten auf, jeder Text ist Absorption und Transformation eines anderen Textes. An die Stelle des Begriffs der Intersubjektivität tritt der Begriff der Intertextualität, und die poetische Sprache läßt sich zumindest als eine doppelte lesen.[90]

Die Einsetzung des Begriffs der „Intertextualität" an die Stelle der „Intersubjektivität" deutet Kristevas radikale Ausweitung des Textbegriffs an: Sie definiert Intertextualität als eine allgemeine und allen Texten zugehörige Eigenschaft. Textualität, also „Text sein", ist für sie nur als Intertextualität denkbar und damit „als der gesamte Bestand soziokulturellen Wissens, an dem jeder Text teilhat, auf den jeder Text verweist, aus dem jeder Text entsteht und in dem er sich auch wieder auflöst."[91] In der Folge erscheinen Dynamik und Beziehungshaftigkeit als zentrale Merkmale von Text. Außerdem wird der Autor als origineller Schöpfer von Kunstwerken ausgeschaltet, denn laut Kristeva transformiert und reproduziert sich der universale Intertext selbst, und zwar subjektlos. Der Autor fungiert bestenfalls noch als Anordner schon bestehender Texte, als Knotenpunkt, als „Echokammer."[92] Mit konkreten Ausprägungen von Intertextualität in der Literatur hatte dieser Ansatz jedoch nichts mehr zu tun.[93]

Trotz der fundamentalen, berechtigten Kritik an Kristevas Intertextualitätskonzept, wie sie beispielsweise Broich/Pfister und Hempfer formuliert haben,[94] folgt der

---

[89] „Bachtin gehört zu den ersten, die die statische Zerlegung der Texte durch ein Modell ersetzen, in dem die literarische Struktur nicht *ist*, sondern sich erst aus der Beziehung zu einer *anderen* Struktur *herstellt*. Diese Dynamisierung des Strukturalismus wird erst durch eine Auffassung möglich, nach der das 'literarische Wort' nicht ein *Punkt* (nicht ein feststehender Sinn) ist, sondern eine *Überlagerung von Text-Ebenen*, ein Dialog verschiedener Schreibweisen: der des Schriftstellers, der des Adressaten (oder auch der Person), des gegenwärtigen oder vorangegangenen Kontextes." (Julia Kristeva: Bachtin, das Wort, der Dialog und der Roman (1972), S. 346.)

[90] Ebd., S. 348.

[91] Susanne Holthuis: Intertextualität (1993), S. 15.

[92] Roland Barthes: Über mich selbst (1978), S. 81.

[93] Julia Kristeva ging es jedoch nie um die Interpretation literarischer Texte, sie wollte vielmehr ein kritisches Korrektiv für Bestehendes in Literatur und Gesellschaft schaffen. Es ging ihr darum, „den Ort zu wechseln und ein einengendes System anzugreifen, nicht indem man ihm frontal entgegentritt, sondern dadurch, daß man ein anderes Territorium erschließt, eine andere Redeweise, einen anderen Horizont." (Julia Kristeva: A quoi servent les intellectuels (1977), S. 125.)

[94] Klaus W. Hempfer kritisiert vor allem Kristevas „grundsätzliche Inkonsistenz der Begriffsbildung" bezüglich der Intertextualität, da dieselbe erst auf Einzeltexte allgemein, dann auf poetische Texte verengt angewandt werde und schließlich wieder auf eine totale Metaphorisierung des Textbegriffs hinauslaufen. Hempfer sieht in dieser Heterogenität die Tatsache begründet, daß „der Begriff in der Rezeption so ziemlich alles – und damit letztendlich nichts mehr – bezeichnen konn-

akademische Betrieb in Frankreich Kristevas poststrukturalistisch geprägtem Intertextualitätskonzept im Grunde bis heute. Als nach wie vor wichtige Arbeiten dieser Denkrichtung sind die Beiträge von Charles Grivel zu nennen, die beide einen rezeptionstheoretischen Akzent setzen, indem sie den Autor in den Hintergrund und den Leser als entscheidende Instanz der Aktualisierung von Intertextualität in den Mittelpunkt rücken.[95] Wichtige Beschreibungsmodelle des Phänomens Intertextualität haben auch Jean Starobinski und Michel Riffaterre erarbeitet. Starobinski denkt Intertextualität, ausgehend von Saussure, als anagrammatisches Rätsel.[96] Der Semiotiker und Rezeptionstheoretiker Riffaterre sieht, ähnlich wie auch Laurent Jenny,[97] Intertextualität in rhetorischer Tradition und vergleicht das Funktionspotential von Intertextualität mit demjenigen der rhetorischen Figur der Syllepse.[98] In der Forschergruppe der sogenannten „Yale Critics" bildete sich eine amerikanische Schule der Intertextualität heraus, in der vor allem die psychoanalytisch akzentuierten Arbeiten Harold Blooms[99] die Richtung vorgeben.

Einen besonderen Stellenwert in der Intertextualitätsforschung beansprucht nach wie vor Gérard Genette mit seinem Werk „Palimpseste".[100] Genette bietet darin das immer noch umfangreichste und differenzierteste Beschreibungssystem intertextueller Bezugsmöglichkeiten (wobei er den Oberbegriff der Intertextualität durch „Transtextualität" ersetzt, gleichwohl das altbekannte Phänomen der Textbeziehungen beleuchtet) und stellt zur Beschreibung derselben „mit einem geradezu scholastischen Aufwand"[101] eine nach wie vor beispiellose Nomenklatur bereit. Sein Ansatz umfaßt die Gesamtheit aller bewußten und unbewußten Vorstellungen, die man zu anderen Texten in Beziehung setzt. Er steht poststrukturalistischem Gedankengut

---

te." (Klaus W. Hempfer: Intertextualität, Systemreferenz und Strukturwandel (1991), S. 8f. und S. 13.) Manfred Pfister bemängelt außerdem, daß Kristeva den Autor vom autonomen Subjekt zum bloßen intertextuellen Projektionsraum herabsetzt und dabei behauptet, dies von Bachtin herzuleiten. In Wahrheit insistiere Bachtin jedoch nachdrücklich auf den „Kontakt von Persönlichkeiten" hinter dem „dialogischen Kontakt zwischen Texten." (Ulrich Broich/Manfred Pfister: Intertextualität (1985), S. 8.)

[95] Grivel setzt Intertextualität mit dem Lesevorgang gleich: „Lesen ist Gedächtnisspiel, Lesen ist Ins-Gedächtnis-Rufen, Lesen ist Erinnerung." (Charles Grivel: Serien textueller Perzeption (1983), S. 57f.)

[96] Starobinski geht mit Saussure davon aus, daß, so wie in einem phonetisch oder graphisch umgestellten Wort ein anderes verborgen sein kann, auch in einem Text ein anderer Text verborgen sein kann. Die Elemente des Prätextes erscheinen in neuer Anordnung im Folgetext und bilden eine Rätselstruktur, die entschlüsselt werden muß. (Jean Starobinski: Le texte dans le texte (1969).)

[97] Laurent Jenny: La stratégie de la forme (1976).

[98] Michel Riffaterre: La syllepse intertextuelle (1979). Dazu auch Susanne Holthuis: Intertextualität (1993), S.20.

[99] Harold Bloom: The Anxiety of Influence (1973). Nach Bloom steht der Künstler in einem Konkurrenzverhältnis sowohl zu Vorgängern als auch zu Zeitgenossen, die sein Denken beeinflussen und entsprechende Spuren in seinem Werk hinterlassen. Das Wissen darum initiiert einen Kampf um künstlerische Emanzipation, den Bloom in psychoanalytischer Tradition als Kampf des Sohnes mit der übermächtigen Vaterfigur interpretiert.

[100] Gérard Genette: Palimpseste (1993).

[101] Ulrich Broich/Manfred Pfister: Intertextualität (1985), S.16.

insofern nahe, als er den Autor bei seinen Betrachtungen außen vor läßt und Intertextualität im Wortsinn, also als Bezüge zwischen Texten, sowohl Einzeltexten als auch Gattungen, darstellt. Mit Ausnahme Genettes ist über die poststrukturalistisch und an Kristeva orientierten Intertextualitätskonzepte folgendes zu sagen: So überzeugend sie als Texttheorien sein mögen, so wenig Mittel und Methoden stellen sie für die Analyse konkreter Einzeltextbezüge bereit.

Eine Strömung, die sich in besonderem Maße gegen Kristeva wandte, entstand Anfang der achtziger Jahre in der Bundesrepublik Deutschland, wo Anstrengungen unternommen wurden, Kristevas universales Intertextualitätskonzept wieder für einen hermeneutisch orientierten Umgang mit literarischen Texten und deren Interpretation fruchtbar zu machen. Vor allem wurden in diesem Zusammenhang Taxonomiemodelle und Begriffe zur Beschreibung unterschiedlicher Typen intertextueller Bezugnahme geleistet. Als „landmarks"[102] sind hier vor allem der von Wolfgang Schmid und Wolf-Dieter Stempel herausgegebene Sammelband[103] zu nennen, der so etwas wie die Initialzündung dieser deutschen Intertextualitätsschule darstellt, außerdem die Schriften Karlheinz Stierles,[104] Renate Lachmanns,[105] oder Ulrich Broichs und Manfred Pfisters.[106] Broich und Pfister verstehen ihren Entwurf interessanterweise als Vermittlungsmodell, das die als unüberbrückbar geltenden Gegensätze zwischen textanalytischem und universalem Intertextualitätskonzept zusammendenken will: „Möglich erscheint uns das schon deshalb, weil die beiden Modelle einander nicht ausschließen, vielmehr die Phänomene, die das engere Modell erfassen will, prägnante Aktualisierungen jener globalen Intertextualität sind, auf die das weitere Modell abzielt."[107]

Annäherungsversuche wie dieser sind jedoch einseitig geblieben. Die Kristeva-Anhänger beklagen, daß die Intertextualität zur modischen Verbrämung traditioneller Einflußforschung degeneriert sei.[108] Dieser oft zu lesende Vorwurf ist zuweilen nicht ganz unberechtigt, läßt sich aber, auch im Falle meiner Arbeit, entkräften. "It will be relevant for a study of intertextuality only if the resulting adaptation preserves a (traceable!) race of that which it almost, but not quite, erases."[109] Intertextuelle Spurensicherung, traditionelles Aufgabengebiet der Einflußforschung, sagt noch nichts über die Art und Weise, den Grad oder das Bedeutungspotential von strategisch eingesetzten Textbeziehungen aus. Hier setzt jedoch die Intertextualitätsforschung an.

---

[102] Udo J. Hebel: Intertextuality, Allusion and Quotation (1989), S.11.

[103] Wolfgang Schmid/Wolf Dieter Stempel (Hg.): Dialog der Texte (1983).

[104] Karlheinz Stierle: Werk und Intertextualität (1984).

[105] Dazu Renate Lachmann: Gedächtnis und Literatur (1990); Dies.: Ebenen des Intertextualitätsbegriffs (1984); Dies.: Intertextualität als Sinnkonstitution (1983).

[106] Ulrich Broich/Manfred Pfister (Hg.): Intertextualität (1985).

[107] Ebd., S. 25.

[108] Kristeva hat sich angesichts der Entwicklung und Indienstnahme ihres Begriffs selbst wieder von ihm distanziert. (Ulrich Broich/Manfred Pfister: Intertextualität (1985), S. 10.)

[109] Andreas Höfele: 20th Century Intertextuality and the Reading of Shakespeare's Sources (1997), S. 227.

Wie unterschiedlich akzentuiert die Ansätze der textanalytischen Richtung auch sein mögen, sie alle fragen nach dem Bedeutungspotential von Textbezügen für die Interpretation literarischer Texte und begreifen Intertextualität „als eine Möglichkeit, eine Alternative, ein Verfahren des Bedeutungsaufbaus literarischer Texte."[110] Dieser Auffassung von Intertextualität schließe ich mich im meiner Arbeit an. Dennoch bleibt immer mitzudenken, daß die Berührung zweier oder mehrerer Texte beinahe automatisch das Problem der „Sinnkomplexion,"[111] der „semantischen Explosion"[112] und damit möglicher Unauslotbarkeit mit sich bringt. Culler hat dieses Problem auf den Punkt gebracht: "The consequences of the notion of intertextuality are undoubtly rich, [...] but proves itself [...] an extremely difficult concept to work with, as it were the nature of intertextual space, its codes and conventions, to evade description."[113] Gleichwohl steht die Herausforderung der sich laut Culler kategorisierender Beschreibung entziehenden intertextuellen Referenzen nach wie vor im Raum. Sie läßt immer wieder neue Arbeiten entstehen, die mehr oder weniger brauchbare Instrumente zur Untersuchung konkreter Intertextualitätsfälle bereitstellen, zum Beispiel zu Werken von Ingeborg Bachmann, Johannes Bobrowski oder Arno Schmidt.[114]

Der Vergleich und die Auswertung der beiden nebeneinander existierenden, aus konträren Denkrichtungen kommenden Intertextualitätskonzepte hat für meine Arbeit folgende Verortung ergeben: Da das Ziel meiner Untersuchung textanalytischer und interpretatorischer Natur ist, folge ich der Auffassung von Intertextualität als einer Strategie des Bedeutungsaufbaus in Texten und gehe also von einem strukturalistisch orientierten, textzentrierten Ansatz aus. Dennoch wäre der in Standardwerken für einen solchen Ansatz, also bei Broich und Pfister, aber auch bei Lachmann, postulierte Textbegriff für meine Zwecke insofern zu eng, als sich diese Studien auf Beziehungen literarischer Texte untereinander beschränken, zu den Sebaldschen Prätexten aber auch nichtliterarische Texte und Abbildungen gehören. An diesem Punkt werden Bruchstücke des poststrukturalistischen Intertextualitätsdenkens als Denkfolie brauchbar, die, wie beispielsweise bei Riffaterre, literarische und nichtliterarische Texte nebeneinanderstellen und in der Vorstellung von einer Textwelt vernetzen.[115]

Dennoch befaßten sich sowohl Broich/Pfister als auch Lachmann mit einem Kriterium, daß für meine Untersuchung der Intertextualität bei W.G. Sebald von zentraler Bedeutung sein wird, und zwar mit der Markierung[116] von Prätexten. Von

[110] Wolfgang Preisendanz: Zum Beitrag von Renate Lachmann 'Dialogizität und poetische Sprache' (1982), S. 26.

[111] Renate Lachmann: Ebenen des Intertextualitätsbegriffs (1984), S. 134.

[112] Ebd.

[113] Jonathan Culler: Presupposition and Intertextuality (1976), S. 1383f.

[114] Eva Adelsbach: Bobrowskis Widmungstexte an Dichter und Künstler des 18. Jahrhunderts (1990); Edith Bauer: Drei Mordgeschichten (1998); Jürgen Schmidt: Intertextualität in Arno Schmidts Novellen-Comödie *Die Schule der Atheisten* (1998).

[115] Michel Riffaterre: The Semiotics of Poetry (1978), S. 19-23.

[116] 1. Die folgenden Festlegungen zum Markierungsbegriff sollen nicht für alle Fremdmaterialien, sondern zunächst nur für die Fremdtexte gelten. Bei den Abbildungen ist die Markierungs-

diesem Kriterium der Markierung werde ich im nun folgenden Kapitel mein Beschreibungsinstrumentarium für die Sebald-Texte ableiten und begründen, denn die hohe Varianz der Markierungsformen und Markierungsstärken ist ein zentrales Kennzeichen in Sebalds intertextuellem Verweissystem.

III.3. Die Problematik der Markierung

Elementare Voraussetzung für die Interpretation von Textreferenzen ist die Wahrnehmung derselben durch den Rezipienten. Um diese zu ermöglichen, kann der Autor seine Bezüge auf Fremdtexte bzw. Fremdmaterialien markieren, d.h. dem Autor stehen die unterschiedlichsten Mittel zur Verfügung, um die Textbeziehungen anzuzeigen. Selbstredend wird bereits die Form einer Markierung[117] Funktions- und Bedeutungspotential für den ganzen Text implizieren.

Die obengenannten prominenten Theorieansätze der textanalytisch ausgerichteten Intertextualitätsforschung plädieren dafür, daß neben der literarischen nur die signalisierte, markierte Intertextualität Anspruch auf Analysierbarkeit haben solle. Sowohl Renate Lachmann[118] als auch Broich/Pfister favorisieren die „bewußte, markierte und intendierte Intertextualität"[119] als Gegenstand:

> Nach diesem Konzept liegt Intertextualität dann vor, wenn ein Autor bei der Abfassung seines Textes sich nicht nur der Verwendung anderer Texte bewußt ist, sondern auch vom Rezipienten erwartet, daß er diese Beziehung zwischen seinem Text und anderen Texten als vom Autor intendiert und als wichtig für das Verständnis erkennt. Intertextualität im engeren Sinne setzt also das Gelingen eines ganz bestimmten Kommunikationsprozesses voraus, bei dem nicht nur Autor und Leser sich der Intertextualität eines Textes bewußt sind, sondern bei dem jeder der beiden Partner des Kommunikationsvorgangs darüberhinaus auch das Intertextualitätsbewußtsein seines Partners einkalkuliert.[120]

---

problematik wegen der unterschiedlichen Semiotik, wie zu zeigen sein wird, anders gelagert. 2. Viele Arbeiten aus der Intertextualitätsforschung befassen sich am Rande mit dem Problem der Markierung, doch nur wenige stellen es ins Zentrum ihrer Arbeit wie z.B. Heinrich Plett oder Ulrich Broich und Manfred Pfister. Ein ausführlicher Forschungsbericht zur Markierungsproblematik würde dieses Kapitel überfrachten, deshalb sei hier verwiesen auf das zweite Kapitel in Jörg Helbig: Intertextualität und Markierung (1996).

[117] „Markierung" bezeichnet im folgenden „spezifische sprachliche oder graphemisch-visuelle Signale [...], die eine intertextuelle Einschreibung erst als solche kennzeichnen (eben: 'markieren') sollen" (Jörg Helbig: Intertextualität und Markierung (1996), S.54). „[...] die Markierung dient dabei als Anweisung, den manifesten Text anders als üblich, nämlich intertextuell zu lesen." (Ebd. S.149.)

[118] Renate Lachmann: Gedächtnis und Literatur (1990), S. 63.

[119] Ulrich Broich/Manfred Pfister: Intertextualität (1985), S. 48.

[120] Ebd., S. 31. Dieses Konzept von Intertextualität scheint, obwohl der Theorieentwurf von Broich und Pfister in vieler Hinsicht einleuchtet, für die Analyse der Textbeziehungen bei Sebald zu eng gefaßt. Sicherlich wird markierte Intertextualität einem Rezipienten deutlicher bewußt als schwach- oder nicht markierte Textbeziehungen. Doch die Intertextualität wird bei Broich und Pfi-

Bei dieser Argumentation, die grundsätzlich sicher sinnvoll ist, wird jedoch erstens außer acht gelassen, daß das Verfahren der Nichtmarkierung ebenfalls Aufgaben im Text übernehmen kann wie z.B. ein beabsichtigtes Spiel mit der Komponente des Zufalls oder dem Bildungsgrad und der Rolle des Lesers.[121] Zweitens sind verkürzende Begriffsdichotomien in der Beschreibung von Textbeziehungen wie zum Beispiel „markiert vs. unmarkiert" bei Broich/Pfister, „intendiert vs. latent" bei Lachmann oder auch „explizit vs. implizit" bei Plett,[122] nicht dazu geeignet, die ganze Bandbreite der Verweisformen und -stärken bei Sebald zu erfassen. Solche Gegensatzpaare können sicherlich als die jeweiligen Endpunkte eines Kontinuums der Markierungsstärken dienen, doch für die Binnendifferenzierung und Feinabstufung innerhalb solcher Kontinuen sind sie nicht zu verwenden. Drittens erweist sich die von Pfister eingeführte Kategorie des „Intentionalen", daß also eine Textreferenz als gestalterisch beabsichtigt erkennbar sein muß,[123] als problematisch, denn die Intentionalität einer Referenz ist im Einzelfall schwer oder überhaupt nicht nachprüfbar. Sebald liefert selbst das Argument für die schwerpunktmäßig textorientierte Analyse seiner Arbeiten an einem Beispiel aus *Die Ausgewanderten*:

> [...] es taucht ein Stück weiter im Text, ich weiß nicht aus welcher Versenkung, auch das Wort ‚Trauerlaufbahn' auf, von dem ich, als ich es seinerzeit in der Savoy-Episode niederschrieb, geglaubt habe, daß es noch keinem eingefallen sei vor mir. Ich habe immer versucht, in meiner eigenen Arbeit denjenigen meine Achtung zu erweisen, von denen ich mich angezogen fühlte [...] indem ich ein schönes Bild oder ein paar besonders schöne Worte von ihnen entlehnte, doch es ist eine Sache, wenn man einem dahingegangenen Kollegen zum Andenken ein Zeichen setzt, und eine andere, wenn man das Gefühl nicht loswird, daß einem zugewinkt wird von der anderen Seite.[124]

Demzufolge kann – wie der Fall Sebalds zeigen wird – auch der un- und schwach markierten Intertextualität ein nicht zu ignorierendes Bedeutungspotential zugesprochen werden.[125] Sie wird deswegen ebenfalls in dieser Untersuchung berücksichtigt, auch wenn die markierte Intertextualität den Kernbereich der Betrachtung bildet.

---

ster offenbar als ein Kunstmittel aufgefaßt, dessen Wirkung auf den Leser eins zu eins kalkulierbar ist.

[121] Es gibt zahlreiche Beispiele in Literatur und Kunst, in denen ein Autor oder Künstler durch Verzicht auf explizite Markierung auf eine bestimmte Schicht der potentiellen Leserschaft zielt und deshalb beim derart angesprochene Rezipientenkreis die Fähigkeit, eine latent vorhandene Interferenz zwischen aufnehmendem und eingelagerten Text zu aktualisieren, voraussetzt. (Jörg Helbig: Intertextualität und Markierung (1996), S. 157.)

[122] Ebd., S. 53.

[123] Dazu Ulrich Broich/Manfred Pfister: Intertextualität (1985), S. 31-47.

[124] W.G. Sebald: Le promeneur solitaire (1998), S. 138.

[125] Jörg Helbig definiert hier differenzierter und unterscheidet eine unabsichtliche, latente Präsenz von Fremdtexten von einer absichtlich latent gemachten, kaschierten, vom Leser aber durchaus aufdeckbaren Präsenz. Die Zielgruppe kann freilich von Fall zu Fall sehr unterschiedlich definiert sein, entscheidend ist weniger das ästhetische Niveau als daß eine implizite Leserrolle nicht durch überflüssige Markierung in Frage gestellt wird. (Jörg Helbig: Intertextualität und Markierung (1996), S. 63f.)

Entsprechend der ausgeführten Erkenntnisinteressen verwende ich ein von Jörg Helbig entwickeltes[126] textanalytisches Instrumentarium, das für die beschreibende Überblicksdarstellung der Sebaldschen Textbeziehungen mit ihren fein abgestuften und sehr variantenreichen Markierungsformen besonders geeignet, wenn nicht ideal erscheint. Helbig entwickelt in diesem seinem Modell Grundgedanken des Ansatzes von Ulrich Broich und Manfred Pfister weiter, indem er mit einem strukturalistisch orientierten Textbegriff[127] arbeitet und Intertextualität als Steuerungsinstrument von Textbedeutung betrachtet. Er bezieht jedoch im Gegensatz zu Broich/Pfister und anderen Theoretikern die unmarkierten Textbeziehungen als Gestaltungsmöglichkeit und potentielle Funktionsträger mit ein.[128] Vor allem aber baut er Pfisters Konzept der Skalierung von Intertextualitätsstärken aus, das dieser zur Beschreibung von Textbeziehungen konzipiert hat.[129] Helbig entwirft in dieser Vorstellung von einem Kontinuum der Markierungsintensität ein Vierstufenmodell, das von einer sukzessiven Steigerung der Markierungsdeutlichkeit von Ebene zu Ebene durch das Hinzutreten von Markierungselementen ausgeht. Diese vier Ebenen der Markierungsdeutlichkeit benennt Helbig mit den Begriffen „Nullstufe (unmarkierte Intertextualität)", „Reduktionsstufe (implizit markierte Intertextualität)", „Vollstufe (explizit markierte Intertextualität)" und „Potenzierungsstufe (thematisierte Intertextualität)".[130] Mit Hilfe dieser Konstruktion kann der Raum zwischen den Oppositionsbegriffen „markiert" im Kern und „unmarkiert" in der Randzone des Pfisterschen Modells genau vermessen werden.[131]

Die Überblicksordnung nach dem Oberkriterium der Markierungsstärke ist im Falle Sebalds sinnvoll, weil die Markierungsstärke eng mit der Markierungsform korrespondiert und diese beiden Parameter wiederum eng mit der Funktion einer Textreferenz im Gesamttext zusammenhängen. Ich werde also in den Kapiteln des Teils B die Ebenen der Markierungsstärke in den Sebald-Texten zunächst voneinander isolieren, um Sebalds Textstrategien zu verdeutlichen und ihre möglichen Funktionen exemplarisch zu skizzieren. Endziel ist jedoch nicht die dadurch entstehende horizontale Ordnung, die wegen der Vielzahl der Bezugsformen verkürzend wäre, vielmehr kann die Betrachtung der einzelnen Ebenen als Nebeneinander schließlich wieder das Zusammenspiel und die Streuung von Markierungen über die verschie-

---

[126] Jörg Helbig: Intertextualität und Markierung (1996).

[127] Ebd., S. 58.

[128] Ebd., S. 53.

[129] Im Kern seines Kreismodells siedelt Pfister die maximale Intensität erkennbarer Intertextualität an, zu den Randgebieten hin schwächt sich die Verweisintensität ab und nähert sich damit der Vorstellung vom universalen Intertext an. Diese Stärkeskalen lassen sich nach Pfister auf sechs verschiedene Kriterien intertextueller Bezüge anwenden, auf Referentialität, Kommunikativität, Autoreflexivität, Strukturaliät, Selektivität, Dialogizität. (Ulrich Broich/Manfred Pfister: Intertextualität (1985), S. 25-31.)

[130] Jörg Helbig: Intertextualität und Markierung (1996), S. 5f.

[131] Dabei bezieht sich Helbig vor allem auf das Kriterium der Kommunikativität bei Pfister, weil auch und vor allem dieser Aspekt seiner Ansicht an den Deutlichkeitsgrad einer Referenz gekoppelt ist. (Jörg Helbig: Intertextualität und Markierung (1996), S. 62.)

denen Ebenen hinweg verdeutlichen.[132] Eine andere als eine exemplarische Vorführung erscheint wenig sinnvoll, denn eine Gesamtschau aller Beispiele und Textstellen würde sowohl Rahmen als auch Zielsetzung dieses Kapitels sprengen.

III.4. Die Studie im Kontext der Intermedialitätsforschung

„Die Einführung des Begriffs *Intermedialität* wird dort notwendig, wo Beziehungen zwischen Zeichenkomplexen Mediengrenzen überschreiten", schreibt Thomas Eicher.[133] Eine solche mediale Grenzüberschreitung geschieht innerhalb der Sebald-Texte erstens durch das schon genannte Verfahren der einmontierten Abbildungen von Prätexten beider Medien, zweitens durch die Verwendung von Prätexten aus dem Bildbereich.[134] Der Begriff der Text-Bild-Beziehung soll in meiner Arbeit beide Aspekte enthalten.

Die Forschung zur Intermedialität kennt jedoch sehr unterschiedliche Auslegungen ihres Zentralbegriffs[135] und operiert demnach auf sehr unterschiedlichen Ebenen. Diese gilt es zunächst zu differenzieren:

> Je nach der Dimension des Medienbegriffs kann damit zum Beispiel die (evolutionäre) Beziehung zwischen technischen Instrumenten [...] zur Beobachtung, Darstellung und Kommunikation von Realität gemeint sein; ebenso kann das perzeptive Zusammenspiel von Medien der Wahrnehmung zur kognitiven Konstruktion von Realität als erkenntnistheoretische Intermedialität gelten: oder aber Medien werden als Qualität oder Grund von formalen Eigenschaften in Kunstwerken unterschieden.[136]

Diese Arbeit bewegt sich im Bereich der beiden letztgenannten Intermedialitätsdefinitionen, da das formale Nebeneinander von Text und Abbildung ebenso relevant für die Interpretation der Sebald-Texte sein wird wie die Beziehungen zwischen Text und Bild auf inhaltlicher Ebene.

---

[132] „Die Bestimmung des Deutlichkeitsgrades intertextueller Markierung verkompliziert sich dadurch, daß der jeweilige Typus einer Einschreibung (z.B. Anspielung, Zitat) zweifellos Einfluß auf die Deutlichkeit einer Bezugnahme ausüben kann. Da aber jeder Typus sowohl markiert als auch unmarkiert auftreten kann, sind Art der Markierung und Typus der Einschreibung auf unterschiedlichen logischen Ebenen angesiedelt." (Jörg Helbig: Intertextualität und Markierung (1996), S. 80f.)

[133] Thomas Eicher: Intermedialität (1994), S. 18.

[134] Der Begriff der Montage wird hier im Sinne von Volker Klotz verwendet: „Montage ist die Tätigkeit, vorgefertigte Teile zu einem Ganzen zusammenzusetzen." (Volker Klotz: Zitat und Montage in neuerer Literatur und Kunst (1992), S. 180.)

[135] Auch die Forschung zur Text-Bild-Beziehung, deren Tradition von der Untersuchung der barocken Emblematik über Buchillustrationen hin zur visuellen Poesie und in jüngster Zeit zu Kombinationen von gesprochener bzw. geschriebener Sprache mit TV- und Computerbildern reicht, findet sich inzwischen im Intermedialitätsparadigma wieder. Dazu Michael Strauch: Rolf-Dieter Brinkmann (1998), S. 71.

[136] Joachim Paech: Intermedialität (1998), S. 18.

Die genaue Definition des Intermedialitäsbegriffs für meine Arbeit läßt sich jedoch aus den Gegebenheiten der zu analysierenden Texte wie folgt ableiten: Der Text erscheint bei Sebald in jeder Hinsicht als das primäre Medium, in das die Bilder bzw. Abbildungen in ihren verschiedenen Erscheinungsweisen eingebettet sind. Dies hat zur Folge, daß die Textsemantik die Bildsemantik dominiert und somit bedeutungsstrukturierende Funktion übernimmt: „In Abhängigkeit von der Textbedeutung wird die Interpretation, Fokalisierung, Hierarchisierung des Bedeutungspotentials des Bildes vorgenommen, soweit es dessen Merkmale erlauben."[137] Diesen Gegebenheiten folgend, werde ich den Terminus der Intermedialität ebenso wie den der Text-Bild-Beziehung im Rahmen der Intertextualität als Synonym für das Zusammenspiel einer Abbildung mit dem sie umgebenden Textumfeld gebrauchen.

Ich folge damit dem Intermedialitätsbegriff von Aage A. Hansen-Löve, der ihn 1983 als einer der ersten Theoretiker in die Diskussion einbrachte. Auch er formte den Begriff als eine Erweiterung der Intertextualität hin zu den Beziehungen zwischen Text und Bild.[138] Er tat dies jedoch nicht in bezug auf die mediale Qualität von Text und Bild im allgemeinen, sondern auf *intra*medialer Ebene, das heißt auf der Ebene des Nebeneinanders beider Medien in ein und demselben Kunstwerk. Auf einen ausführlicheren Forschungsbericht zu den Gebieten der Text-Bild-Forschung und zur Intermedialität wird hier aus Gründen der Ökonomie und der Subordinierung der Intermedialität unter die Intertextualität verzichtet. Ausführliche Forschungsberichte zur Text-Bild-Beziehung finden sich beispielsweise bei Ulrich Weisstein.[139] Darüber hinaus sollen bei der Interpretation der Text-Bild-Beziehungen im Rahmen der Intertextualität bei Sebald folgende Voraussetzungen bedacht werden, die mit der unterschiedlichen Semiotik der beiden Medien zusammenhängen:

1. Der Interpretationsprozeß von Abbildungen als Signifikanten in der Text-Bild-Beziehung ist abhängig von den biologischen und psychischen Strukturen unseres Wahrnehmungsapparates: „Wir suchen, so scheint es, das Bild auf Merkmalskombinationen ab, die in uns gespeicherten strukturellen Mustern entsprechen. [...] Nur was wir sprachlich benennen oder umschreiben können, ist ein identifizierbares Objekt und somit eine mögliche Bedeutung des Bildelements."[140]

2. Zu bedenken ist bei dieser Wahrnehmung außerdem, daß sich ein Text auf den ersten Blick als sukzessiv-linear geordnete Folge, das Bild bzw. die Abbildung hingegen als „geordnete Menge simultan gegebener Elemente[141] präsentiert [...]. Wo

---

[137] Michael Titzmann: Semiotik der Text-Bild-Relationen (1990), S. 382.

[138] Aage A. Hansen-Löve: Intermedialität und Intertextualität (1983). Dazu auch Thomas Eicher: Intermedialität (1994), S. 11.

[139] Ulrich Weisstein (Hg.): Literatur und bildende Kunst (1992).

[140] Michael Titzmann: Semiotik der Text-Bild-Relationen (1990), S. 378.

[141] Dieser Unterschied zwischen Text und Bild bildete bekanntlich schon für Lessing den Ausgangspunkt seiner Grenzziehung zwischen Malerei und Poesie, die er im *Laokoon* formulierte. Einen der wichtigsten Theorieentwürfe, der Text und Bild unter den Aspekten des gemeinsamen Bezogenseins auf eine Erfahrungswirklichkeit und des gemeinsamen Ziels der Anschaulichkeit wiederzuvereinen sucht, hat Gottfried Willems formuliert und in den Begriff von der inneren Wort-Bild-Beziehung gegossen: „Dem Wort wohnt ein verdunkeltes Bild, dem Bild ein verstummtes

also der Text eine Leserichtung zwingend festlegt, stellt sie ein Bild zur Wahl, wobei es natürlich gleichwohl Steuerungsmechanismen der Leserichtung von Bildern gibt, bedingt durch Strukturen der Wahrnehmung wie der Äußerung."[142] Temporalisierung und Narrativisierung scheinen damit zunächst Eigenschaften des Mediums Text, Abbildung synchroner Zustände hingegen Eigenschaften des Mediums Bild zu sein.[143] Grundsätzlich kann diese theoretische Annahme Titzmanns als zutreffend angesehen, sie kann aber weiter differenziert werden. Aaron Varga beispielsweise präzisiert sie, indem er nach Gemeinsamkeiten in der Argumentationsmöglichkeit von Texten und Bildern sucht: Nicht nur können Bilder, wenn sie z.B. in Serien auftreten, ausgeprägte epische Narrativität besitzen, auch Einzelbilder werden, so Varga, „in der Zeit gelesen, und dieses Lesen dürfte auf den Empfänger ungefähr die gleichen Wirkungen haben wie das Lesen eines Textes."[144] Allgemeiner argumentiert Monika Schmitz-Emans, die es als Scheinselbstverständlichkeit betrachtet, daß man ein Bild auf einen Blick, einen Text sukzessive wahrnimmt:

> Doch darf man das Nacheinander, mit dem die Einzelmomente eines Bildes
> betrachtet werden können, durchaus mit dem Nacheinander einer Text-
> Lektüre vergleichen. Umgekehrt ist der Text für den, der ihn gelesen hat, an-
> schließend als Ganzes in der Erinnerung präsent, und bei jedem Wieder-Lesen
> wird das jeweils gerade Entzifferte auf jenes Ganze bezogen. Selbst bei der
> Erstlektüre dürfte ein solches simultane Text-Ganzes mit im Spiel sein, näm-
> lich insofern sich Lektüre im Zeichen vorgängiger Sinn-Entwürfe vollzieht.
> Man kann also Bilder wie Texte lesen, kann aber auch Texte wie Bilder als
> [...] Ganzes simultan auffassen und tut dies ansatzweise immer schon, wo der
> Akzent auf der Integration des Einzelabschnitts in ein (hypothetisches) Sinn-
> kontinuum liegt.[145]

Titzmanns und Schmitz-Emans' konträre Positionen scheinen mir beide zu extrem zu sein. Weder Titzmanns vereinfachende Oppositionierung der semiotischen Systeme noch die allzu nivellierende Position Schmitz-Emans' scheinen mir für meine Untersuchung sinnvoll, zumal das den Abbildungen zuzuordnende Bedeutungspotential im Falle Sebalds stark vom umgebenden Text abhängig ist, wie Teil B zeigen wird. Vargas Begriff der „visuellen Argumentation",[146] der weniger nach grundsätz-

---

Wort inne. Das ist die Bedingung der Möglichkeit von Wort-Bild-Beziehung überhaupt." (Gottfried Willems: Anschaulichkeit (1989), S. 423.)

[142] Michael Titzmann: Semiotik der Text-Bild-Relationen (1990), S. 379.

[143] Ebd.

[144] Aaron K. Varga: Visuelle Argumentation und visuelle Narrativität (1990), S. 357f. Die Argumentation und Rhetorik des Einzelbildes wird von Varga als eine besonders affektive und unmittelbar emotionale charakterisiert.

[145] Monika Schmitz-Emans: Zur Geschichte literarischer Bildinterpretation (1999), S. 11f.

[146] Die Möglichkeiten des Einzelbildes bezüglich Argumentation und Rhetorik werden von Varga als zweiphasig beschrieben. Die Überzeugungskraft, die ein Bild entfalten kann, wird zwar als affektiv und emotional angenommen. Der Wirkung dieser Affekte geht nach Varga jedoch eine „Phase der Identifizierung [...] – der Person, im Falle des Bildnisses – voran; diese Phase ist rationaler Art." (Aaron K. Varga: Visuelle Argumentation und visuelle Narrativität (1990), S. 358f.)

lichen wahrnehmungspsychologischen Aspekten der Bildsemiotik fragt als vielmehr nach ihrem möglichen Argumentationspotential, ist für die Zwecke dieser Arbeit biegsamer und praktikabler.

B. Erscheinungsformen der Intertextualität bei Sebald – Die Befunde

I. Die Typologie der Prätexte

In ihrer Art und Herkunft weisen die von Sebald verwendeten Prätexte eine breite Streuung auf. Sie stammen, wie bereits gesagt, aus künstlerischen ebenso wie aus nichtkünstlerischen Zusammenhängen. Ich werde im folgenden aus der Fülle dieser Prätexte einige Beispiele auswählen, um ihre thematische Bandbreite zu verdeutlichen. Dabei wird jedoch noch nichts über das Funktions- und Bedeutungspotential der Prätexte im System der intertextuellen Bezugnahmen ausgesagt.

Für die sprachlich evozierten Prätexte lassen sich – in der Reihenfolge der Häufigkeit ihres Erscheinens – in den vier zu behandelnden Büchern folgende Herkunftsgebiete feststellen:

1. Literatur, d.h. fiktionale Texte: Als wenige Beispiele von zahllosen seien hier angeführt: Kafkas schon genannter *Jäger Gracchus* in *Schwindel. Gefühle* und sein Roman *Amerika* (NN 86), Gottlieb Klopstocks Ode *Die Welten* (NN 36), Gedichte von Ernst Herbeck (SG 58f.), Franz Werfels *Verdi. Roman der Oper* (SG 159), Leonardo Sciacias Erzählung *1912+1* (SG 150), Grimmelshausens *Simplicissimus Teutsch* (RS 33), Jorge Luis Borges' *Tlön, Uqbar, Orbis Tertius* (RS 92) oder auch Torquato Tassos Epos *Gerusalemme liberata* (RS 312). Bezüglich der zeitlichen Einordnung der literarischen Prätexte ist festzustellen, daß vereinzelte Beispiele aus der Antike und der Bibel stammen (z.B. das Vergil-Zitat in NN 70 oder die kurze Paraphrase aus dem Markus-Evangelium in RS 87), daß Texte aus dem Mittelalter nicht vorkommen und daß das Spektrum ansonsten vom Barock bis in die Gegenwart reicht, mit einem Schwerpunkt auf literarischen Texten des 19. und 20. Jahrhunderts. Besonders zahlreich sind die Bezüge auf literarische Prätexte im Erzählungsband *Schwindel.Gefühle* und in *Die Ringe des Saturn*.

2. Autobiographische Aufzeichnungen (einschließlich Tagebücher und Briefe) sind in allen Sebald-Büchern ebenfalls stark vertreten. In vielen Fällen stammen diese Aufzeichnungen von Schriftstellern, wie beispielsweise aus Nabokovs Autobiographie *Speak, Memory* (Zitate und Anspielungen durchziehen alle Erzählungen von *Die Ausgewanderten),* Auszüge aus Franz Kafkas *Briefe an Felice* (SG 169f.), Chateaubriands *Erinnerungen von jenseits des Grabes* (RS 313-321) oder die Kindheitserinnerungen Joseph Conrads und Michael Hamburgers (RS Kapitel V und VII).

3. Wissenschaft: In dieser Gruppe lassen sich die Prätexte aus dem naturwissenschaftlichen und historiographischen Bereich zusammenfassen, zum Beispiel Stellers „zoologisches Meisterwerk" *De bestiis marinis* (NN 66), verschiedene Texte zum Seidenbau und zur Zucht von Seidenraupen im X. Kapitel von *Die Ringe des Saturn* oder Brehms *Thierleben* (RS 31). Die Spezies der historiographischen Texte

ist zahlreich vertreten, zum Beispiel durch eine „photographische Geschichte des Ersten Weltkriegs, zusammengestellt und veröffentlicht im Jahr 1933 von der Redaktion des Daily Express" (RS 120). Nicht weiter benannt werden die „Quellen" und „Berichte", anhand deren der Erzähler vom sogenannten Boxeraufstand und vom Opiumkrieg in China erzählt (RS Kapitel VI). Auch Arbeiten aus den Geisteswissenschaften werden heranzitiert, beispielsweise W.K. Zülchs kunsthistorische Abhandlung über Matthias Grünewald von 1938 (NN 13) oder Joachim von Sandrarts Bericht über diesen Maler in der „Teutschen Academie" von 1675 (NN 19).

Außerdem lassen sich unter dieser Prätextgruppe auch Enzyklopädien und Nachschlagewerke subsumieren wie der „Brockhaus", dem eines der Mottos von *Die Ringe des Saturn* entnommen ist, ein deutsch-italienisches Wörterbuch (SG 124), Atlanten (SG 252) oder das „Dictionnaire" zu Madame de Sévigné von Edward Fitzgerald (RS 249f.). Prätexte aus dem Bereich der Wissenschaft finden sich vor allem in *Die Ringe des Saturn*.

4. Bildende Kunst: Werke der bildenden Kunst, vor allem der Malerei, spielen in allen Büchern Sebalds eine Rolle und sind Gegenstand der sprachlichen Evokation und Beschreibung. Das wichtigste Beispiel ist in dieser Kategorie der Isenheimer Altar von Matthias Grünewald, der sich durch mehrere Werke zieht: er ist zentraler Gegenstand des ersten Teils von *Nach der Natur* und spielt in der Erzählung *Max Aurach* eine wichtige Rolle, ohne aber ein einziges Mal als Abbildung zu erscheinen. Das ist um so auffälliger, da Sebald sonst viele der Gemälde oder Bilder, die er beschreibt, auch abbildet, zum Beispiel Fresken von Pisanello (SG 91), Giotto (SG 100), die Porträtzeichnungen der Malerfigur Max Aurach oder ein Rembrandt-Gemälde (RS 22-24).

5. Philosophie: Philosophische Texte sind nicht ganz so häufig vertreten wie die beiden eben genannten Textsorten. Breiter verhandelt werden wenige, beispielsweise Stendhals *Über die Liebe*, Texte des englischen Arztes Sir Thomas Browne (*Pseudoxia Epidemica, Religio Medici* und *The Garden of Cyrus* spielen in *Die Ringe des Saturn* eine Rolle, siehe dort vor allem die Kapitel I und X). Anspielungen auf die Person Ludwig Wittgensteins[147] und seinen *Tractatus logico-philosophicus* finden sich in *Die Ausgewanderten* (A 273). Claude Lévi-Strauss' *Traurige Tropen* werden in *Die Ringe des Saturn* auf S. 114f. erwähnt.

6. Zeitungsartikel: Diese Textsorte taucht in den Büchern Sebalds nurmehr vereinzelt auf und befindet sich in einigen Fällen schon im Bereich der bildlich evozierten Prätexte, da Sebald sich auf den Inhalt dieser Zeitungsartikel eben nicht nur sprachlich bezieht, zum Beispiel ihren Inhalt paraphrasiert, sondern sie auch abbildet. Beispiele für sprachliche und bildliche Bezugnahme gleichermaßen sind die Artikel über das Casanova-Theaterstück, die der Erzähler in *All'estero* liest (SG 115), der Artikel über den verschwundenen Bergführer Naegeli, der Freund des Dr. Henry Selwyn in *Die Ausgewanderten* (A 37), oder jener über einen exzentrischen Vetera-

---

[147] Vor allem die Figur des Paul Bereyter in *Die Ausgewanderten* weist Eigenschaften auf, die sich mit denen des Philosophen Wittgenstein decken. Siehe dazu W.G. Sebald: Da steigen sie schon an Bord und heben zu spielen an und zu singen (2001).

nen des Zweiten Weltkriegs, den Major LeStrange, und seine skurrilen Gewohnheiten (RS 82).

7. Als fingierte Fremdmaterialien sollen die Sonderfälle jener Prätexte gelten, die, gleich welcher inhaltlichen Herkunft, zwar im Text als vorgefundenes Fremdmaterial ausgegeben werden, in Wirklichkeit jedoch, wie Recherchen gezeigt haben, aus anderen Zusammenhängen stammen als vom Erzähler angegeben, zum Teil auch von Sebald selbst hergestellt wurden. So hat Sebald beispielsweise bezüglich des Reisetagebuchs des Ambros Adelwarth (A 186-211) in *Die Ausgewanderten* angegeben, es selbst geschrieben zu haben.[148] Die Behandlung derartiger „Prätexte" widerspricht zwar der eingangs postulierten Prämisse meiner Arbeit, nur Fremdmaterialien in die Untersuchung einzubeziehen, die eindeutig als solche erkennbar sind. Dennoch werde ich diese vereinzelten fingierten Fremdmaterialien mit behandeln, da ich primär vom Sebald-Text ausgehe und erst die Nachforschung die Fingierung offengelegt hat. Diese Art der Intertextualität möchte ich als „Scheinintertextualität" bezeichnen.

Wie bereits gesagt werden sprachliche und bildliche Prätexte nicht nur verbal in den Sebald-Text integriert, sondern auch auf dem Wege der Abbildung. Analog zu den sprachlich evozierten können die bildlich evozierten Prätextbezüge nach thematischen Herkunftsbereichen geordnet werden. *Nach der Natur* wird in diesem Spektrum nicht berücksichtigt, da es noch keine Abbildungen enthält. Die Abbildungsbeispiele sind jedoch, da ja der Text das Primärmedium Sebalds ist, bei weitem nicht so zahlreich wie die verbalen Prätexte. Wiederholungen oben schon genannter Prätexte unter den folgenden Beispielen sind hier möglich, da einige Prätexte gleichzeitig als Text und Bild präsent sind.

1. Literatur: Sebald verwendet zahlreiche Fotografien von Dichtern und Schriftstellern und baut sie in seine Texte ein. Als Beispiele sollen hier Aufnahmen von Franz Kafka (SG 166), Vladimir Nabokov (A 27), Edward Fitzgerald (RS 257) oder Algernon Swinburne genügen (RS 203). Zuweilen erscheinen auch faksimilierte literarische Texte, etwa ein Gedicht von Ernst Herbeck (SG 59) oder das mit einer Widmung des Autors für den Freund Kafka versehene Exemplar von Franz Werfels *Verdi. Roman der Oper* (SG 159).

2. Autobiographisches Material: Die Übergänge dieser Kategorie zum Fremdmaterial literarischer Provenienz sind in einigen Fällen fließend, und zwar dann, wenn es sich bei den verwendeten Fremdmaterialien um (auto)biographisches Material aus Schriftstellernachlässen handelt. Dazu zählen beispielsweise die Abbildung eines Briefkopfes aus dem Hotel Sandwirth in Riva (SG 169) (Kafka benutzte ebendieses Papier, um aus seinem Kurort Briefe an Felice Bauer zu schreiben)[149] oder die Fotografie der Jacht „Scandal", die Edward Fitzgerald gehört hat (RS 253).[150] Aber

---

[148] Carole Angier: Wer ist W.G. Sebald? (1997), S. 48.

[149] Das abgebildete Hotelmotiv auf dem Briefkopf findet sich gleichfalls auf den Faksimileabdrucken von Kafkas Briefen, die er aus Riva an Felice Bauer geschrieben hat. (Klaus Wagenbach: Franz Kafka (1994), S. 184.)

[150] Nachzuschlagen ist dasselbe Bild mit Erläuterung in dem Buch von Thomas Wright: The Life of Edward Fitzgerald (1904), S. 41. Anhand einer Fotografie auf der ersten Seite dieses Wer-

es sind eben nicht nur Schriftsteller, deren Leben unter Zuhilfenahme derariger Abbildungen erzählt wird: In *Die Ausgewanderten* finden sich Faksimiles, die angeblich die in Kurzschrift angefertigten Exzerpte des Paul Bereyter zeigen (A 86f.), die dieser aus Büchern von Schriftstellern angefertigt hat, „die sich das Leben genommen hatten oder nahe daran waren, es zu tun" (A 86). Fotografien in *Die Ausgewanderten* werden als aus Familienalben stammend ausgegeben (z. B. A 104). In *Die Ringe des Saturn* findet sich zum Beispiel ein Abdruck des Titelblattes des 16. Buches der Memoiren des Duc de Sully (RS 345).

3. Wissenschaft: Mehrere der bereits unter den sprachlich evozierten Wissenschaftsprätexten aufgeführten Beispiele erscheinen in Text- und Abbildungsform gleichermaßen, beispielsweise die beschriebenen Atlanten und Wörterbücher (SG 124, 249) oder jene fotografische Geschichte des Ersten Weltkriegs, aus der eine ganze Abbildungsstrecke gezeigt wird (RS 120-124). In *Die Ringe des Saturn* finden sich Abbildungen aus genannten oder ungenannten naturhistorischen Werken, hauptsächlich im Zusammenhang mit dem Heringsfang (RS 77) und der Biologie des Seidenspinners (RS 341). Historiographische Abbildungen zeigen vor allem historische oder Schlachtengemälde und werden deshalb in der nun folgenden Kategorie eingeordnet.

4. Bildende Kunst: Beispiele für Gemälde, die nur sprachlich oder sprachlich und bildlich zugleich evoziert werden, befinden sich in der Kategorie zur bildenden Kunst bei den sprachlich evozierten Prätexten. Es gibt jedoch auch einige wenige Bilder und Gemälde, die kommentarlos in den Text eingefügt werden, die ausschließlich in Abbildungsform präsent sind und dadurch in eine implizite Beziehung zum Kontext treten. Auffälligerweise gehören diese Bilder meist in den Bereich der Historiographie: Die Eingangsabbildung zur Erzählung *Beyle oder das merckwürdige Faktum der Liebe* (SG 7) zeigt Truppen am Fuße eines Gebirges. In *Die Ringe des Saturn* findet sich auf S. 99 das Gemälde einer Seeschlacht von Henry van de Velde und auf S. 159 der Ausschnitt eines unbekannten Bildes, auf dem Schlachtgetümmel zu sehen ist.

5. Gebrauchspapiere: Derartige Prätexte werden teilweise ebenfalls kommentarlos in den Text eingefügt und beschränken sich auf *Schwindel.Gefühle* bzw. die Erzählung *All'estero*. Beispiele wären eine Pizzarechnung (SG 94), eine Bahnfahrkarte (SG 101) oder Gewerbeanzeigen aus Veroneser Zeitungen des Jahres 1913 (SG 139-141).

6. Philosophie: Ein philosophischer Text wird nur in einem Fall als Abbildung präsentiert: Auf S. 29 in *Die Ringe des Saturn* findet sich die Visualisierung des „Qincunx"-Rautenmodells von Thomas Browne: „Überall an der lebendigen und toten Materie entdeckt Browne diese Struktur [...]" (RS 30).

7. Fingiertes Fremdmaterial: Für das fingierte Fremdmaterial in Abbildungsform gilt dasselbe wie für dasjenige in Textform: der Sebald-Text gibt es als authentisch aus, Recherchen ergeben jedoch, daß Authentizität überhaupt nicht oder nur teilweise vorliegt. Zu den Aufzeichnungen des Ambros Adelwarth in *Die Ausge-*

---

kes läßt sich auch die in den Ringen des Saturn abgebildete Fotografie von Fitzgerald (RS 257) als authentisch identifizieren.

wanderten gehören Abbildungen einzelner Seiten aus diesem Tagebuch, die Sebald jedoch, wie ein Handschriftenvergleich deutlich macht, ebenfalls selbst geschrieben hat. Ein anderes Beispiel findet sich in *Schwindel.Gefühle* auf S. 48, wo eine Fotografie nicht etwa den Großvater des Erzählers zeigt, wie der Kontext suggeriert, sondern ein Foto des Schriftstellers Robert Walser, dem allerdings der Kopf fehlt.[151]

Zusammenfassend lassen sich für die Typologie der Prätexte folgende Verhältnisse feststellen: Erstens ergibt sich eine große Schnittmenge von sprachlich und bildlich evozierten Prätexten, das heißt, die meisten zentralen Prätexte erscheinen sowohl in Text- als auch in Bildform. Nur in Einzelfällen wird eine Abbildung kommentarlos in den Text eingefügt oder bleibt ein Bildprätext ohne Abbildung und wird ausschließlich sprachlich behandelt. Dies läßt den Schluß zu, daß die Text-Bild-Beziehungen, die in gewisser Weise eine doppelte Anwesenheit der jeweiligen Prätexte manifestieren, eine wichtige Rolle in Sebalds Umgang mit der Intertextualität spielen und beträchtliches Interpretationspotential bergen. Zweitens sind in der thematischen Streuung der Prätexte Schwankungen von Werk zu Werk festzustellen: Die meisten Einzeltextbezüge literarischer Herkunft sind wohl in *Schwindel.Gefühle* und *Die Ringe des Saturn* zu finden, wissenschaftliche Prätexte beschränken sich weitgehend auf die *Die Ringe des Saturn* und *Nach der Natur*. *Schwindel.Gefühle*, *Die Ausgewanderten* und *Die Ringe des Saturn* ähneln sich wiederum in den vermehrten weitläufigen Textpassagen, die sich auf autobiographische Aufzeichnungen beziehen. In allen vier Werken spielt der Themenschwerpunkt „Geschichte", mit dem sich die Interpretationskapitel befassen werden, eine Rolle, wird aber von unterschiedlichen Prätextmaterialien aus angegangen.

II. DAS KONTINUUM DER SPRACHLICHEN TEXTREFERENZEN

II.1. Grundformen sprachlicher Textreferenz in den Sebaldtexten

In den Sebald-Texten finden sich drei Grundformen der Textreferenz: Sie bestehen in Zitat, Allusion[152] und Paraphrase.[153] Diese Grundformen sind zunächst unabhän-

---

[151] Das Foto läßt sich beispielsweise anhand von Sebalds Essay über Robert Walser identifizieren. (W.G. Sebald: Le promeneur solitaire (1998), S. 136.)

[152] Die Begriffe „Zitat" und „Allusion/Anspielung" bzw. deren Abgrenzung voneinander hat die Vertreter dieses speziellen Zweiges der Intertextualitätsforschung, der Zitat- und Allusionsforschung, zu immer wieder neuen diesbezüglichen Theorieentwürfen herausgefordert. Einen Forschungsbericht dazu liefert Udo J. Hebel: Intertextuality, Allusion and Quotation (1989), ebenso Jörg Helbig: Intertextualität und Markierung (1996), S. 18-37. Die Ansätze, eine Differenzierung oder Kategorisierung der Verweisdeutlichkeit von Referenzen über diese polysemischen Begriffe zu erreichen, d.h. genau differenzieren zu wollen, was (noch) Anspielung und was (schon) Zitat ist, wo eine „Entlehnung in ein Echo, einen Anklang, eine Reminiszenz oder Assoziation übergeht" (Jörg Helbig: Intertextualität und Markierung (1996), S. 36), führten – auch bei einem Versuch der Anwendung auf Sebald – in eine taxonomische Sackgasse.

gig davon feststellbar, wie stark eine Bezugnahme auf einen Fremdtext markiert und ob sie überhaupt markiert ist.

Erstens verweist Sebald in seinem Werk in Form von Zitaten auf seine Prätexte. Der Zitatbegriff bedeutet hier, daß bei einem derartigen Verweis „nicht bloß der Inhalt, sondern auch und vor allem der Wortlaut von literarischen Stellen gemeint und bis zu einem gewissen Grade getreu wiedergegeben ist",[154] und zwar der Wortlaut von ganzen Sätzen oder auch Satzteilen, nicht nur von einzelnen Worten oder Begriffen. Als Beispiele für diese Form der Übernahme ließen sich die Zitate von Dante (NN 6) und Klopstock (NN 36) anführen, die den ersten beiden Langgedichten aus *Nach der Natur* vorangestellt sind, Textbruchstücke wie das Zitat aus Shakespeares *King Lear* – „They say his banished son is with the Earl of Kent in Germany" (RS 236)[155] – oder das Zitat aus einem Zeitungskommentar zum geheimnisvollen Ort Shingle Street in Norwich: „But it seems likely [...] that the sensitive material was removed before the file was opened and so the mystery of Shingle Street remains" (RS 288).

Als zweite Grundform der Textreferenz ist die Allusion bzw. Anspielung zu nennen. Mit Allusionen sind im vorliegenden Fall all jene Bezugnahmen auf Prätexte gemeint, die nicht mit dem genauen Wortlaut des Prätextes operieren, sondern als „device for the simultaneous activation of two texts"[156] funktionieren, indem sie beispielsweise Begriffe und Motive, Figuren oder Handlungskonstellationen aus anderen Werken aufrufen. Auch wörtliche Übernahmen, die sich unterhalb der Satzebene befinden, werden hierzu gezählt. Als Beispiel in Reinform wäre hier die in *Schwindel.Gefühle* auftretende Figur des Jägers Gracchus zu nennen, die auf Kafkas Erzählung *Der Jäger Gracchus* anspielt. Der Titel der Sebald-Erzählung *Dr. K's Badereise nach Riva* kann als eine Anspielung auf bzw. als eine Abwandlung des Romantitels *Doktor Katzenbergers Badereise* von Jean Paul aufgefaßt werden. Ein Buchtitel wie *Das böhmische Meer* (SG 291) hingegen alludiert einen alten, gängigen Topos aus Literatur und Kunst und kann damit nicht nur zwei, sondern mehrere Texte gleichzeitig evozieren.[157]

Die dritte Form der Bezugnahme, der sich Sebald bedient, ist die Paraphrase, wobei unter dem Begriff Paraphrase hier die freie, evtl. erläuternde Umschreibung oder Nacherzählung eines literarischen oder auch nichtliterarischen Textes zu verstehen ist. Dieses Mittel findet bei Sebald sehr breite Verwendung, denn lange Text-

---

[153] Eine Verweisform wird im folgenden als Paraphrase benannt, wenn ein Ausdruck einen anderen „derselben Sprache in mindestens einer Situation derart ersetzt, daß der übermittelte Inhalt gleich oder nicht notwendigerweise ungleich ist." (Dieter Wirth: Paraphrase und Übersetzung, S.7.)

[154] Hermann Meyer: Das Zitat in der Erzählkunst (1967), S. 15.

[155] Das Zitat findet sich in William Shakespeare: *King Lear* (1952), S. 192 (Akt IV, Szene 7).

[156] Ziva Ben-Porat: The Poetics of literary Allusion (1976), S. 107.

[157] Das am Meer gelegene Böhmen ist ein utopischer Ort, der sich etwa in Shakespeares *Wintermärchen* findet, wo die aus Sizilien kommenden Schiffe an den Einöden Böhmens landen, einem wilden, schönen, aber gleichwohl gerechten Ort. Ingeborg Bachmann hat diesen Ort in ihrem Gedicht *Böhmen liegt am Meer* (Ingeborg Bachmann: Werke (1978), S.167) ebenso zitiert wie Volker Braun und Franz Fühmann in einem Theaterstück bzw. einer Ezählung (Volker Braun: *Böhmen am Meer* (1993); Franz Fühmann: *Böhmen am Meer* (1980).)

passagen und ganze Erzählungen Sebalds (zum Beispiel in *Schwindel.Gefühle*) bestehen aus Paraphrasen anderer Texte. Als Beispiele seien hier die Schilderungen der Kindheit des Schriftstellers Joseph Conrad genannt, die der Erzähler aus den „Quellen" (RS 133) rekonstruiert, ebenso die nacherzählend zusammenfassende Paraphrase des sechsten Buches von Grimmelshausens *Der abenteuerliche Simplicissimus Teutsch* (RS 32).

Nicht immer jedoch erscheinen die Textreferenzen in den oben beschriebenen Reinformen, und deswegen ist nicht in jedem Einzelfall eindeutig zu entscheiden, zu welcher Grundform eine intertextuelle Bezugnahme zu zählen ist. In solchen Grenzfällen kann man daher von Mischformen sprechen. Eine bei Sebald sehr häufig wiederkehrende Mischform ist die zwischen Paraphrase und Zitat. Sie findet sich beispielsweise in der Erzählung *Beyle oder das merckwürdige Faktum der Liebe*. Darin paraphrasiert der Erzähler autobiographische Schriften Beyles und ebenso dessen Band *Über die Liebe* und erzählt anhand dieser Prätexte die Lebensgeschichte seiner Hauptfigur, des Dichters Stendhal alias Henri Beyle. Die weitläufigen Paraphrasen sind ständig von Verweispartikeln wie „schreibt er" durchsetzt. Diesen Partikeln folgen dann Satzteile, die als wörtliche, wenn auch teilweise indirekt wiedergegebene Zitate erscheinen (zum Beispiel SG 11), anschließend wird die Paraphrase fortgesetzt.

Ebenso gibt es Mischformen zwischen dem Zitat und der Anspielung, ein Beispiel findet sich auf S. 273 in *Die Ausgewanderten*, als Max Aurach das Leben und Leiden seiner Familie unter den Nationalsozialisten mit den Worten zusammenfaßt: „Worüber wir nicht reden konnten, darüber schwiegen wir eben." Der Satz bezieht sich auf das berühmte Wittgenstein-Verdikt „Worüber man nicht reden kann, sollte man schweigen" aus dessen *Tractatus logico-philosophicus*.[158] Der Satz ist einerseits beinahe wörtlich wiedergegeben, könnte also als Zitat eingeordnet werden. Die Ersetzung des allgemeinen „man" durch das persönlich-konkrete „wir" verändert jedoch die Satzgestalt formal und auch inhaltlich, so daß man ebensogut von einer Allusion sprechen könnte.

II.2. „Augenzwinkernde Kommunikation mit Eingeweihten" – Die Nullstufe der Markierungsdeutlichkeit

Die Nullstufe der Intertextualität sei folgendermaßen definiert:

> Unmarkiert ist Intertextualität [...] dann, wenn neben einem [...] Verzicht auf linguistische und/oder graphemische Signale eine sprachlich-stilistische Kongruenz von Zitatsegment und Kontext vorliegt – eine Art literarischer Mimikry, welche die intertextuelle Kommunikativität eines Textes reduziert und es ermöglicht, eine intertextuelle Spur nahtlos in einen neuen Kontext zu integrieren, ohne daß hierbei Interferenzen entstehen.[159]

---

[158] Ludwig Wittgenstein: *Tractatus logico-philosophicus* (1963), S. 83.
[159] Jörg Helbig: *Intertextualität und Markierung* (1996), S. 88.

Mit anderen Worten: Auf der Nullstufe gibt der Text keine Auskunft über das Vorhandensein einer Fremdtexteinschreibung und enthält auch keine anderweitigen Signale, etwa auffällige stilistische Brüche, die direkt auf die Spur einer Textreferenz führen könnten.

Um derartige unmarkierte Textreferenzen trotzdem identifizieren und dechiffrieren zu können, ist die Korrelation der Sebald-Texte mit der individuellen Leseerfahrung des Rezipienten notwendig, denn „der Autor als Leser macht seinen Lektürehorizont zum wenn auch überschreitbaren Horizont des Textes."[160] Die im folgenden aufgeführten Beispiele gehen ebenso auf eigene Leseerfahrung zurück wie auf diejenige von Rezensenten und Literaturwissenschaftlern.

Beispiele für unmarkierte Textreferenzen finden sich bereits in *Nach der Natur*, etwa auf S. 86: „Im Wind bewegte sich eine Tür / wie zum Zeichen. Angeschlagen / an ihr war eine alte Affiche / für das Musical Oklahoma. Der Eingang zum Naturtheater / stand offen." Nur ein Rezipient von Kafkas Roman *Amerika* wird die Zeilen als Anspielung auf das letzt Kapitel des Romans mit der Überschrift „Das Naturtheater von Oklahoma"[161] lesen und die beiden Texte von Kafka und Sebald zueinander in Beziehung setzen. Andernfalls bleiben die Sätze höchstwahrscheinlich zwei der hermetischen, „rätselhaften Katastrophensätze",[162] die für das dritte Teilgedicht von *Nach der Natur* charakteristisch sind. Auf S. 81 finden sich folgende Zeilen: „Emma, wie sie den Hochzeitsstrauß / verbrennt. Was soll da ein armer / Landarzt sich denken?" Auch diese Stelle dürfte nur ein Kenner der *Madame Bovary* von Gustave Flaubert als Anspielung identifizieren.

Viele Anspielungen enthält auch der Erzählband *Schwindel.Gefühle.* Auf S. 270 findet sich beispielsweise eine Kopulationsszene, die dramaturgische Ähnlichkeit mit einer Stelle aus Peter Weiss' *Der Schatten des Körpers des Kutschers* hat und sogar in ähnlichen Wendungen erzählt wird.[163] Als Motivanspielungen lassen sich die Figuren des Zwillingspaares (SG 87), der Zwergin (SG 64) und der Ratte (SG 99) lesen, die Sebald seinem Erzähler in Venedig über den Weg schickt. Alle drei Motive spielen in Daphne du Mauriers Venedig-Erzählung *Don't look now* eine Rolle.[164]

Auch im Falle von *Die Ringe des Saturn* darf die Tatsache, daß dieser Text eine sehr hohe Dichte markierter Textbeziehungen aufweist, nicht darüber hinwegtäuschen, daß auch auf der Nullstufe zahlreiche Bezüge versteckt sind. Beispielsweise verirrt sich der Erzähler im VII. Kapitel im Labyrinth der Heide von Dunwich. Die Angst, die er dabei empfindet, mündet in eine Untergangsvision, die erstaunliche

[160] Renate Lachmann: Gedächtnis und Literatur (1990), S. 86.

[161] Franz Kafka: *Amerika* (1958), S. 305.

[162] Klaus Briegleb: Preisrede auf W.G. Sebald (1992), S. 481.

[163] Jörg Drews: Meisterhaft suggerierte Angstzustände (1990). Nachgewiesen ist diese Stelle auch bei Marcel Atze: Koinzidenz und Intertextualität (1997), S. 175.

[164] Marcel Atze: Koinzidenz und Intertextualität (1997), S. 168f. Abgesehen von der Tatsache, daß Venedig als literarischer Echoraum evoziert wird, stellt Atze zudem wörtliche Anklänge aus Thomas Manns Novelle *Der Tod in Venedig* fest, die vor allem die jeweilige Szene der Ankunft in Venedig betreffen. Auch in der Präsenz des Labyrinthisch-Dämonischen werden Parallelen deutlich (Virginia Richter: Tourists lost in Venice (1999).)

Parallelen zu H.P. Lovecrafts Erzählung *Das Grauen von Dunwich*[165] aufweist. Lovecrafts Erzählung spielt jedoch nicht in Sebalds englischem Dunwich, sondern in einem fiktiven Ort gleichen Namens in Massachusetts, Schauplatz der Erscheinung eines alles verwüstenden Dämons: „Das Fremde, das aus finsterer Vorzeit erwächst, treibt diejenigen in den Wahnsinn, die es zu ergründen suchen", charakterisiert Kastura Lovecrafts Prosastück und damit vielleicht unabsichtlich, aber gleichwohl treffend auch Sebalds Text. Lovecraft schreibt über seinen Ort des Geschehens: „Fremde besuchen Dunwich so selten wie möglich, und seit einer gewissen Zeit des Grauens sind alle Wegweiser entfernt worden."[166] Sebald klingt hierzu beinahe analog: „Gesteigert wurde meine Verwirrung im übrigen dadurch, daß die Wegweiser an den Gabelungen und Kreuzungen, wie ich beim Weitergehen mit zunehmender Irritation feststellte, ausnahmslos unbeschriftet waren (RS 214)." Weitere Parallelen sind zu finden,[167] aus denen Kastura schließlich folgert:

> Evident ist das analoge Labyrinthmotiv, das mit ähnlichen Metaphern (Wald, Wegweiser) operiert. Außerdem imaginieren beide Texte [...] am Ende eine Schreckensapokalypse, eine „zerbröckelnde Gnosis". Während aber Lovecraft eine in sich geschlossene Pseudomythologie erfindet, die in einem psychopathologischen Doppelgängertum gipfelt, kehrt Sebald am Schluß seiner geträumten Untergangsvision zur Suffolk-Wirklichkeit zurück: Im Morgengrauen erblickt er im Atomkraftwerk von Sizewell eine durchaus reale und beständige Bedrohung.[168]

In *Die Ringe des Saturn* finden sich jedoch noch weitere, wiederum punktuelle Allusionen, die bei literaturkundigen Rezipienten schattenhafte Erinnerungen an Gelesenes erzeugen können: „Die Dohlen und Krähen, die in halber Höhe kreisten, sahen so groß wie Käfer aus (RS 217)." Wer *Die Verwandlung* von Franz Kafka kennt und weiß, daß der tschechische Name „Kafka" übersetzt „Dohle" bedeutet (und die Dohle als Todesbote gilt),[169] könnte auch hier eine – wenn auch sehr schwache – Anspielung auf die Verwandlung des Kaufmanns Gregor Samsa in einen monströsen Käfer erkennen. Eine ähnlich flüchtige Anspielung steht auf S. 320: „Alle vier Mädchen sind von einer seltenen Schönheit, insbesondere Julie und Lucile, die beide umkommen werden in den Stürmen der Revolution" (RS 320). Es ist zwar von den Schwestern Chateaubriands die Rede, aber die weiblichen Hauptfiguren gleichen Namens aus Georg Büchners *Dantons Tod* erleiden im IV. Akt des Dramas ebendieses Schicksal.

---

[165] Dazu Thomas Kastura: Geheimnisvolle Fähigkeit zur Transmigration (1996), S. 197-216; H.P. Lovecraft: *Das Grauen von Dunwich* (1980), S. 125-192. Es handelt sich hierbei um eine für Lovecraft typische Erzählung durch die Entwicklung eines in seiner Gräßlichkeit unbeschreibbaren Wesens, das einem wiederauferstehenden, urzeitlichen Mythos angehört.

[166] Ebd., S. 127.

[167] Eine genaue Erläuterung des Bezuges ist nachzulesen bei Thomas Kastura: Geheimnisvolle Fähigkeit zur Transmigration (1996), S. 201f.

[168] Ebd.

[169] Marcel Atze: Koinzidenz und Intertextualität (1997), S. 164.

Insgesamt ist festzustellen, daß die Anspielungen und Anklänge auf der Nullstufe, obwohl sie im Falle der Erkennung sehr weite und sehr unterschiedliche Asso-
ziationsräume öffnen können, wie ein Überblick über die Rezensionen zu Sebald
verdeutlichen kann, meist punktuell, vereinzelt und flüchtig bleiben. Sie betreffen
hauptsächlich den Bereich der literarischen Prätexte. Dabei ist natürlich zu berücksichtigen, daß die Chance, andere unmarkierte Quellen wie etwa Zeitungsartikel zu
identifizieren, gegen null geht. Die hier identifizierten Texte konnten vor allem deshalb dechiffriert werden, weil sie zum Großteil zur sogenannten Weltliteratur gehören und damit potentieller Bestandteil der literarischen Vorbildung zumindest pro-
fessioneller Leser sind. Unmarkierte Textbezüge können zwar, wie sich zeigen wird,
thematisch durchaus in Beziehung zu den Verweisnetzen stehen, die Sebald durch
seine explizit und implizit markierten Textbezüge aufbaut (sie sind Gegenstand des
folgenden Teilkapitels). Dennoch verbleiben sie allein durch das Fehlen jeder Interferenz zwischen eigenem und fremdem Text, also durch das Fehlen jeder Abwei-
chung, im Bereich der Nullstufe der Markierungsdeutlichkeit.

Welche Funktionen kann aber eine solche unmarkierte Referenz dennoch übernehmen? Was der Autor mit den fehlenden Markierungen bezweckt, etwa die Ver-
schleierung von Plagiaten oder eine private Referenz an einen Kollegen, oder ob er
überhaupt eine Wirkungsabsicht damit verbindet, ist nicht zu klären. Der Text selbst
kann jedoch durch die unmarkierten Zitate und Anspielungen den Effekt der spiele-
rischen, „augenzwinkernden Kommunikation mit Eingeweihten"[170] erzeugen. Er
zielt mit diesem Kunstmittel auf eine bestimmte Schicht der Leserschaft, denn die
erforderliche Allusionskompetenz wird vornehmlich bei literarisch gebildeten Le-
sern zu finden sein. Deren Aufmerksamkeit für die Anwesenheit von Fremdtext
kann jedoch schon durch einzelne Identifizierungen unmarkierter Bezüge gesteigert
werden und in der Folge erstens zum Bewußtsein über eine intertextuellen Atmosphäre des Textes und zweitens zu gesteigerter Aufmerksamkeit für weitere zu iden-
tifizierende Referenzen führen.

II.3. Die verwischte Grenze zwischen Fremd- und Eigentext und der Appell an den Leser – Die Reduktionsstufe der Markierungsdeutlich-keit

Die nächsthöhere Ebene der Textreferenzen bei Sebald läßt sich dadurch charakterisieren, daß jetzt Markierungssignale vorliegen, die betreffenden Textstellen aber po-
lyvalenter Natur sind, das heißt, „daß sie [...] immer nur als Indiz für Intertextualität
fungieren, niemals jedoch als eindeutiger Beweis. Anders gesagt: das Instrumentarium impliziter Markierung legt Intertextualität nicht als solche offen, es kann jedoch
mutmaßliche Intertextualitätssignale stärker in den Wahrnehmungsfokus rücken."[171]

---

[170] Jörg Helbig: Intertextualität und Markierung (1996), S. 89.
[171] Ebd., S.93ff. Nach Helbig muß eine Referenz, die als markiert gilt, zumindest eines der
drei folgenden Kriterien erfüllen, die jedoch vom Grad der Explizitheit einer Markierung unabhän-
gig sind. 1. Eine intertextuelle Spur wird durch emphatischen Gebrauch verstärkt in den Wahrneh-

Entscheidend für den Explizitheitsgrad der Markierungen ist auf dieser Stufe der Indizien jedoch auch und vor allem die Inszenierung der Einschreibung durch den Autor: zur Steuerung und Abstufung der Deutlichkeit einer Referenz setzt Sebald eine breite Palette sogenannter „flankierender Maßnahmen"[172] ein wie beispielsweise die Emphase einer impliziten Markierung durch mehrmalige Wiederholungen oder besondere Positionierung im Text.[173] Wie Sebalds Strategien der impliziten Markierung im einzelnen aussehen, soll im folgenden wieder an einzelnen Beispielen verdeutlicht werden.

Als Beispiel für das erste Zentralverfahren, das der nacherzählenden Paraphrase (die ja auch zu den Grundformen des Intertextualität zählt) von (Künstler)biographien sei hier die Erzählung *Beyle oder das merckwürdige Faktum der Liebe* erwähnt. Sebald erzählt hier vom Leben und Denken des französischen Schriftstellers Henri Beyle alias Stendhal. Er tut dies beispielsweise anhand von Beyles Schrift *Über die Liebe* (SG 27) und den „Notizen, in denen Beyle im Alter von dreiundfünfzig Jahren – er hielt sich zur Zeit ihrer Niederschrift in Civita Vecchia auf – die Strapazen jener Tage [der Alpenüberquerung Napoleons, Anm. d. Verf.] aus dem Gedächtnis heraufzuholen versucht [...]" (SG 8). Erweckt der Text zu Beginn noch den Eindruck, vor allem aus wörtlichen Zitaten zusammengesetzt zu sein, weil er immer wieder mit dem Verweispartikel „schreibt er" durchsetzt ist (SG 10-12), so geht er auf S. 14 in eine fiktiv anmutende Erzählung mit Beyle als Hauptfigur über, der nun derartige Verweisformeln und stilistische Interferenzen fehlen. Durch diese Erzählweise bleibt, obwohl die Erzählung in ihrer Gesamtheit auf reale autobiographische Aufzeichnungen Beyles zurückgeht, unklar, wo die jeweiligen Prätexte paraphrasiert und wo sie wörtlich zitiert werden. Erst auf S. 16 wird die kurzzeitig aufgebaute Fiktion wieder durch ein „schreibt er" durchbrochen. Dann folgt dasselbe Verfahren noch einmal, und die nächste Verweisformel findet sich erst wieder auf S. 26. Insgesamt erscheint das Verschwimmen von Zitiertem und Erfundenen, der stete Wechsel von Verdunklung und Erhellung der Zitathaftigkeit textkonstituierend.[174] Durch das Mittel der Paraphrasierung wird im Zusammen-

---

mungsfokus gerückt. 2. Ihr Auftreten bedingt im neuen Kontext eine linguistische und/oder graphemische Interferenz. 3. Durch sprachliche Informationsvergabe wird die Referenz eindeutig als solche offengelegt.

[172] Der von Helbig entlehnte Begriff meint Maßnahmen, die den implizit markierten Verweisen zur Seite gestellt werden können, um die intertextuelle Disposition eines Textes zu erhellen, ohne dabei in der Markierungsdeutlichkeit auf die explizite Ebene zu gelangen. (Jörg Helbig: Intertextualität und Markierung (1996), S. 97.)

[173] Ebd., S. 91-106.

[174] Wie aus einer Textstelle in *Die Ringe des Saturn* hervorgeht, ist die hier geschilderte Verwischung der Nahtstellen zwischen Eigen- und Fremdtext als eine intertextuelle Ausformung von Geistesverwandtschaft des Erzählers mit dem entsprechenden Prätextautor deutbar. So schreibt Sebald auf S. 228: „Über was für Zeiträume hinweg verlaufen Wahlverwandtschaften und Korrespondenzen? Wie kommt es, daß man in einem anderen Menschen sich selber und wenn nicht sich selber, so doch seinen Vorgänger sieht? Aber warum ich gleich bei meinem ersten Besuch bei Michael [gemeint ist der Lyriker Michael Hamburger, Anm. d. Verf.] den Eindruck gewann, als lebte ich oder als hätte ich einmal gelebt in seinem Haus, und zwar in allem geradeso wie er, kann ich mir

hang mit stilistischen Veränderungen und stofflichen Verarbeitungen der Verdunklungsgrad des Bezugs erhöht.[175] Die Grenzen zwischen eigenem und fremden Text können, vom Sebaldtext ausgehend, zunächst nur vermutet werden (wie eine genaue Recherche die Wahrnehmung verändert, wenn man Sebalds Fährten folgt, wird in Teil C ausgearbeitet).

Diese Erscheinungsform der impliziten Markierung erscheint hier also als intertextuelles Binnengestaltungsmittel einer ganzen Erzählung, obwohl dieselbe Erzählung sich insgesamt explizit auf literarische Prätexte Stendhals bezieht. Die Beispiele für diese Verfahrensweise sind in Sebalds Werk sehr zahlreich und bestimmen immer wieder lange Strecken der Handlung. In *Die Ausgewanderten* etwa bilden angeblich hinterlassene Schriften und Aufzeichnungen die Basis für die Erzählung von Lebensgeschichten, insbesondere im Falle Adelwarths und Aurachs bzw. dessen Mutter Luisa Lanzberg. Auch und vor allem in *Die Ringe des Saturn* spielt die Mischform von Paraphrase und Zitat autobiographischer Aufzeichnungen eine Rolle: der Erzähler berichtet über das Leben von Schriftstellern wie Joseph Conrad, Michael Hamburger, Edward Fitzgerald, Charles Algernon Swinburne oder Chateaubriand und wechselt dabei ständig zwischen Paraphrase und Zitat hin und her, ohne jedoch Hinweise auf die zitierten Stellen zu geben, nur auf ihre Zitathaftigkeit durch parenthetische Partikel wie „schrieb er" (RS 252), „sagte er" (RS 253) oder ähnliches, in Einzelfällen durch die Kursivsetzung eines Zitats (etwa RS 252f.). Im Falle Fitzgeralds zieht sich der Erzähler zeitweise sogar in einem Maße aus der Erzählung zurück, daß diese, zum Beispiel in der Passage über Fitzgeralds Jugend auf einem Landgut in Suffolk, als eine in sich geschlossene Fiktion erscheint. Das Fehlen von Verweisformeln auf Fremdmaterial und ihr plötzliches Wiederauftauchen nach einer längeren Passage in Verbindung mit einem Zitat, zum Beispiel „nur an seltenen, glasklaren Tagen sah man manchmal, wie Fitzgerald später erinnert, über Bredfield hinaus [...] (RS 248)", bewirken wiederum einen Wechsel im Verhältnis von Distanz und Nähe zum Erzählten. Der Leser wird erneut im unklaren darüber gelassen, woraus genau sich diese Passagen zusammensetzen, die Textoberfläche ist bezüglich der Textverweise nicht transparent. Ähnlich arbeitet Sebald auch im VI. Kapitel von *Die Ringe des Saturn* über den Opiumkrieg in China, wo als Quelle für die Erzählung meist nur vage „Berichte" (RS 182) erscheinen. Die intertextuellen Interferenzen erscheinen dadurch ebenfalls verschleiert und verwischt.

Wie sich zeigen wird, sind nicht alle solchermaßen als authentisch ausgegebenen Biographien tatsächlich real. Jede einzelne bis in die Details auf ihre Richtigkeit hin zu überprüfen, ist nicht möglich, der Aufwand stünde in keinem Verhältnis zum Erkenntnisziel dieser Arbeit. Ich werde jedoch im Verlauf dieses Teils B der Arbeit die Authentizität der Textbezüge immer wieder stichprobenartig nachprüfen, ebenso Textstellen, die bezüglich ihrer Authentizität in Frage gestellt werden können bzw. müssen. Bei den Paraphrasen jedoch ist es nicht sinnvoll, die Authentizität bis auf die Ebene der wörtlichen Übernahmen in allen Fällen nachzuprüfen, da erstens das

---

nicht erklären. [...] Auch im Vorhaus zum Garten schien es mir, als hätte ich oder einer wie ich dort gewirtschaftet seit Jahr und Tag" (RS 228).

[175] Dazu Jörg Helbig: Intertextualität und Markierung (1996), S. 97.

47

Verfahren der Paraphrase, wie bereits gesagt, einen hohen Verdunklungsgrad bewirkt. Zweitens kann nicht geklärt werden, ob der Autor Übersetzungen oder originalsprachliche Ausgaben verwendet hat; drittens sind die hinterlassenen autobiographischen Materialien der bei Sebald behandelten Schriftsteller teilweise von so enormem Umfang (z.B. bei Chateaubriand), daß die Suche nach wörtlichen Textstellen einer Suche nach der sprichwörtlichen Nadel im Heuhaufen gleichkäme. Ich beschränke mich deshalb auf die genaue Recherche einzelner, ausgewählter Beispiele.

Sebald verwendet außerdem eine Markierungsform, die in der Forschung als „Figur auf Pump"[176], „Figure on loan" oder „Re-used figure"[177] auftaucht. Gemeint ist damit das physische Wiederauftreten von Figuren aus anderen literarischen Texten. In *Die Ausgewanderten* erscheint dem Maler Aurach im Traum die Figur eines Herrn Frohmann „aus Drohobycz gebürtig" (A 262). Herr Frohmann hält sein selbstgebautes, „aus Fichtenholz, Papiermaché und Goldfarbe gemachtes Modell des Tempel Salomonis auf dem Schoß" (A 262), das Aurach als das einzig wahre Kunstwerk erscheint. Die Figur, ebenso ihre Beschreibung und die des Tempels sind Joseph Roths 1927 erschienenem Buch *Juden auf Wanderschaft* entnommen.[178] Bei Sebald liegt zwar eine Namensnennung der Figur vor, dennoch kann Herr Frohmann nur dann als Anspielung bzw. als Figure on loan wahrgenommen werden, wenn dem Rezipienten der Prätext bekannt ist. Der Sebald-Text selbst weist die Figur nicht als literarische Figur aus, er gibt bestenfalls ein Indiz für Intertextualität durch die altertümlich anmutenden Sprachverwendung im Umkreis der Figur.

Eine weitere literarische Wiedergängerin, die Aurach fast täglich besucht, ist

> eine elegante Dame in einem Ballkleid aus grauer Fallschirmseide und mit einem breitkrempigen, mit grauen Rosen besteckten Hut [...]. Eilends tritt sie näher wie ein Arzt, der fürchtet, zu spät zu einem auslöschenden Kranken zu kommen. Sie nimmt den Hut ab, das Haar sinkt ihr über die Schultern, sie zieht ihre Fechterhandschuhe aus, wirft sie hier auf das Tischchen und beugt sich nieder zu mir. Ohnmächtig schließe ich die Augen. Wie es danach weitergeht, weiß ich nicht. Wörter werden niemals gewechselt. Es ist immer eine stumme Szene. Ich glaube, die graue Dame versteht nur ihre Muttersprache, das Deutsche (A 270f.),

die Aurach seit seiner Flucht vor den Nazis und dem Tod der Eltern nicht mehr gesprochen hat. Die Figur ist als Verkörperung von Tod und Melancholie schon bei Kafka zu finden, der in der Aurach-Passage wörtlich zitiert wird.[179] In diesem zwei-

---

[176] Vgl. Theodore Ziolkowski: Figuren auf Pump (1980).

[177] Jörg Helbig: Intertextualität und Markierung (1996), S. 113. Dazu auch Wolfgang G. Müller: Interfigurality (1991), S. 107.

[178] Sigrid Korff: Die Treue zum Detail (1998), S. 181. Die hier zitierte Stelle findet sich in Joseph Roth: Werke 2, S. 868. Joseph Roth ist im übrigen einer der Autoren, mit dem sich Sebald auch als Literaturwissenschaftler auseinandergesetzt hat (W.G. Sebald: Ein Kaddisch für Österreich (1991).) Als Anspielung auf Frohmann könnte wiederum die Figur des Alec Garrard aus *Die Ringe des Saturn* gelesen werden, die ihre ganze Energie und ihr ganzes Leben der Aufgabe gewidmet hat, den Tempel Salomos in Jerusalem originalgetreu nachzubauen (RS 299f.).

[179] Vgl. dazu W.G. Sebald: Das unentdeckte Land, S. 91, wo Sebald eine solche Figur ebenfalls für Thomas Bernhards *Amras* nachweist: Die Mutterfigur dieser Erzählung in ihrem „längst

48

ten Fall gibt der Text, da auch eine Namensnennung der Figur fehlt, noch weniger Indizien für das Vorhandensein einer Figur auf Pump, er befindet sich also auf der Grenze zur Nullstufe.[180] Die Prätexte, welche die Figuren jeweils repräsentieren, können in beiden Fällen wieder nur dann aktualisiert werden, wenn sie dem Rezipienten bekannt sind oder wenn dieser aufmerksam genug ist, um von ihrer Fremdartigkeit oder ihrem seltsamen Verhalten irritiert zu sein (dann allerdings ist eine Namensnennung ein stärkerer Verweis als ein unmarkiertes Zitat). Da Frohmann und die graue Dame jedoch nicht nur intertextuelles Funktionspotential besitzen, sondern in ihrer Fremdartigkeit außerdem extreme seelische oder Traumzustände personifizieren, kann ihre intertextuelle Verweiskraft durchaus übersehen werden. An diesen Beispiel wird deutlich, was mit der Polysemie der Textverweise auf der Reduktionsstufe gemeint ist.

Eine „Figure on loan" ist auch der Jäger Gracchus aus der gleichnamigen Erzählung von Franz Kafka. Er tritt in einer Kindheitserinnerung des Ich-Erzählers aus *Il ritorno in patria* auf als ein Jäger, der sich in einem Schwarzwälder Tobel zu Tode stürzt und mit einer auf den Arm tätowierten Barke gefunden wird (SG 279). Dieser Jäger bleibt im Unterschied zu Frohmann und der grauen Dame jedoch nicht punktuell, sondern er erscheint eingebunden in ein intertextuelles Verweisnetz, das sich über den ganzen Band *Schwindel.Gefühle* hinwegspannt. Sein Auftritt auf der Skala der Markierungsstärken ist, wie sich nun zeigen wird, ungleich höher anzusiedeln als die Beispiele von Frohmann und der grauen Dame. Die folgenden Ausführungen sollen anhand der Gracchus-Figur außerdem zeigen, wie Sebald auf der impliziten Markierungsebene ein intertextuelles Verweisnetz knüpft und wie dessen Einzelelemente das ganze Spektrum der Reduktionsstufe abdecken. Sie befinden sich einerseits am unteren Rand auf der Grenze zur Nullstufe und ragen andererseits auch am oberen Rand in die Sphäre der expliziten Verweise hinein.

> Beyle machte Mme Gherardi auf einen schweren alten Kahn aufmerksam, mit einem im oberen Drittel geknickten Hauptmast und faltigen gelbbraunen Segeln, der anscheinend auch vor kurzer Zeit erst angelegt hatte und von dem zwei Männer in dunklen Röcken mit Silberknöpfen gerade eine Bahre an Land trugen, auf der unter einem großen, blumengemusterten, gefransten Seidentuch offenbar ein Mensch lag. (SG 30)

Bei dieser Textstelle handelt es sich zunächst um eine Referenz auf der Nullstufe, nämlich um eine teilweise wörtliche Passage aus Der Jäger Gracchus.[181] Das Zitat

---

aus der Mode gekommenen Chiffonkleid" erscheint wie der „Ausdruck der Melancholie eines alten, von Krankheit vergrämten Geschlechts." (Thomas Bernhard: *Amras* (1976) S. 18.)

[180] Helbig bezeichnet die Figuren auf Pump deshalb zu Recht als ein „Schwellenphänomen", da sie, je nach Bekanntheitsgrad der Figur, ohne flankierende Maßnahmen auf der Nullstufe verbleiben, bei einer sehr bekannten Figur aber schon in die Nähe der Potenzierungsstufe rücken. (Jörg Helbig: Intertextualität und Markierung (1996), S. 115.)

[181] Im Original lautet der Text: „Eine Barke schwebte leise, als werde sie über dem Wasser an Land getragen, in den kleinen Hafen. Ein Mann in blauem Kittel stieg ans Land und zog die Seile durch die Ringe. Zwei andere Männer in dunklen Röcken mit Silberknöpfen trugen hinter dem Bootsmann eine Bahre, auf der unter einem großen, blumengemusterten, gefransten Seidentuch of-

geht hier in der Beyle-Handlung auf, ohne daß es irgendeine Interferenz oder einen Hinweis auf seine Zitathaftigkeit gäbe (was wiederum die als biographisch ausgegebene Handlung in den Bereich einer aus Fremdmaterial montierten Fiktion rückt). Exakt dieselbe Formulierung erscheint auf S. 147 ein zweites Mal und wird diesmal als unheimliches Reiseerlebnis des Ich-Erzählers ausgegeben. Hier ist also die Wiederholung ein emphatisches Mittel, um den Rezipienten auf das mögliche Vorhandensein einer Textreferenz implizit aufmerksam zu machen, ihn möglicherweise zu irritieren, ohne aber einen Beweis für die Fremdeinschreibung zu liefern. Im ganzen Erzählungsband finden sich neun weitere Stellen, die sich auf unterschiedliche Weise und in unterschiedlichem Umfang auf Der Jäger Gracchus beziehen. Auf S. 131 liegt der Erzähler im Hotelbett selbst auf einem „blumengemusterten, damastartigen Fransentuch" (auch dies wieder eine an sich unmarkierte Referenz, aber bereits die dritte Wiederholung der Formulierung!). Auf der Veroneser Bahnhofswand erscheint eine Anspielung in Form eines Graffito mit dem Schriftzug „il cacciatore" (SG 103), italienisch für „der Jäger", wobei auch hier nur der italienischkundige Leser den Zusammenhang herstellen kann. Für den unkundigen Leser könnte die ohne Kafka-Kenntnis rätselhaft erscheinenden Inschrift jedoch eine Suche nach deren Bedeutung nach sich ziehen und somit in Richtung Prätext führen. Die Erzählung Il ritorno in patria weist drei weitere Jägerfiguren auf (SG 252, 258, 279), die den Prätext und gleichzeitig die vorangegangenen Erzählungen von Schwindel.Gefühle alludieren. Auch eine Abbildung, nämlich das durch Vergrößerung verfremdete Zeitungsfoto eines gespenstischen schwarzen Segelschiffes, wird hier in das Verweisnetz mit einbezogen (SG 186). Explizit wird der Bezug auf Der Jäger Gracchus jedoch bezeichnenderweise erst in der Erzählung Dr. K's Badereise nach Riva, die in ihrer fiktionalisierenden Verarbeitung von biographischem Material der Beyle-Erzählung gleicht. Auf S. 187 wird nochmals die oben zitierte Sequenz aus dem Jäger Gracchus wörtlich wiederholt. Die explizite Nennung des zentralen Referenztextes von Schwindel.Gefühle geschieht auf der nächsten Seite: „Da es aber Dr. K gewesen ist, der die Geschichte ersonnen hat, kommt es mir vor, als bestünde der Sinn der unablässigen Fahrten des Jägers Gracchus in der Abbuße einer Sehnsucht nach Liebe [...]" (SG 188). In der letzten Erzählung tauchen die Namen Gracchus und Kafka dann nicht mehr auf, nur noch die Jägerfigur aus den Kindheitserinnerungen.

Wie nun deutlich geworden sein dürfte, inszeniert Sebald den für Schwindel.Gefühle zentralen Referenztext von Kafka durch Zitate und Anspielungen, die für sich genommen im Bereich des Impliziten verbleiben, die aber durch Wiederholung und Varianz der Verweisform Markierung erfahren und ins Bewußtsein des Rezipienten rücken können. Die einzige explizite Markierung kann, um ein abgenutztes, aber hier treffendes Bild zu gebrauchen, als die Spitze eines Eisberges beschrieben werden, dessen größter Teil sich unterhalb der Wasser- bzw. hier der

---

fenbar ein Mensch lag." (Franz Kafka: Der Jäger Gracchus (1946), S. 99.) Oliver Sill hat sich bisher am eingehendsten mit der Bedeutung des Jägers Gracchus für die Interpretation von Schwindel.Gefühle befaßt. Doch auch er hat in seiner Betrachtung nicht alle Einzelstellen erfaßt, und bisher wurden diese auch nicht in einer verweistechnisch geordneten Gesamtschau vorgestellt. (Oliver Sill: Aus dem Jäger ist ein Schmetterling geworden (1997).)

Textoberfläche befindet. Außerdem ist festzustellen, daß die Markierungskurve vom ersten unmarkierten Erscheinen des Gracchus-Textes bis hin zur expliziten Nennung steigend verläuft und nach ihrem expliziten Höhepunkt auf S. 158 abfällt.[182] Dieses Verfahren baut zudem durch die variantenreichen Wiederholungen von Elementen des Gracchus-Textes eine starke Rätselspannung auf.[183] Ohne auf eine rezeptionsästhetische Bewertung einschwenken zu wollen, muß dennoch darauf hingewiesen werden, daß sich der Text hier mit Hilfe des eigenen Textes den gewünschten Lesertyp schafft. Die Erzählungen aus *Schwindel.Gefühle* benötigen demnach, um ihr intertextuelles Potential zu entfalten, entweder den literarisch vorgebildeten Rezipienten oder aber den nachforschenden „Re-reader",[184] wobei in diesem Falle schon ein Blick Kafkas Werkverzeichnis genügen könnte, um den Prätext zu identifizieren. Der Adressatenkreis ist also nicht mehr ganz so elitär definiert wie auf der Nullstufe der Markierungsdeutlichkeit. Außerdem können Strategien wie diese „den Rezipienten für die intertextuelle Dimension weiter sensibilisieren" und wiederum eine „aktive Rezeptionshaltung"[185] initiieren, indem sie „den Leser veranlassen, auch nach weniger offen oder gar nicht gekennzeichneten Zitaten und Anspielungen zu suchen."[186] In der Tat sind immer neue Zusammenhänge zu entdecken. Beispielsweise war Grillparzer, dessen Reisetagebuch der Erzähler in *Schwindel.Gefühle* aus Sympathie für diesen Schriftsteller liest, auch für Kafka ein geistiger „Blutsverwandter".[187] Eine Aussage Sebalds bestätigt zusätzlich die aus dem Text gewonnenen Erkenntnisse bezüglich seiner intertextuellen, nicht zuletzt auf die Rechercheaktivität des Lesers zielende und dessen Zeit einfordernde Strategie:

> [...] das in einen Text einmontierte Zitat zwingt uns, wie Eco schreibt, zur Durchsicht unserer Kenntnisse anderer Texte und Bilder und unserer Kenntnisse der Welt. Das wiederum erfordert Zeit. Indem wir sie aufwenden, treten wir ein in die erzählte Zeit und in die Zeit der Kultur.[188]

Eine ähnliche Kombination von Markierungen eines Folientextes findet sich auch in den vier Erzählungen *Die Ausgewanderten*. Die Einzelverweise erscheinen als implizit, im Zusammenhang ergeben sie jedoch ein Verweisnetz, das alle Erzählungen

---

[182] Jörg Helbig: Intertextualität und Markierung (1996), S. 105f und 130. An diesen Beispielen wird noch einmal überdeutlich, daß der Aspekt der Markierung selten statisch und punktuell ist, sondern daß ihr ein dynamischer Aspekt innewohnen kann, den die isolierte Betrachtung einzelner Markierungen nicht zu erfassen vermag.

[183] Ebd., S. 93.

[184] Vladimir Nabokov beispielsweise verlangte kategorisch den „Re-Reader" als seinen Lesertyp. (Vladimir Nabokov: Good Readers and Good Writers (1980), S. 3.)

[185] Jörg Helbig: Intertextualität und Markierung (1996), S. 99.

[186] Dazu Ulrich Broich/Manfred Pfister: Intertextualität (1985), S. 43; ebenso Susanne Holthuis: Intertextualität (1993), S. 113. Gleiches formuliert auch Renate Lachmann: „Der Leser, der weder Autor noch Fachmann ist, muß sich darauf einlassen, daß die Sinnkonstitution solcher Texte sich nicht in einem ersten, sondern erst in wiederholten Lesakten erschließt [...] die in einem langsamen Prozeß die Rätselstrukturen abbauen." (Renate Lachmann: Gedächtnis und Literatur (1990), S. 86.)

[187] Franz Kafka: *Briefe an Felice* (1967), S. 460. (Brief vom 2.9.1913.)

[188] W.G. Sebald: Wie Tag und Nacht (1998), S. 184.

miteinander verknüpft. Bei dem Folientext handelt es sich in diesem Falle um *Erinnerung, sprich,* die Autobiographie Vladimir Nabokovs.[189] Hier steht am Anfang der Verweiskette eine starke, explizite Markierung (A 27), die aus einem fast ganzseitigen Foto von Nabokov in den Schweizer Bergen, in der Hand ein Schmetterlingsnetz, besteht sowie dem Textverweis: „Eine der Aufnahmen [von Dr. Selwyn, Anm. d. Verf.] glich bis in die Einzelheiten einem in den Bergen oberhalb von Gstaad gemachten Foto von Nabokov, das ich ein paar Tage zuvor aus einer Schweizer Zeitschrift ausgeschnitten hatte" (A 26). Die zweite und gleichzeitig letzte namentliche Erwähnung Nabokovs folgt auf S. 65: „[...] ehe Mme. Landau hinzufügte, sie habe damals, in der Autobiograhie Nabokovs lesend, auf einer Parkbank in der Promenade des Cordeliers gesessen [...].“[190] Dann nimmt die Explizitheit der Markierungen ab und zieht sich in den Bereich des Impliziten zurück, indem nur noch die Figur des butterfly man, des Schmetterlingsfängers, den verschiedenen Hauptfiguren begegnet (A 27, 65, 151, 113, 170, 259, 319f.).[191] Auch hier greift wieder das Mittel der Wiederholung, um den Schmetterlingsfänger in den Aufmerksamkeitsfokus des Lesers zu rücken. Die Dynamik des Markierungsprozesses verläuft jedoch umgekehrt zu dem Markierungsprozess in *Schwindel.Gefühle.* Die Aktivität eines Re-Reader scheint in diesem zweiten Fall, so könnte man meinen, nicht mehr ganz so notwendig, um den butterfly man mit Nabokov in Verbindung zu bringen, dennoch schließt der Text das Risiko der Nichterkennung nicht aus, er geht nicht „auf Nummer Sicher". Die Beschäftigung mit dem Prätext fördert weitere Textreferenzen zutage, die ansonsten unerkannt auf der Nullstufe verblieben wären. Auf S. 319 beispielsweise findet sich in einer angeblichen Fremdtextpassage aus dem hinterlassenen Tagebuch der Luisa Lanzberg folgender Wortlaut:[192]

> Das erinnere ich noch, daß wir unweit des Ortsrands, dort, wo das Schild NACH BODENLAUBE steht, zwei sehr vornehme russische Herren einholten, von denen der eine, der ein besonders majestätisches Ansehen hatte, gerade ein ernstes Wort sprach mit einem vielleicht zehnjährigen Knaben, der, mit

---

[189] Vladimir Nabokov: *Erinnerung, sprich* (1991). *Die Ausgewanderten* sind neben *Austerlitz* zum populärsten und bekanntesten Werk Sebalds avanciert, nicht zuletzt daraus resultiert wohl auch die Tatsache, daß der Bezug dieses Bandes auf die Autobiographie des russischen Autors in nahezu allen Rezensionen und wissenschaftlichen Artikeln besprochen wird und der Band nicht selten auf diese Beziehung in Verbindung mit der Exil- und Holocaustthematik verkürzt wird. Diese Textbeziehung und die schon beschriebene von *Schwindel.Gefühle* zu *Der Jäger Gracchus* sind auch fast die einzigen, die der Wissenschaft bisher eine ausführliche Betrachtung wert waren. Oliver Sill hat hierfür in seinen beiden Aufsätzen Interpretationsperspektiven eröffnet.

[190] Eine Figur, die einen Prätext durch den Akt des Lesens evoziert, gilt als eine der stärksten Markierungsformen überhaupt. Dazu Ulrich Broich/Manfred Pfister: Intertextualität (1985) S. 39 und Jörg Helbig: Intertextualität und Markierung (1996), S. 131f.

[191] Sebald kommentierte hierzu: „Ich weiß nicht, ob Ambros in Ithaca Nabokov gesehen hat, aber es ist völlig plausibel. Er lebte zehn oder fünfzehn Jahre dort. Jeder in Ithaca hat ihn irgendwann einmal gesehen, mit seinem Schmetterlingsnetz." (Carole Angier: Wer ist W.G. Sebald? (1997), S. 48.)

[192] Auch auf diese wörtliche Übernahmen hat zuerst Oliver Sill aufmerksam gemacht. (Oliver Sill: Migration als Gegenstand der Literatur (1997), S. 321.)

der Schmetterlingsjagd beschäftigt, so weit zurückgeblieben war, daß man auf ihn hatte warten müsssen. [...] Hans behauptete später, in dem älteren der beiden distinguierten Herren den derzeit in Kissingen sich aufhaltenden Präsidenten des ersten russischen Parlaments, Muromzew, erkannt zu haben. (A 319)

In der Autobiographie Nabokovs, der ein passionierter Schmetterlingsforscher war, findet sich auf S. 174 die folgende Stelle:

> Gerade als ich im Begriff stand, in der Nähe eines Wegweisers NACH BODENLAUBE bei Bad Kissingen in Bayern [...] den majestätischen alten Muromzew (der vier Jahre vorher, 1906, Präsident des ersten russischen Parlaments geworden war, auf einen langen Spaziergang zu begleiten, wandte dieser mir [...] sein marmornes Haupt zu und [...] sagte: „Komm auf jeden Fall mit, aber jage keine Schmetterlinge, Kind. Es stört den Rhythmus des Spaziergangs."[193]

Hierbei ist wichtig zu erwähnen, daß der Erzähler im Text (anders als Sebald im Interview) das Lanzberg-Tagebuch als authentisch ausgibt und der angeblichen Verfasserin Luisa über weite Strecken die Autorschaft vollständig abtritt, ohne sich dazwischenzuschalten. Diese genannten Feststellungen sind also imstande, die Fiktion der dokumentarischen Authentizität, die Sebald über seinen Erzähler erzeugt, zu torpedieren, da sie diese als Konstrukt und Montagearbeit, gar als Fälschung ausweisen.[194]

Auf der Reduktionsstufe markierter Intertextualität, dies sei hier noch angemerkt, verbleiben im Falle von *Die Ausgewanderten* auch die Mottos,[195] die jeder einzelnen Erzählung vorangestellt sind. Aufgrund seiner Position zwischen Titel und Text bewegt sich das Motto generell zwischen den Polen „Eigenständigkeit" und „Zugehörigkeit zum Text." Seine prägenden Merkmale sind seine „isolierte Position und seine strukturell offene Beziehung zum nachfolgenden Text."[196] Dadurch tritt das Motto in eine bestimmte Konstellation zum Text, die jene semantische Offenheit einschränkt, die ihm aufgrund des Fehlens des sinnstiftenden Kotextes zunächst zugekommen war.[197] Die häufigste Füllung dieser Textsorte des Mottos geschieht in der Literaturgeschichte durch ein Zitat,[198] es handelt sich also um eine intertextuelle Referenz. Im Falle der *Ausgewanderten* lauten die Mottos folgendermaßen: „Zerstö-

---

[193] Vladimir Nabokov: *Erinnerung, sprich* (1991), S. 173f.

[194] Die Frage nach der Authentizität des Tagebuchs und speziell dieser Textstelle hat Sebald im Interview folgendermaßen beantwortet: „Das ist eine Episode aus *Erinnerung sprich*. Als ich darauf stieß, hatte ich die Erinnerungen schon gelesen, auf denen das Tagebuch basiert und in denen von einem Ausflug aufs Land an einem Sonntagnachmittag die Rede ist. Sie brauchen nur eine kleine Drehung, damit es zusammenpaßt. Es gibt immer Elemente, die von anderswo hineindrängen." (Carole Angier: Wer ist W.G. Sebald? (1997), S. 48.)

[195] Ein ausführlicher Forschungsbericht zu Begriff und Geschichte des Mottos ist nachzulesen bei Jan E. Antonsen: Text-Inseln. Antonsen hat in dieser Studie acht Grundfunktionen des Mottos erarbeitet, die ich hier zur Beschreibung der Sebald-Mottos nutze.

[196] Jan E. Antonsen: Text-Inseln (1998), S 45.

[197] Ebd., S. 21.

[198] Ebd.

ret das letzte / die Erinnerung nicht" leitet die Erzählung *Dr. Henry Selwyn* ein, „Manche Nebelflecken / löset kein Auge auf" steht vor *Paul Bereyter*, „My field of corn / is but a crop of tears" vor *Ambros Adelwarth*, „Im Abenddämmer kommen sie / und suchen nach dem Leben" vor *Max Aurach*. Der lyrisch gefärbte, altertümlich anmutende Duktus aller Mottos könnte wörtliche Zitate indizieren. Sebald bleibt den Quellenverweis schuldig, Recherchen haben jedoch ergeben, daß es sich in allen drei Fällen um Zitate aus literarischen Prätexten handelt.[199]

Zur Funktion der Mottos ist zunächst folgendes zu beobachten: Alle vier akzentuieren die Erzählungstitel, die nur aus dem Namen des jeweiligen Ausgewanderten bestehen, dergestalt, daß sie auf das Erzähl- und Rechercheverfahren der jeweiligen Erzählung referieren. Die „Nebelflecken" beispielsweise sind einerseits Symptome der Augenkrankheit Bereyters (A 88f.), metaphorisieren jedoch gleichzeitig die vom Erzähler teilweise vergeblich erforschten sprichwörtlichen blinden Flecken in dessen Lebensgeschichte. Die Anspielung auf „Abenddämmer" tritt in Beziehung zur schuldvollen Verspätung, mit der der Erzähler Aurach nach seiner Kindheit im Dritten Reich befragt (A 264 ff.). Das erste Motto hingegen, „Zerstöret das letzte / die Erinnerung nicht", erfüllt durch seinen Imperativ eine klare Appellfunktion, die sich auf das ganze Buch beziehen läßt. Insgesamt kann die Funktion aller vier Mottos als eine „Ausdrucksfunktion"[200] beschrieben werden. Mit anderen Worten: Die Mottos thematisieren und enthüllen neben dem Verfahrensbezug auch das Ziel, daß der Erzähler mit seiner Prosa verfolgt. Diesem Ziel des Lebendighaltens von Vergangenheit gibt Sebald hier eine poetisch-rätselhafte Form, geprägt vom gleichzeitigen Verlangen und Verbergen der Antwort, analog zum Rätsel, das für den Erzähler seine Figuren darstellen.[201]

Zusammengefaßt können für die Reduktionsstufe der Textbeziehungen bei Sebald folgende Funktionen festgehalten werden: Erstens dienen die Prätexte dazu, weitreichende, einzeltextübergreifenden Verweiszusammenhängen zu knüpfen, deren Bestandteile eine Appellfunktion in Richtung Rezipient ausüben. Die Recherche, zu welcher die Texte ihre Leser zu mobilisieren versuchen, kann Fakten zutage för-

---

[199] Den Prätext des ersten Mottos hat Sven Meyer aufgedeckt: „Zerstöret das Letzte / die Erinnerung nicht" ist eine Titelvariation der Hölderlin-Erzählung „Verzehret das Letzte / Selbst die Erinnerung nicht?" (Nachweis bei Sven Meyer: Fragmente zu Mementos (2003), S. 77f.) Der Satz, aus dem das zweite Motto stammt, lautet ursprünglich: „So ist der große Hamann ein tiefer Himmel voll teleskopischer Sterne und manche Nebelflecken löset kein Auge auf." Er stammt aus Jean Pauls *Vorschule der Ästhetik*, § 14, S. 64. Beim dritten Motto, „My field of corn is / but a crop of tears" handelt es sich um ein leicht verändertes Zitat der dritten Zeile des Gedichts *Elegy for Himself, Written in the Tower before his Execution 1586* des englischen Dichters Chidiock Tichborne (1558-1586). Tichborne wurde exekutiert, weil er Mitglied einer katholischen Verschwörung war, die die Ermordung Königin Elizabeth I. plante. Im Original lautet die Zeile „My crop of corn is but a field of tares" (Gefunden 11.6.2001 unter www.chiark.greenend.org.uk/martinh/poems/FORHIMSELF, siehe dazu auch R. S. M Hirsh: The Works of Chidiock Tichborne (1986).) Der Sinn der Zeilen, als einzigen Ertrag seiner Felder nur Tränen zu ernten, erscheint dadurch jedoch nicht wesentlich verändert.

[200] Jan E. Antonsen: Text-Inseln (1998), S. 160.

[201] Zur strukturellen Verwandtschaft von Motto und Rätsel siehe ebd., S. 160f.

dern, welche die intertextuellen Zusammenhänge und Koinzidenzen nicht nur erweitern, sondern geradezu potenzieren.[202] Zweitens funktionieren die Figuren auf Pump als ein Hinweis auf die „Brüchigkeit unserer eigenen Welt sowie auf die mögliche Fiktivität unserer eigenen Existenz. [...] Wer versichert uns schließlich, daß wir als Leser der Figuren auf Pump mehr sind als eben – Menschen auf Pump?"[203] Mit dieser Brüchigkeit operiert Sebald zusätzlich, wenn er fremden und eigenen Text verwischt und Fremdtextbruchstücke in reale Biographien hineinspielt.

Ralf Jeutter erkennt die Jägerfigur zudem als paradigmatisch für die Sebaldsche Poetik,[204] da nicht nur Gracchus und der butterfly man Jäger sind, sondern im übertragenen Sinne ebenso der Erzähler selbst, der vergessene Lebensgeschichten „jagt". Weitergedacht können diese Jägerfiguren auch als Personifikationen des Appells an den Leser gelesen werden, den Sebald ebenfalls zu einem Jäger machen will, der nachfragen und weiterforschen soll.

II.4. Explizite Intertextualität an der Textoberfläche – Die Vollstufe der Markierungsdeutlichkeit

Auf der nächsthöheren Markierungsebene, die für die Textreferenzen bei Sebald festgestellt werden kann, erscheint nicht nur die Deutlichkeit einer Referenz, sondern auch ihre Transparenz verstärkt: Die Textoberfläche wird durchlässig, um einen fremden Text eindeutig als solchen hindurchscheinen zu lassen:

> Während implizite Markierungsverfahren ein Indiz für intertextuelle Einschreibungen liefern könne, steigern explizite Markierungen diese Indizierung bis hin zum unwiderlegbaren Beweis. Als Abgrenzungskriterium der expliziten gegenüber der impliziten Markierungsart gilt deshalb erstens eine Tendenz zur Monosemierung, die es einem Rezipienten auch ohne hinreichende literarische Vorkenntnisse erleichtern soll, einen intertextuellen Verweis als solchen zu erkennen. Zweitens bedingt die explizit markierte Einschreibung einen [...] deutlichen Bruch in der Rezeption und macht es dem Rezipienten dadurch unmöglich, die Markierung zu übersehen.[205]

Hierbei ist jedoch zu beachten, daß „nicht-übersehen-können" noch nicht bedeutet, daß der Prätext mit genauen Nachweisen identifiziert würde.

Zwei zentrale Markierungstechniken Sebalds, um intertextuelle Einschreibungen als solche eindeutig wahrnehmbar und dabei die Nahtstellen zwischen Text und Prätext sichtbar zu machen, sind auf dieser Stufe linguistische Codewechsel und graphemische Interferenzen.[206] Die linguistischen Codewechsel lassen sich nach deutschsprachigen und fremdsprachigen Einschreibungen unterscheiden. Beispiele

---

[202] Wie ein solcher Potenzierungsprozeß verlaufen kann, ist sehr gut nachzuvollziehen bei Marcel Atze: Koinzidenz und Intertextualität (1997).

[203] Theodore Ziolkowski: Figuren auf Pump (1980), S. 176.

[204] Ralf Jeutter: Am Rande der Finsternis (2000), S. 167.

[205] Jörg Helbig: Intertextualität und Markierung (1996), S. 112.

[206] Ebd.

für derartige deutschsprachige, sprachliche Interferenzen finden sich zum Beispiel in *Nach der Natur*: Der lyrische Sprecher zeichnet das Leben des Malers Matthias Grünewald nach und verweist dabei auf „Berichte" (NN 12), „Protokolle" (NN 14), aus denen er angibt, sein Material zu beziehen. Angebliche Übernahmen werden durch linguistische Codewechsel bzw. die Übernahme altertümlicher Schreibweisen und Formulierungen verdeutlicht: „Lang ist bekanntlich die Tradition / der Verfolgung der Juden, auch / in der Stadt Frankfurt am Main. Um 1240 sollen 173 von ihnen / theils erschlagen worden, theils / eines freiwilligen Todes in den Flammen / gestorben sein" (NN 12). Dieser Codewechsel wird jedoch nicht durchgehend weitergeführt. Die nächste Interferenz erscheint erst wieder auf S. 13: „In diesem Ghetto / war das Judden Enchin zuhause gewesen, / eh sie, wenige Monate vor der Feier / der Hochzeit mit Mathys Grune, / dem Maler, auf den Namen / der heiligen Anna getauft wurde" (NN 13). Obwohl also die Textbezüge in diesen Fällen an der Textoberfläche situiert sind, ist wegen der allzu vagen Quellenangaben nicht nachzuprüfen, ob es sich an den betreffenden Stellen um wirkliche Zitate aus den „Berichten" handelt oder um Imitationen eines altertümlichen Sprachduktus, die ihre Zitathaftigkeit nur suggerieren. (Vergleichbare Beispiele finden sich in *Nach der Natur* auch auf S. 39 und 81.)

Auf ähnliche Weise, hier allerdings mit konkreterer, wenn auch nicht umfassend identifizierter Quellenangabe, präsentiert der Text auf S. 19 das Fremdmaterial durch einen Verweis auf die Herkunft und durch die Übernahmen aus einem altertümlichen Sprachduktus:

> Die lange Liste umfaßt
> eine Ansammlung verschiedenster Dinge:
> wiß geledert Gaißfell, Silbertaler
> [...] alles das überstrahlt
> von der Pracht eines einzigartigen
> Farbenlagers: blywyß und albus,
> parißrot, cinober, schyfergrün,
> berkgrün, alchemy grün [...].
> [...] Kleider auch,
> schöne, item ein golt gel par hossen
> [...]. (NN 19)

Ähnliche Fälle finden sich zum Beispiel auch in *Dr. K's Badereise nach Riva* („Die Mehrzahl der Einwohner des Ortes hat sich zum Empfang des Vicesekretärs der Prager Arbeiterversicherungsanstalt auf dem Marktplatz versammelt", SG 175), im Titel der Beyle-Erzählung, die vom „merckwürdigen Faktum der Liebe" handelt, ebenso im letzten Kapitel von *Die Ringe des Saturn*, wo über die Geschichte des Seidenbaus in Europa verhandelt wird: „Gleiches geschah in Sachsen [...], in Württemberg, Ansbach und Baireuth, durch den Fürsten [...] Karl Theodor, der, als er 1777 nach Baiern kam, sogleich eine General-Seidendirektion gründete" (RS 354f.). An diesen Stellen allerdings fehlen wiederum die Quellenverweise, und die sprachliche Interferenz bleibt der einzige Hinweis auf Fremdtext. Textstellen, in denen sprachliche Interferenz nicht durch die Schreibweise angezeigt wird und eher der

Duktus auf eine Fremdeinschreibung aufmerksam macht, können leichter übersehen werden, wie etwa jene in *Die Ringe des Saturn*, wo der Erzähler von einer Aufführung des Dramenfragments *Catharina von Siena* von J.M.R. Lenz berichtet und von Catharina, die „von Tages Hitze, Dorn und Steinen müd"[207] (RS 276), durch die Berge wandert.

Graphemische Interferenzen können einen Fremdtext hingegen sehr viel eindeutiger als solchen identifizieren, wie sich an folgendem Beispiel zeigt:

> So läßt sich Dr. K. beispielsweise im Verlauf des Vormittags von Otto Pick überreden, mit ihm nach Ottakring hinauszufahren und Albert Ehrenstein zu besuchen, mit dessen Versen er, Dr. K, beim besten Willen nichts anfangen kann. *Ihr aber freut euch des Schiffs, verekelt mit Segeln den See. Ich will zur Tiefe. Stürzen, schmelzen, erblinden zu Eis* (SG 165).[208]

An anderer Stelle raucht der Erzähler mit dem schizophrenen Dichter Ernst Herbeck Zigaretten. Dieser wird mit einem Gedicht zitiert, das sich graphemisch aus dem Fließtext heraushebt (die untenstehende Zeilengestaltung entspricht dabei dem Original):

> Die Zigarette, hat er in einem seiner Gedichte geschrieben,
>   ist ein Monopol und muß
>   geraucht werden. Auf Dasssie (sic!)
>   in Flammen aufgeht. (SG 58)

Von der Tatsache abgesehen, daß die meisten Titel und Eigennamen in den Sebald-Texten kursiv gesetzt sind, werden graphemische Interferenzen außerdem eingesetzt, um den Zitatcharakter sowohl deutschsprachiger als auch fremdsprachiger Zitate hervorzuheben. Auffällig sind zum Beispiel die sehr zahlreich über die Erzählung *All'estero* verstreuten italienischen (nie übersetzten), kursiv gesetzten Partikel, die der Erzähler während seiner Reise durch Oberitalien aufschnappt, beispielsweise Schlagzeilen aus Zeitungen (SG 114, 142, 144), Zitate aus Zusammenhängen, die nicht weiter verdeutlicht werden (SG 132, 157), oder auch das bereits genannte Graffito *il cacciatore*, das erst vom Rezipienten übersetzt werden muß, um es in das Verweisnetz zum Jäger Gracchus einzuordnen. Ähnliche Beispiele finden sich auch in A 95 (das englische, verweislose Motto zu *Ambros Adelwarth*), in RS 111 („*für den heiligen himelsfursten Sand Sebolten ein sarch von messing*") und RS 351 („*silk brocades and watered tabinets, satins and satinettes, camblets and cheveretts*"), hier handelt es sich wiederum um altdeutsche und englische Zitate.

Eine sehr spezielle und besonders starke Form der graphemischen Interferenz besteht bei Sebald im Verfahren, Fremdtexte nicht nur mit herkömmlichen Mitteln wie besonderer Setzung oder besonderen Schrifttypen zu markieren, sondern diese in ikonisierter Form, also als Abbildungen, einzumontieren. Als ikonisierte Prätexte erscheinen beispielsweise literarische und nichtliterarische Autographe (SG 59, 159, A 194, A 150, RS 351), Texte aus dem Alltagsgebrauch wie etwa Restaurantrech-

---

[207] Es handelt sich hierbei um ein Zitat aus J.M.R. Lenz: *Catharina von Siena* (1987), S. 424.
[208] Es handelt sich hierbei um ein Zitat aus Albert Ehrensteins Gedicht *Der Selbstmörder*. (Albert Ehrenstein: Werke (1997), S. 147.)

nungen (SG 94), Zugfahrkahrten (SG 101), Zeitungsartikel (SG 115), Stadtpläne (SG 128) oder Zeitungsannoncen (SG 140f). Auch Faksimiles literarischer Texte werden in den Sebald-Text einmontiert. Die genaue Betrachtung und funktionale Einordnung solchermaßen ikonisierter Texte bzw. semantisierter Bilder[209] werde ich im Kapitel zu den Befunden aus dem Text-Bild-Bereich vornehmen. Vorab sei hier jedoch festgestellt, daß sich Sebald bei der intertextuellen Bedeutungskonstitution offenbar nicht immer mit dem Wortlaut oder Inhalt eines Prätextes zufriedengibt, sondern seiner visuellen Erscheinungsform ebenso Bedeutungspotential beimißt. Die präzise Bedeutung ist den ikonisierten Textteilen nach wie vor eigen, doch sie gewinnen durch die starke graphemische Interferenz zum Fließtext eine „pikturale Qualität",[210] die sie den gedruckten Textteilen möglicherweise überlegen machen.

Für die Textverweise der sogenannten Vollstufe ist festzuhalten, daß sie zwar noch nicht eindeutig identifiziert werden, was Titel oder Autor oder ihre Herkunft betrifft, daß aber die Nahtstellen zwischen Eigen- und Fremdtext deutlich sichtbar sind. Die Fremdtextpartikel, die die Texte in breiter Streuung durchsetzen, stammen außerdem nicht nur aus literarischen Prätexten, sondern ebenso häufig aus Gebrauchs- und Alltagstexten. Die Funktion derartiger Fremdtextpartikel besteht darin, die intertextuelle Atmosphäre an der Textoberfläche aller vier Bücher herzustellen und die vom Erzähler wahrgenommene und beschriebene Welt als eine Textwelt erscheinen zu lassen. Die ikonisierten Prätexte sind an der Errichtung einer Fiktion des Dokumentarischen beteiligt, unübersetzt bleibende Fremdtextpartikel können (dies gilt vor allem für *Schwindel.Gefühle*) der Hereinspielung von Rätselhaftigkeit dienen und durch diese Rätselhaftigkeit wiederum einen Appell an den Rezipienten senden, die Rätsel aufzulösen und sich damit ebenfalls in das Labyrinth der Koinzidenzen zu begeben.

II.5. Leseanweisungen, Geistesverwandtschaften und die Gleichsetzung von Leben und Werk – Die Potenzierungsstufe der Markierungsdeutlichkeit

Am Endpunkt des nun fast vollständig aufgerollten Kontinuums der Markierungsstärken bei Sebald steht die thematisierte Intertextualität, was bedeuten soll: die Textreferenzen werden erstens ausdrücklich und unmißverständlich offengelegt und identifiziert,[211] sie befinden sich also nicht mehr unterhalb der Textoberfläche, sondern organisieren diese. Zweitens erscheint die Intertextualität auf einer Metaebene im Text, wenn dieser Text sein eigenes intertextuelles Verfahren explizit beschreibt und verhandelt. Eine eindeutige Identifizierung der Prätexte geschieht hier durch sämtliche mögliche Kombinationen der Parameter Autornennung, Titelnennung, bibliographische Angabe (z.B. Verlag oder Erscheinungsjahr) und inhaltliche Para-

---

[209] Die Begrifflichkeit ist entlehnt von Karl Dirscherl: Ikonische Schrift und zeichenhaftes Bild (1993), S. 432.

[210] Ebd., S. 427.

[211] Jörg Helbig: Intertextualität und Markierung (1996), S. 135.

phrase. Die dadurch geleistete eindeutige Identifizierung ist auch der gemeinsame Nenner aller nun folgenden Verweisstrategien, die sich unter der Hilfskategorie der Potenzierungsstufe subsumieren lassen.[212] Beispiele sollen nun wieder die verschiedenen Typen der Einschreibung innerhalb der Potenzierungsstufe verdeutlichen.

Auf der Potenzierungsstufe lassen sich beispielsweise die Mottos der Texte *Nach der Natur* und *Die Ringe des Saturn* ansiedeln.[213] Im ersten Text ist jedem Teilgedicht ein Motto vorangestellt, am Beginn von *Die Ringe des Saturn* stehen drei Mottos für das ganze Buch. Die Mottos sind jeweils in der Originalsprache abgedruckt, in englisch (Milton), französisch (Conrad) und deutsch (Brockhaus-Enzyklopädie). In *Nach der Natur* werden sogar genauere Textstellen der Mottos über den einzelnen Langgedichten benannt („Dante, *Inferno*, Canto II",[214] „Friedrich Gottlieb Klopstock, *Die Welten*, Im Febr. 1746",[215] und „Vergil, 1. Ekloge"[216]). Von den Mottos der Reduktionsstufe unterscheiden sich diese bezüglich ihrer Markierungsstärke durch eine präzise Angabe von Autor und Quelle.

In ihren Funktionen sind die Mottos der Texte jedoch unterschiedlich zu bewerten, eine Ausdeutung kann in diesem Rahmen nur in knapper Form zum Zweck der Funktionsermittlung erfolgen. Zunächst zu *Nach der Natur*: Die Mottos entstammen derselben Gattung wie der neue Kontext, es handelt sich in allen Fällen um Lyrik, genauer um Langgedichte, um Versepen. Die zitierten Textstellen stehen zunächst in Bezug zum Untertitel des Elementargedichts, indem sie von den Elementen Feuer, Wasser und wieder Feuer (in dieser Reihenfolge) handeln und diese in ihrer zerstörerischen, todbringenden Form thematisieren. In den lyrischen Mottos ist die Natur als zerstörerische Kraft verdichtet wie sonst an kaum einer Stelle im Text. Das Motto fungiert hier als Träger eines Ereignisses, nämlich der Katastrophe, das in den Gedichten selbst nicht vorkommt, aber Voraussetzung für die dargestellten, nachapokalyptischen Szenerien ist.

Seinem Buch *Die Ringe des Saturn* stellt Sebald Textstellen aus John Miltons *Paradise Lost,* aus Joseph Conrads Briefwechsel mit Marguerite Poradowska voran sowie einen Artikel aus der Brockhaus-Enzyklopädie, der die Beschaffenheit der Ringe des Planeten Saturn erläutert. Die Mottos haben hier unterschiedliche Funktionen: Die ersten beiden beziehen sich nicht direkt auf den Buchtitel. Während das Milton-Zitat eher wie ein Gemeinplatz anmutet, den Sebald aber offenbar ins Gedächtnis zu rufen für notwendig hält („Good and evil we know in the field of this world grow up together most inseparably"),[217] bringt das Conrad-Zitat eine zentrale Aussage auf den Punkt, die nicht nur dieses Sebald-Buch durchzieht und die besagt, daß all jenen vergeben werden muß, die sich nur auf den Glanz und nicht auf den

---

[212] Beispiele für derartige Identifizierungen finden sich im Werk in so großer Zahl, daß hier einige Beispiele genügen sollen: NN 10, 13, 68, 91; SG 27, 71, 214f.; A 86f., 186; RS 17, 173, 227.

[213] Auch Helbig stellt fest, daß sich Mottos aufgrund ihrer Sonderstellung und dem dadurch begründeten höheren Aufmerksamkeitsgrad „als Kristallisationspunkte [...] intertextueller Spuren" anbieten (Jörg Helbig: Intertextualität und Markierung (1996), S. 107.)

[214] Dante Alighieri: *La Divina Commedia* (1965), S. 44.

[215] Friedrich Gottlieb Klopstock: *Oden* (1889), S. 154.

[216] Vergil: *Eclogae* (1967), S. 3.

[217] Für einen präzisen Stellennachweis des Zitates sind Sebalds Angaben hier zu ungenau.

Schrecken von Krieg und Kampf und vor allem auf die tiefe Verzweiflung der Besiegten besinnen.[218] Conrad übernimmt hier also eine weltanschauliche Bürgschaft, das Motto enthält damit das Conrad-Kapitel von *Die Ringe des Saturn* (Kapitel V) in nuce und antizipiert die anderen Bürgen, die zu diesem Thema noch aufgerufen werden sollen. Nur das Zitat aus der Brockhaus-Enzyklopädie hingegen erläutert den Titel direkt, indem es Informationen über die materielle Beschaffenheit der Saturn-Ringe gibt.[219] Damit wird allerdings gleichzeitig die semantische Reichweite des Titels eingeschränkt. Das Zitat vermittelt einen Grund für die Titelwahl, der aber auch erst durch die Lektüre einsichtig werden dürfte: „Wahrscheinlich handelt es sich um die Bruchstücke eines früheren Mondes, der, dem Planeten zu nahe, von dessen Gezeitenwirkung zerstört wurde [...]." Bruchstücke von Ereignissen und Biographien sind es auch, die der Erzähler bei seinen Wanderungen an den Wegrändern findet und denen er nachgeht, um zu erfahren, was es mit ihnen auf sich hat. Und wem klar ist, daß der Planet Saturn für die Schwermut steht, kann diese Bruchstücke auch als Repräsentanten für jene Zerstörungen der Psyche benennen, von denen *Die Ringe des Saturn* in extenso erzählen.[220]

Eine Erscheinungsform der Intertextualität, die nun im wahrsten Sinne des Wortes als „thematisierte Intertextualität"[221] gelten kann, sind die sogenannten lesenden Figuren bzw. Figuren, die sich mit Texten in irgendeiner Form auseinandersetzen, etwa Texte kommentieren, produzieren oder übersetzen. Auffällig ist, daß es sich bei den Texten, mit denen sich diese Figuren befassen, meist um literarische Texte handelt. So schreibt Steller „Manuskripte am Ende des Lebens, / [...] mit kratzigem Gänsekiel und galliger Tinte" (NN 66), der melancholische Redakteur Salvatore liest *1912+1* von Leonardo Sciascia und rettet sich „in die Prosa wie auf eine Insel" (SG 150), Casanova liest den *Orlando furioso* und benutzt ihn als Orakel bei der Planung seiner Flucht aus den Bleikammern (SG 71). In *Die Ausgewanderten* liest Lucy Landau Nabokovs Autobiographie, Paul Bereyter liest und exzerpiert bekannte Schriftsteller, die sich das Leben genommen haben (A 86ff.). In *Die Ringe des Saturn* verbringt die Literaturwissenschaftlerin Janine ihr Leben damit, Flaubert zu untersuchen (RS 15), übersetzt Fitzgerald exzessiv Omar Khayam (RS 250) und der Vicomte von Chateaubriand liest mit seiner Freundin Charlotte Bougay Tassos *Gerusalemme liberata* (RS 312), um nur einige Beispiele zu nennen.

Vor allem aber liest und recherchiert die jeweilige Erzählerfigur. An dieser Stelle wird auch und vor allem deutlich, warum die Betrachtung der Textbezüge zum Verständnis des Werkes Sebalds essentiell ist: die umfassend und eindeutig

---

[218] Der Wortlaut des Mottos ist: „Il faut surtout pardonner à ces âmes malheureuses qui ont élu de faire le pélerinage à pied, qui côtoient le rivage et regardent sans comprendre l'horreur de la lutte et le profond désespoir des vaincus." Für einen genauen Stellennachweis ist Sebalds Angabe hier ebenfalls zu ungenau.

[219] Das Motto ist wörtlich der Brockhaus-Enzyklopädie entnommen (Vgl. Brockhaus-Enzyklopädie, Bd.16 (1973), S. 488.)

[220] Einen derartigen Kommentar zum Titel verbucht Antonsen in seinem Funktionssystem für das Motto unter dem Begriff der „Ausdrucksfunktion". (Jan E. Antonsen: Text-Inseln (1998), S. 66.) Vgl. dazu auch Mark R. McCulloh: Understanding W.G. Sebald (2003), S. 67f.

[221] Jörg Helbig: Intertextualität und Markierung (1996), S. 131f.

identifizierten Referenzen bilden die erzählauslösenden Momente. Die Tätigkeiten des Lesens und des Recherchierens organisieren und strukturieren die Texte und bilden die Rahmentätigkeit, in der sich auch die Handlung des Reisens und des Erinnerns bewegt, und zwar in allen vier Büchern: In *Nach der Natur* liest der lyrische Sprecher in Quellen, um Licht in das Leben Grünewalds zu bringen, in *Schwindel.Gefühle* liest der Erzähler Grillparzers Reisetagebücher über eine Landschaft, die er gerade selbst bereist, in *Die Ausgewanderten* blättert er vor allem in nachgelassenen Manuskripten, Tagebüchern und in Fotoalben. In *Die Ringe des Saturn* schließlich reist er durch Mittelengland und die Reise durch diese Landschaft ist eine Reise durch Bücher aus Wissenschaft (z.B. RS 29f., 31f., 72f.) und Literatur (RS 32, 33, 189, 221), aber er liest auch Zeitungen (RS 83), Grabsteine (RS 324) oder Bilder (RS 22, 99).

Eine weitere zentrale Verweisform sind die sogenannten „Autoren auf Pump" oder „re-used authors".[222] Sie sind eng mit der Verweistechnik der schon behandelten „re-used figures" verwandt, sind aber bei Sebald auf einer höheren Markierungsstufe anzusiedeln: „Unter dem Gesichtspunkt der Markierungsdeutlichkeit sind Auftritt und Nennung fremder Autoren tendenziell emphatischer einzustufen, als es bei Figuren auf Pump der Fall ist [...], da der Auftritt von Autoren häufig mit einer Thematisierung der Textproduktion einhergeht."[223] Für Sebald sind bei diesen „re-used-authors" drei unterschiedliche Aspekte zu konstatieren:

Erstens ist festzustellen, daß die „re-used authors" im ganzen Sebald-Werk wiederkehrende sowohl äußere als auch innere Eigenschaften besitzen, in denen sie sich untereinander und auch und vor allem dem jeweiligen Erzähler ähneln: Sie reisen (z.B. Conrad in den Kongo, Chateaubriand durch England), sind freiwillige oder unfreiwillig Exilanten (Conrad, Nabokov oder eben Sebald selbst), und die meisten pflegen eine Geisteshaltung, die Andreas Isenschmid im Falle von *Schwindel.Gefühle* treffend beschrieben hat: „Seine Helden, unter ihnen der Autor selbst, sind Melancholiker in schweren seelischen Anfechtungen, sie sind von ‚Eingebungen' getrieben und von ‚Erscheinungen' terrorisiert [...]. Alle drei haben trüben Sinnes die oberitalienische Seenlandschaft bereist, Stendhal 1813, Kafka exakt hundert Jahre später, und Sebald 1980 und 1987."[224] An einer Stelle erzeugt die Erzählerfigur sogar selbst einen „re-used author", indem sie sich unter dem Namen des Historikers Fallmereyer in die Liste eines Hotels einträgt (SG 138). Auch *Die Ringe des Saturn* sind voller schwermütiger, exzentrischer Figuren, von denen die „re-used authors" wie Fitzgerald und Chateaubriand nur zwei Beispiele sind.[225]

Zweitens ist festzustellen, daß die Lebensgeschichte (oder Ausschnitte davon) vieler „re-used authors" – wie bereits gesagt – teilweise oder ganz anhand ihrer Briefe und/oder autobiographischen Aufzeichnungen dargestellt (wie etwa im Falle Bey-

---

[222] Ebd., S. 115ff.
[223] Ebd.
[224] Andreas Isenschmid: Melencolia (1990).
[225] Seit altersher ist der Saturn der Planet der Melancholie, unter dem sich, dem Titel *Die Ringe des Saturn* nach zu urteilen, auch alle Figuren bewegen. Dazu Susan Sontag: Im Zeichen des Saturn (1981), S. 125-146.

les, Kafkas, Hamburgers, Conrads, Chateaubriands, Fitzgeralds) oder diese zumindest als Prätext evoziert werden (wie im Falle Nabokovs). Durch diesen Umgang Sebalds mit den Biographien und die schon erwähnte Tatsache, daß in der Nacherzählung der Lebensgeschichten streckenweise Fiktives und Zitiertes verschwimmen, rücken diese „re-used authors" wieder in die Nähe der „re-used figures". Denn diese in Sebalds Fiktion handelnden Schriftstellerfiguren waren auch zuvor schon in gewisser Weise literarische Figuren, weil sie sich selbst durch ihre autobiographischen Schriften von real existierenden Personen in literarische Figuren „umgeschrieben" haben. Mit der Verwendung von literarisch-autobiographischem Prätextmaterial hängt auch die Beobachtung zusammen, daß innerhalb dieses Verfahrens ein Quellentext meist nicht punktuell evoziert wird, sondern als Bruchteil der ganzen Werkwelt und des ganzen Lebens eines Autors, wie am Beispiel des Vicomte Chateaubriand deutlich wird. „Die Geschichte der Begegnung mit Charlotte Ives ist nur ein winziges Fragment aus den über mehrere tausend Seiten sich hinziehenden Memoiren des Vicomte von Chateaubriand" (RS 317f.).[226] Das literarische Werk ist hier mit dem Leben des Vicomte gleichgesetzt als das Abbild dieses Lebens und erneut als Fixierung einer melancholisch-masochistischen Geistesverfassung: „Der Chronist, der dabeigewesen ist und sich noch einmal vergegenwärtigt, was er gesehen hat, schreibt sich seine Erfahrungen in einem Akt der Selbstverstümmelung auf den eigenen Leib" (RS 319).

Ein anderes Vorgehen, die Thematisierung eigener Verfahren auf der Metaebene durch den Bezug auf Prätexte, inszeniert Sebald zwar nicht allzu häufig, aber wenn, dann in prägnant-expliziter Form, wie zum Beispiel in *Die Ringe des Saturn*, wo er folgendermaßen über seinen Bezugsautor Thomas Browne spricht:

> Wie die anderen Schriftsteller des englischen 17. Jahrhunderts führt auch Browne ständig seine ganze Gelehrsamkeit mit sich, einen ungeheuren Zitatenschatz und die Namen aller ihm voraufgegangenen Autoritäten, arbeitet mit weit ausfernden Metaphern und Analogien und baut labyrinthische, bisweilen über ein, zwei Seiten sich hinziehende Satzgebilde, die Prozessionen oder Trauerzügen gleichen in ihrer schieren Aufwendigkeit. (RS 28)

Thomas Browne fungiert hier als ein Sprachrohr dieser Metaebene, denn der Erzähler Sebald beschreibt an dieser Stelle gewissermaßen sein eigenes Verfahren und auch seine eigene Sprache: Auch Sebalds Prosa zeichnet sich, wie oft in Rezensionen bemerkt, durch eine geradezu enzyklopädische Gelehrsamkeit und reiche Zitathaftigkeit aus und auch seine Satzkonstruktionen wurden schon auf vergleichbare Weise beschrieben.[227] Ein Ausschnitt aus der Erzählung über Edward Fitzgerald läßt sich ebenfalls als Metaaussage zu dem bisher beschriebenen, meist affirmativ gefärbten Umgang Sebalds mit Schriftstellern und ihren Biographien lesen:

> Mit besonderer Vorliebe vertiefte er sich in Korrespondenzen aus vergangenen Zeiten, beispielsweise in diejenige der Madame de Sévigné, die für ihn in einem weit höheren Maße wirklich war als selbst seine sich noch am Leben

---

[226] Gemeint sind hier Chateaubriands *Erinnerungen von jenseits des Grabes*.
[227] Andreas Isenschmidt: Der Sebald-Satz (1994).

befindenden Freunde. Immer wieder las er, was sie geschrieben hatte, zitierte sie in den eigenen Briefen [...]. (RS 249)

Zuletzt sei noch eine Verweisform beschrieben, die ebenfalls als eine Potenzierung der Verweisintensität auf einen Text gelten kann: die physische Präsenz der Referenztexte im Sebald-Text. Physische Referenz bedeutet hier, daß nicht nur der Wortlaut und/oder Inhalt eines Referenztextes, sondern auch die Beschreibung seiner äußeren Erscheinung und seine Gegenständlichkeit in die Gestaltung einer Referenz mit einbezogen werden. Ein derartiger Verweis gilt als sehr starke Markierungsform.[228] Beispiele bietet etwa *Schwindel.Gefühle* mit der Beschreibung der Entstehung eines Gedichtes von Ernst Herbeck (SG 58) oder alter Atlanten „mit wunderbar kolorierten Karten" (SG 252), oder aber auf S. 159, wo es um Franz Werfels *Verdi. Roman der Oper* geht, „an dem für mich das einzig bemerkenswerte war", kommentiert der Erzähler,

> daß gerade das Exemplar, das über verschiedene Umwege in meine Hände gelangt war, das Exlibris eines Dr. Hermann Samson enthielt, der die Aida so sehr geliebt haben muß, daß er das Todessinnbild der Pyramiden zu seinem Insignium wählte. (RS 159f.)

In *Die Ausgewanderten* werden vor allem die vom Erzähler zur Recherche benutzten Alben und Tagebücher in ihrer Gegenständlichkeit beschrieben. Besonderen Rang beansprucht in diesem Band das „Agendabüchlein des Ambros [...]. Es ist ein in weiches, weinrotes Leder gebundener, etwa zwölf auf acht Zentimeter großer Taschenkalender für das Jahr 1913, den der Ambros in Mailand gekauft haben muß, denn dort beginnt er am 20. August mit seinen Aufzeichnungen" (A 187ff.). Immer wieder werden dabei auch Eigenheiten der Schrift des Ambros beschrieben, daß er beispielsweise über die Daten hinwegschreibt (A 194) oder daß seine winzige Schrift für Tante Fini unlesbar war (RS 138). Das Charakteristikum der Unlesbarkeit weist der Erzähler auch den „Wachstuchheften" (A 86f.)[229] mit den Exzerpten Bereyters zu.

Physisch präsent sind beispielsweise auch die Musterbücher der Seidenfabrikanten aus Norwich in den Vitrinen des Museums Strangers Hall, die den Erzähler der *Ringe des Saturn* faszinieren, wenn er die „wunderbaren Farbstreifen" und „in den Zwischenräumen" die „geheimnisvollen Ziffern und Zeichen" betrachtet und ihm die Seiten als „Blätter aus dem einzig wahren, von keinem unserer Text- und Bildwerke auch nur annähernd erreichten Buch erschienen sind [...]" (RS 351ff.). Ausführlich beschrieben wird ebenso ein „dicker, zefledderter Foliant, [...] eine photographische Geschichte des Ersten Weltkriegs" (RS 120). Insgesamt ist festzuhalten, daß es nur in Einzelfällen die literarischen Prätexte sind, denen Sebald physische Präsenz verleiht.

---

[228] Ulrich Broich/Manfred Pfister: Intertextualität (1985), S. 39.

[229] Genauer beleuchtet hat diese auffällige und immer wieder betonte Unleserlichkeit der Texte Arthur Williams: The elusive first Person Plural (1998), S. 100. Die Erfahrung dieser Unleserlichkeit muß auch der Rezipient machen, der die abgebildeten Dokumente nicht ohne Mühe wird entziffern können.

Das beschriebene verbale Präsentationsverfahren kann den Eindruck erwecken, man bekäme Einblick in die Prätexte,[230] und es bestärkt somit den Dokumentarcharakter der Sebaldschen Fiktion. Daß diese tatsächlich dokumentarisch sein kann, zeigt das Beispiel des oben genannte Seidenmusterbuchs, das eindeutig als authentisch identifiziert wurde.[231] Daß aber der dokumentarischen Wahrheit des so vehement als authentisch beschriebenen Prätextmaterials nicht in jedem Falle vertraut werden und diese Fiktion des Dokumentarischen genausogut eine vordergründige sein kann, auch dafür sorgen Textstellen, die sich als Verfahrensbeschreibung auf der Metaebene der Sebald-Texte entpuppen. Ein Beispiel: Am Ende von *Die Ausgewanderten* berichtet Max Aurach von einem Zeitungsartikel, auf dessen Bild angeblich die Bücherverbrennung auf dem Würzburger Residenzplatz zu sehen ist. Sein Onkel bezeichnet das Bild als Fälschung, da es für ihn offensichtlich ist, daß die allzu weiße Rauchfahne in das Bild hineingeklebt worden sei: „Und so, wie dieses Dokument eine Fälschung war, sagte der Onkel, als stelle die von ihm gemachte Entdeckung den entscheidenden Indizienbeweis bei, so war alles eine Fälschung von Anfang an" (A 274). Textstellen wie diese, obwohl hier nur über die genannte Fotografie gesprochen wird, können die Möglichkeit der Fälschung von scheinbar Dokumentarischem auch in bezug auf alle vier vorangehenden Erzählungen ins Bewußtsein rücken und machen die eingangs erwähnten Stichproben auf Authentizität notwendig.

Diese „Fälschung" ist jedoch nicht die einzige: Wie aus einem Handschriftenvergleich der Abbildung des angeblichen Adelwarth-Tagebuchs mit der Handschrift Sebalds hervorgeht, hat Sebald dieses Tagebuch (und ebenso die Visitenkarte mit der angeblichen Notiz Ambros' „Have gone to Ithaca" (A 150) selbst geschrieben, also gefälscht, und die Illusion der Einsicht in die Fremdmaterialien erweist sich als eine künstlich erzeugte. Man könnte in diesem Fall von einer Scheinintertextualität sprechen. Im Interview mit Carole Angier gibt Sebald auf die Frage nach einem der abgebildeten Tagebucheinträge die folgende, das Ergebnis der Handschriftenprobe bestätigende Antwort, die gleichzeitig die Gründe seines Verfahrens verdeutlicht:

> Der ist aber eine Fälschung. Ich habe ihn geschrieben. Alles wichtige entspricht der Wahrheit. Die großen Ereignisse – etwa der Lehrer, der seinen Kopf auf die Schienen legt – die könnte man für arrangiert halten, aus Gründen des dramatischen Effekts. Tatsächlich aber sind sie alle wahr. Die Erfindung kommt meist auf der Ebene kleiner Details ins Spiel, um ‚l'effet du réel' zu erzielen.[232]

„Fälschungen", im folgenden jedoch im Sinne der Vorspiegelung von nichtexistenten Texten als real, sind auch in *Schwindel.Gefühle* zu finden: „Diese junge Frau aus dem englischen siebzehnten Jahrhundert war [...] auf das tiefste versenkt in ein

---

[230] Helbig spricht in diesem Zusammenhang von einer hyperexpliziten Markierung (Jörg Helbig: Intertextualität und Markierung (1996), S. 127 und 131.)

[231] Vgl. Sebalds Danksagung am Ende von *Die Ringe des Saturn*. Außerdem schreibt Beatrice von Matt über einen Besuch bei Sebald in Norwich, daß sie mit ihm gemeinsam dieses „Pattern-book" besichtigt habe. (Beatrice von Matt: Archäologie einer Landschaft (1992).)

[232] Carole Angier: Wer ist W.G. Sebald? (1997), S. 48.

Buch, welches den Titel *Das böhmische Meer* trug und verfaßt war von einer mir unbekannten Autorin namens Mila Stern" (SG 289f.). Etwas später heißt es: „Seither habe ich immer wieder und bislang vergebens versucht, wenigstens das Buch *Das böhmische Meer* ausfindig zu machen; es ist aber [...] in keiner Bibliographie, in keinem Katalog, es ist nirgends verzeichnet" (SG 291). Das Buch ist in der Tat nirgendwo aufzufinden, eine Erfahrung, die nahelegt, daß es sich um ein virtuelles Buch handelt.[233] Virtuelle, also nichtexistente Bücher, nach denen vergeblich gesucht wird, finden sich bei Sebald auch anderenorts, so zum Beispiel in *Die Ringe des Saturn,* wo in einer Episode über Borges' Erzählung *Tlön, Uqbar, Orbis Tertius* eine fiktive Ausgabe der Anglo-American Cyclopedia eine Rolles spielt. Auch die mögliche „Fälschung" von Tagebüchern wird in den Ringen noch einmal sehr vehement thematisiert bei der Beschreibung der Tagebücher Roger Casements (RS 166ff.). Der Aspekt der „Fälschung" von scheinbar Dokumentarisch-Realem spielt also in allen Büchern Sebalds eine wichtige Rolle.

Zusammenfassend lassen sich für die Potenzierungsstufe also folgende Funktionen festhalten: Erst die Potenzierungsstufe mit ihren unmißverständlichen, expliziten Textverweisen an der Oberfläche generiert jene Intertextualitätshandlung, die als die narrative Grundstruktur der Sebald-Werke erscheint. Durch das affirmierend eingesetzte Mittel der sogenannten „re-used authors" errichtet Sebald geistige Verwandtschaftsverhältnisse bzw. Verwandtschaftsnetze zwischen sich, seinen Erzählern und ebendiesen „re-used authors". Die offensichtlichsten gemeinsamen Eigenschaften der Angehörigen dieses Figurenkollektivs sind Melancholie und Schwermut einerseits, ähnliche künstlerische Verfahrensweisen andererseits. Die Lebensgeschichten dieser Autoren werden mit ihren Werken so eng verknüpft, daß eine Trennung zwischen Leben und Werk nicht möglich erscheint. Die Literatur tritt als Abbild seelischer Verfaßtheiten auf, die durch prägende Erlebnisse im Leben der Figuren begründet werden. Im Zusammenhang mit der Intertextualitätshandlung ist die physische Präsenz der Prätexte sehr hoch. Die Metaebene der Potenzierungsstufe schließlich ist auch die Ebene, auf welcher der Text explizite Leseanweisungen gibt. Während die Machart und Struktur der Texte dazu geeignet ist, erzählend eine Fiktion des Dokumentarischen zu errichten, funktionieren die Leseanweisungen auf der Metaebene hierzu gegenläufig. Sie sind imstande, den erzeugten Dokumentarcharakter zu torpedieren und in Frage zu stellen, das Zwielicht der möglichen Fälschung auf den ganzen Text zu werfen mit einer Verweisstärke, die diese Leseanweisung unübersehbar macht. Auch dieses Verfahren kann den Leser zu eigenen Recherchen und „Re-Reading" anregen.

---

[233] Pseudoverweise wie diese benötigen naturgemäß eine starke Markierung und funktionieren nur auf der Potenzierungsstufe, da es ja keine selbständigen Referenzobjekte gibt, die in der Leserfahrung des Rezipienten evoziert werden könnten. (Marcel Atze: Koinzidenz und Intertextualität (1997), S. 241.)

III. Das Kontinuum der Text-Bild-Beziehungen

Wie bereits mehrfach angedeutet sind Fremdmaterialien aus dem Bildbereich (Fotografien, Gemälde) ebenso wie aus dem Textbereich (Faksimiledrucke) in Form von Abbildungen wesentlicher Bestandteil der zu analysierenden Texte.[234] Im folgenden sollen nun die Sebald-Texte dahingehend betrachtet werden, welche Beziehungstypen es zwischen diesen Abbildungen und ihren jeweiligen Textumgebungen in formaler und inhaltlicher Hinsicht gibt und welche Funktionen diese Beziehungstypen im Textgefüge übernehmen können. Die Begriffe „Text-Bild-Beziehung" und „Intermedialität" werde ich dabei synonym gebrauchen und mit ihnen das formale und inhaltliche Zusammenspiel der jeweiligen Abbildung mit ihrem Kontext bezeichnen.

Die Abbildungen lassen sich in ähnlicher Weise wie die sprachlichen Prätexte nach der Stärke des Verweiszusammenhangs, in dem sie vorgefunden werden, kategorisieren und charakterisieren. Wie im Überblick über die verbal evozierten Fremdmaterialien bereits angedeutet wurde, sind einige der einmontierten Abbildungen auch wichtige Bestandteile der von Sebald geknüpften intertextuellen Verweisnetze.

Der nun folgende, wiederum exemplarisch angelegte Katalog der Erscheinungsformen von Text-Bild-Beziehungen in den Sebald-Texten wird ebenfalls Jörg Helbigs Stufenmodell gebrauchen, allerdings in einer modifizierten Form, die die unterschiedlichen Zeichensprachen der Medien Text und Bild berücksichtigt. Die erste Modifikation besteht darin, daß das entscheidende Kriterium für die einstufende Beschreibung der Text-Bild-Beziehungen jetzt nicht mehr der Markierungsbegriff im eingangs definierten Sinn ist, denn um auf das Vorhandensein von Fremdmaterial in Abbildungsform hinzuweisen, ist eine Markierung nicht notwendig. Eine Abbildung in einem Text ist in jedem Fall durch ihre andersartige Zeichensprache offensichtlich, also explizit markiert. Dieser Explizitheitsgrad, mit dem die Textausschnitte auf die einmontierten Abbildungen verweisen, ist bei Sebald jedoch sehr unterschiedlich ausgeprägt. Somit ist das Hauptkriterium für die folgende Überblicksdarstellung nicht mehr die Markierungsdeutlichkeit, sondern der Grad der Explizität, mit welcher der Text auf eine eingebettete Abbildung verweist. Außerdem soll auch die Art und Weise des Bezugs berücksichtigt werden, das heißt welche Teilaspekte der Kontext bezüglich der Abbildung, zum Beispiel die Herkunft des gezeigten Gegenstandes, den Urheber, den ursprünglichen Kontext etc., thematisiert.[235]

Daraus ergibt sich die zweite Modifizierung des Helbigschen Vierstufenmodells: Da eine naht- und interferenzlose Integration der Abbildungen in den Sebald-

---

[234] Der Text von *Nach der Natur* enthält selbst keine Abbildungen, dennoch spielt dort die Ekphrasis von Gemälden in den Gedichten eine Rolle.

[235] Hier ist anzumerken, daß die abgebildeten Fotografien nach Auskunft Sebalds in vielen Fällen namenlose Fundstücke sind: „Ich habe schon viele Jahre hindurch auf völlig unsystematische Art und Weise Bilder aufgefunden. Man entdeckt solche Dinge [...] in alten Büchern, die man kauft. Man findet sie in Antiquitätengeschäften oder Trödelläden. Das ist ja für Fotografien typisch, daß sie so eine nomadische Existenz führen und dann von irgend jemand 'gerettet' werden." (Christian Scholz: Aber das Geschriebene ist ja kein wahres Dokument (2000).)

Text aufgrund der unterschiedlichen Medialitäten nicht möglich ist,[236] fällt die Null-stufe in diesem modifizierten Stufenmodell weg. Reduktions-, Voll- und Potenzie-rungsstufe können jedoch den Erfordernissen der vorgefundenen Text-Bild-Beziehungstypen angepaßt und entsprechend definiert werden. Die Grundformen der Verweise auf sprachliche Prätexte, die Begriffe Zitat und Allusion, werden in der Beschreibung der Text-Bild-Beziehung nicht verwendet, nur die Paraphrase wird im Einzelfall in Gestalt der Ekphrasis eine Rolle spielen.

In den folgenden Ausführungen wird die Stelle, an der sich ein Bild im Textzi-tat befindet, mit (B) gekennzeichnet.

III.1. Illustration und „Leerstelle" – Die Text-Bild-Beziehungen auf der Reduktionsstufe

Während für die Reduktionsstufe der verbalen Prätextbezüge galt, daß ihre Verweise nur als Indizien, aber nicht als Beweise für Intertextualität fungieren und die Entfal-tung ihres Wirkpotentials stark vom Lese- und Erfahrungshorizont des Rezipienten sowie „flankierenden Maßnahmen" abhängt,[237] soll nun die Reduktionsstufe der Text-Bild-Beziehungen folgendermaßen definiert sein: Zur Reduktionsstufe gehören jene Text-Bild-Beziehungen, in denen der Text über das Dargestellte einer Abbil-dung[238] wie auch über Herstellung, Herkunft, Titel, Urheber oder ähnliches keine Auskunft gibt, die Abbildung also ohne jeden expliziten Kommentar, der sich auf die jeweilige Abbildung bezieht, in den Text eingefügt ist. Das bedeutet: Es kann – analog zur Reduktionsstufe bei den Textbeziehungen – vom Text her betrachtet nur Indizien für Gegenstand, Herkunft, Bedeutungen und/oder Funktionen der Abbil-dung geben, der Text unternimmt keine explizite Erläuterung. Auch hier ist der Be-griff der Reduktionsstufe wiederum ein Hilfsbegriff, der die feinen Abschattierun-gen und Abstufungen innerhalb ihres Kontinuums nicht negieren, sondern zusam-menfassend greifbar machen will. Folgende Textstellen mögen diese verweistechni-schen Abstufungen verdeutlichen:

Zu den Abbildungen, über die sich der Sebald-Text derartig ausschweigt, ge-hört der Faksimileabdruck einer hastig wirkenden Zeichnung, die einen Baum auf einem Felsabsturz zeigt und mit handschriftlichen, unlesbaren Wörtern versehen ist:

> So sitzt er [Beyle, Anm. d. Verf.] [...] allein auf der von zwei schönen Bäu-men überschatteten und von einem Mäuerchen umgebenen Bank im Garten des Klosters der Minori Osservanti hoch überhalb des Albaner Sees (B) und zeichnet langsam, mit dem Stock, den er jetzt meistens mit sich führt, die In-

---

[236] Jörg Helbig: Intertextualität und Markierung (1996), S. 88.

[237] Ebd., S. 95.

[238] Die meisten Untersuchungen zur Text-Bild-Beziehungen setzen auf der stofflich-thematischen Ebene an, immer wieder hat sich diese Vergleichsebene als ergiebig erwiesen: „Fast jede Erörterung von Beziehungen zwischen Bildern und Texten wird eher zur Befassung mit Inhal-ten, mit dem Gegenstand der Darstellung, als mit (imaginären oder realen) Referenten." (Monika Schmitz-Emans: Zur Geschichte literarischer Bildinterpretation (1999), S. 10.)

itialen seiner vormaligen Geliebten wie eine rätselhafte Runenschift [...] in den Staub. (SG 32-33)

Bei der abgebildeten Landschaft könnte es sich zum Beispiel um eine Handzeichnung Beyles handeln, die möglicherweise das Beschriebene darstellt. Die Textumgebung kann dies nahelegen, doch sie klärt es nicht.[239] Ähnlich verhält es sich auf S. 18, als Beyle „immer wieder mit einem Spiegel (B) (B) (B) die Entzündungen und Geschwüre in seiner Mundhöhle" untersucht. Dieser Passage ist die vermutlich zeitgenössische Zeichnung einer geöffneten Mundhöhle mit den beschriebenen Symptomen beigeordnet, und zwar in einer Serie, die aus drei identischen Abbildungen besteht. Diese Serie scheint hier also dem Zweck der Illustration und der Veranschaulichung der beschriebenen Krankheitssymptome [240] zu dienen, wobei auch zu beachten ist, daß „das Streben der literarischen Rede nach anschaulichen Wirkungen [...] in der Illustration gleichsam in die wirkliche Anschauung des Bilds entbunden" wird.[241]

Textillustrierende Funktionen können auch beispielsweise der Abbildung zur beschriebenen Illumination des Schlosses Somerleyton (RS 47) oder den Abbildungen in der Abhandlung über die Entwicklung des Heringsfangs und der damit verbundenen Bedrohung des Herings in europäischen Gewässern (RS 77f.) zugesprochen werden. Die Fotografie eines auf RS S. 205 abgebildeten Hauses befindet sich in folgender Textumgebung: „1879 war Swinburne nach einem Nervenanfall [...] nach Putney Hill im Südwesten von London gebracht worden und dort, in der bescheidenen Vorstadtvilla mit der Anschrift Nr. 2 The Pines, wohnten (B) fortan die beiden Junggesellen unter Vermeidung der geringsten Aufregung." Der Text legt nahe, daß die Fotografie des Hauses die beschriebene Villa darstellt, aber jeden expliziten Hinweis auf den wirklichen Gegenstand der Abbildung bleibt er schuldig.

Auf ähnliche, allerdings etwas stärkere Weise legt der Text an den nun folgenden Stellen einen Bezug zu den einmontierten Abbildungen nahe, wird aber auch hier nicht explizit. In *Die Ringe des Saturn* werden in unterschiedlichen Größen Porträtbilder abgedruckt (RS 131, 203 oder 257). Sie stehen jeweils in Textumgebungen, die von den schon vorne behandelten Lebensgeschichten der Schriftsteller Swinburne (RS 203) oder Fitzgerald (RS 257) handeln. Bei Swinburne steuert möglicherweise der Hinweis auf dessen groteske äußere Erscheinung die Wahrnehmung der Abbildung: „Tatsächlich muß Swinburne, allein schon aufgrund seiner äußeren

---

[239] Wie Recherchen ergeben haben, handelt es sich bei dieser Abbildung tatsächlich um eine Zeichnung von Stendhals eigener Hand. (Stendhal: *Das Leben des Henry Brulard* (1956), S. 25.)

[240] Der Begriff der Anschaulichkeit wird von Willems folgendermaßen definiert: Zum einen Anschaulichkeit als Akzentuierung der Beziehung des literarischen Worts zum Sinnenschein (Gottfried Willems: Anschaulichkeit (1989), S. 78.), zum zweiten: „[...] wo immer anschaulich gesprochen und vielsagend abgebildet wird, da wird der Erfahrungscharakter dessen verstärkt, wovon die Rede ist" (Ebd., S. 79.). Die Tatsache der Verstärkung des Erfahrungscharakters durch eine zusätzliche visuelle Komponente gilt grundsätzlich auch für die Texte Sebalds. Ansonsten ist diese Kategorie der Anschaulichkeit für die notwendige Binnendifferenzierung der Text-Bild-Stufen bei Sebald zu allgemein, ich werde deshalb auf sie verzichten.

[241] Gottfried Willems: Theorie der Wort-Bild-Beziehungen (1990), S 417.

Gestalt (B), als vollkommen aus der Art geschlagen erscheinen" (RS 203). Im Fall Fitzgeralds wird eine Fotografie beschrieben (RS 256f.) in einer Weise, die noch deutlicher als in den anderen beiden Fällen nahelegt, daß es sich bei der daneben gezeigten um das beschriebene Exemplar handelt: „Eine in den siebziger Jahren aufgenommene Photographie, die einzige, die er von sich hatte machen lassen, zeigt ihn mit abgewandtem Gesicht, weil seine kranken Augen [...] beim direkten Hineinsehen in die Apparatur allzusehr blinkten" (RS 257). Dies macht die Identität der abgebildeten mit der beschriebenen Fotografie äußerst wahrscheinlich, aber die Beweisführung erfordert wiederum die Recherche.[242]

Abschließend seien zwei spezielle Fälle genannt, bei denen sich der Text wegen der ausführlichen Beschreibung von Inhalt und Gegenstand des Prätextes in noch stärkerem Maße als bisher auf die eingebetteten Abbildungen bezieht und diese Text-Bild-Beziehung deswegen die Authentizität des abgebildeten Gegenstandes nahelegt, aber dennoch nicht explizit behauptet. In *Die Ringe des Saturn* findet der Erzähler im sogenannten sailor's reading room den schon im vergangenen Kapitel beschriebenen Folianten – es handelt sich um die „photographische Geschichte des Ersten Weltkriegs (RS 120)" – und gibt die Ereignisse wieder, über die er darin liest. Dabei beschreibt er auch die Bilder, die er darin ansieht, Sebald-Text und Abbildung scheinen deckungsgleich. Die Authentizität kann jedoch zweifelsfrei erst über Nebentexte[243] festgestellt werden, hier erneut über das Interview, das Beatrice von Matt mit W.G. Sebald geführt hat.[244] Vergleichbar funktioniert das Text-Bild-Verhältnis bezüglich der schon beschriebenen Agenda des Ambros Adelwarth, aus der Sebald lange Passagen über die Reisen zitiert, die Ambros mit seinem Freund Cosmo Solomon unternommen hat. Der Wortlaut des Textes, der sich auf diese Agenda bezieht, steht auf S. 186, auf S. 187 findet sich eine ganzseitige Abbildung eines abgewetzten Agendabüchleins. Im Anschluß daran (A 188) beginnt Ambros „am 20. August mit seinen Aufzeichnungen", und es folgen lange Zitatpassagen aus diesen Aufzeichnungen. Auf S. 194f. und 201f. finden sich dann erneut Abbildungen aus dem engbeschriebenen Agendabuch, kaum entzifferbar, in einer „winzigen Schrift" (A 138): Aber auch in diesem Fall werden die ganz- oder halbseitigen Abbildungen kommentarlos neben den Text gestellt, ohne durch deiktische Formulierungen das Tagebuch als authentisch auszuweisen.

Sebald wendet also für beide Prätexte, den Kriegsfolianten und das Reisetagebuch, dieselbe Verweistechnik bezüglich der Text-Bild-Beziehung an und erzeugt den Eindruck des direkten Einblicks in die Prätexte. Der Unterschied zwischen beiden besteht allerdings darin, daß die Recherche für den ersten Fall Authentizität er-

---

[242] Das von Sebald verwendete Porträt Swinburnes habe ich am 20.11.2002 in der folgenden Internetquelle gefunden: http// 6.107.211.206/decadence/swinburne/acsov.html.

[243] Dazu Ulrich Broich/Manfred Pfister: Intertextualität (1985), S. 35-39.

[244] In dieser Reportage schreibt v. Matt: „Wir besichtigen den 'Sailor's Reading Room', wohin sich Sebald [...] gern zurückzieht. [...] Wir betrachten ein Beweisstück des abgeschlossenen Buches [gemeint sind *Die Ringe des Saturn*, Anm. d. Verf.], den zerfledderten Folianten mit Fotos aus dem Ersten Weltkrieg, 1933 wurde er herausgegeben vom Daily Express. Abschreckend, satirisch, fast zynisch sind die Bilder kommentiert, es sollte ein Warnbuch sein." (Beatrice v. Matt: Archäologie einer Landschaft (1992), S. 107.)

gibt, für den zweiten jedoch eine Fälschung, wie aus einem Gespräch hervorgeht, das Carole Angier mit Sebald geführt hat.[245] Eine weitere interessante „Fälschung" auf dem Gebiet der Text-Bild-Beziehungen befindet sich in *Schwindel.Gefühle.* Der Erzähler berichtet vom Spaziergang mit Ernst Herbeck und beschreibt ihn folgendermaßen:

> Auf dem Kopf hatte er einen kleinen Hut, eine Art Trilby, den er später [...] abnahm und neben sich hertrug, genauso wie mein Großvater das beim sommerlichen Spazierengehen oft getan hatte (B). (SG 48)

Die Abbildung zeigt im vorliegenden Fall die Fotografie eines Mannes, der in der Hand einen Hut trägt. Da der Kopf dieser Fotografie abgeschnitten ist, erlaubt die durch diesen Schnitt entstehende Leerstelle, einen imaginären Kopf des Großvaters an die leere Stelle zu setzen. Gleichzeitig liegt es jedoch im Bereich des Möglichen, daß der Großvater hierdurch nur veranschaulicht werden soll und der Körper eigentlich jemand anderem gehört, der Kopf also austauschbar ist wie auf einem jener Fotowände, durch die man den Kopf hindurchsteckt (wie es etwa Dr. K auf S. 166 tut). Tatsächlich handelt es sich bei dem Hutträger um den Dichter Robert Walser.[246] Durch den Bildschnitt und die dadurch entstehende Leerstelle wird eine neuerliche Verwandtschaft erzeugt, die jedoch durch das Einswerden des Großvaters mit einem Schriftsteller, den Sebald sehr verehrt,[247] über eine bloße Geistesverwandtschaft hinauszugehen scheint.

Welche Funktionspotentiale ergeben sich nun aus diesen Beobachtungen zur impliziten Text-Bild-Beziehung? In einigen Fällen haben die Abbildungen bzw. die Text-Bild-Beziehungen illustrierende, veranschaulichende Funktion. Je ausführlicher jedoch der Text Gegenstände oder Inhalte beschreibt, die sich mit denjenigen einer Abbildung decken, desto dringender legt er den Dokumentarcharakter der Abbildungen für den Text nahe.[248] Doch gerade weil ein expliziter Verweis verweigert wird, sind die Abbildungen der „Kolonialisierung"[249] durch den Kontext ausgesetzt. Dadurch funktionieren die Text-Bild-Beziehungen als Leerstellen, als „Beteili-

---

[245] Carole Angier: Wer ist W.G. Sebald? (1997), S. 48: „Der ist aber eine Fälschung. Ich habe ihn geschrieben", kommentiert Sebald in diesem Interview die Tagebucheinträge.

[246] Sebald hat Robert Walser mit seinem Großvater in Beziehung gesetzt: „[...] wie der längst aus dem Schreibdienst getretene Dichter da in der Landschaft steht, das erinnert mich unwillkürlich an meine Großvater Josef Eglhofer [...]. Sehe ich diese Spaziergängerbilder an [...], dann glaube ich jedesmal, den Großvater vor mir zu haben. Doch nicht bloß äußerlich, auch in ihrem Habitus waren der Großvater und Walser sich ähnlich, etwa in der Art, wie sie den Hut neben sich hertrugen." (W.G. Sebald: Le promeneur solitaire (1998), S. 135.)

[247] Ebd.

[248] Diese Annahme des Dokumentarischen ist in Wahrnehmungsautomatismen der Psyche begründet, sie besteht in der „Fähigkeit [...], nicht so sehr einzelne Elemente als Beziehungen zwischen Elementen aufzufassen", die Elemente der Bilder werden wahrgenommen wie die Elemente eines Kontextes. (Ernst Gombrich: Kunst und Illusion (1978), S. 30.) Dazu auch Monika Schmitz-Emans: Zur Geschichte literarischer Bildinterpretation (1999), S. 7.

[249] Ebd., S. 9. Siehe dazu auch Markus Nölp: W.G. Sebalds *Die Ringe des Saturn* im Kontext photobebilderter Literatur (2001), S. 137.

gungsangebote"[250] für den Leser, der aufgrund der Leerstelle möglicherweise die Rolle der Abbildung hinterfragt. Mit Hilfe derartiger Leerstellen stellt Sebald in einigen Fällen seine Authentizitätsfallen.[251]

III.2. Die dokumentarische Fiktion und das Bild als das „Andere" der Sprache – Die Text-Bild-Beziehungen auf der Vollstufe

Im Gegensatz zur Reduktionsstufe der Text-Bild-Beziehungen verweist der Text auf der Vollstufe explizit auf die in ihn eingebettete Abbildung. Er gibt nicht nur Indizien, die vermuten lassen, daß der Text möglicherweise auf ein einmontiertes Bild referiert, sondern das Bild wird als Referenzobjekt benannt und identifiziert. Diese Identifizierung geschieht auf verschiedene Art und Weise.

In *Schwindel.Gefühle*, S. 22, montiert Sebald verschiedene Ausschnitte ein und desselben Gemäldes in den Text. Er gibt zwar wieder keinerlei Hinweise auf Herkunft, Urheber etc., aber die Sinnkonstitution durch den Kontext ist dennoch eine ungleich stärkere als auf der Reduktionsstufe, weil Bildausschnitte bestimmten Satzteilen eindeutig zugeordnet werden: Beyle stellt sich vor, auf dem Leichenfeld der Schlacht von Marengo zu stehen, „auf welchem er sich nunmehr befand, mit sich allein (B) (B) wie ein Untergehender". Die erste Abbildung zeigt ein leeres, hellgraues Feld. Die folgende klärt, daß dieses Feld, das dem Satzteil „mit sich allein" zugeordnet ist, Teil des Himmels auf einem nicht weiter identifizierten Schlachtengemälde ist. Aus diesem wird ein schmaler, rechteckiger, die ganze Buchseite beanspruchender Ausschnitt präsentiert, an dessen dunkler werdendem unterem Ende eine Figur ertrinkt. Die Figur ertrinkt im doppelten Sinn: zum einen in den schäumenden Fluten eines Flusses, zum anderen im Bild selbst, denn sie ist ebenso klein gehalten wie die anderen Soldaten als Bestandteile der Masse des Heeres. Dennoch erhält sie durch ihr einsames Sterben im Wasser eine herausgehobene Stellung gegenüber den kämpfenden Soldaten am Ufer. Dieser Bildausschnitt mißt also dem Wort „Untergehenden" durch die besondere äußere Faktur[252] dieser Text-Bild-Beziehung (die Hinführung zum Untergehenden geschieht zudem nach „unten" in Leserichtung[253]) eine besondere Bedeutung bei. Durch die visuelle Auslotung erhält das Wort zum einen eine extreme Betonung, und zum zweiten kann es als eine Klage gelesen werden über das Schicksal des Einzelmenschen im Krieg, dessen Handelnde in historischen

---

[250] Wolfgang Iser: Die Appellstruktur der Texte (1971), S. 235.

[251] Dazu Sigrid Löffler: „Wildes Denken" (1997), S. 137: „Beim Großteil der Bilder handelt es sich um authentische Dokumente. Nur hin und wieder hat ein Bild die gegenteilige Funktion – nämlich den Leser zu verunsichern, was die Authentizität des Textes betrifft."

[252] Mit der „äußeren Faktur" bezeichnet Willems „die Art und Weise, wie Wort und Bild [...] in der Abfolge der Seiten vereinigt werden." (Gottfried Willems: Theorie der Wort-Bild-Beziehungen (1990), S. 419.)

[253] Die Führung des Lesers durch diese Folge von Bildausschnitten beschreibt auch Mark R. McCulloh: Understanding W.G. Sebald (2003), S. 87.

Darstellungen meist nur als kämpfende, sterbende Armeemasse präsent sind.[254] Den Abbildungen kann hier also eine Illustrations- und Verdichtungsfunktion zugewiesen werden[255] für eine Thematik, die durch das Medium Wort dem Erzähler offensichtlich nicht angemessen darstellbar erscheint. Hier kann mit den Begriffen Vargas von einer „visuellen Argumentation" gesprochen werden.[256]

Als weitere und häufige Art der Identifizierung sind deiktische Formulierungen im Text festzustellen, die sich auf einmontierte Abbildungen beziehen.[257] Diese finden sich beispielsweise dann, wenn der Erzähler im Zuge seiner Recherchen in Alben blättert, wie zum Beispiel im Postkartenalbum der Engelwirtin:

> Die Engelwirtin [...] sagte nur jeweils den Namen der Stadt, auf die ich gerade zeigte. [...] Auch italienische Karten gab es zahlreiche aus Meran, Bozen, Riva, Verona, Mailand, Ferrara, Rom und Neapel. Eine davon, sie zeigt den rauchenden Kegel des Vesuvs, ist (B) [...] in ein Photoalbum der Eltern geraten und so in meinen Besitz gekommen. (SG 222)

Die betreffende Postkartenabbildung zeigt den rauchenden Vulkan und in der linken unteren Ecke steht entsprechend „Napoli – Cono del Vesuvio". In *Die Ausgewanderten* häufen sich die explizit-deiktischen Hinweise geradezu: Auf der Suche nach der Lebensgeschichte seines Lehrers Bereyter zeigt der Erzähler im Text

---

[254] Sebald nutzt hier das Bildhafte als „das ergänzende Andere der Sprache" (George Steiner: Sprache und Schweigen (1973), S. 95), da die Sprache für die Auslotung des Untergehenden offenbar nicht das ideale Medium ist, „nehmen sich die Bilder doch manchmal solcher Inhalte, Botschaften oder innerer Verfaßtheiten an, die sich nicht angemessen in Worten ausdrücken lassen." (Monika Schmitz-Emans: Zur Geschichte literarischer Bildinterpretation (1999), S. 8.) Eine weitere, allerdings nur einmalige Text-Bild-Erscheinung, bei der das bloße Wort nicht auszureichen scheint, findet sich in *Schwindel.Gefühle* auf S. 15, wo das Wort „Augen" im Text ausgespart und durch einen unbekannten Gemäldeausschnitt ersetzt wird, der die Augenpartie eines Gesichtes zeigt.

[255] Ähnliche Beispiele, die offenbar ebenfalls zum Zweck der Anschauung und Illustration Bildausschnitte und Bildserien verwenden, finden sich z.B. auch in *Schwindel.Gefühle* S. 175 ff. oder in *Die Ausgewanderten* S. 333-337. Auf den letztgenannten Seiten berichtet der Erzähler von einem Besuch auf dem jüdischen Friedhof der Stadt Bad Kissingen. Wie Recherchen vor Ort ergeben haben, sind auf diesem Friedhof sowohl das im Buch abgebildete Schild am Eingangstor des Friedhofs als auch der Grabstein der Friederike Halbleib zu sehen. Das Grabmal für jene Personen, die in *Die Ausgewanderten* als Lily und Lazarus Lanzberg und Fritz und Luisa Aurach auftreten, findet sich in der Tat „unweit des versperrten Tores" (A 337). Sebald hat die Inschrift dieses Grabmals auf S. 337 genau zitiert, die Namen der realen Personen jedoch offensichtlich abgewandelt. Aus Respekt vor den Toten sei hier jedoch nur soviel angemerkt: Es handelt sich bei dem Namen auf dem besagten Grabmal nicht um den Namen Auerbach, wie man angesichts der Tatsache, daß eines der biographischen Vorbilder der Figur Max Aurach der Maler Frank Auerbach war, annehmen könnte.

[256] Dazu Aaron K. Varga: Visuelle Argumentation und visuelle Narrativität (1990), S. 360f.

[257] Roland Barthes stellt als Charakteristikum der Fotografie fest, daß sie sich durch Deixis auszeichnet: „Eine Fotografie ist immer die Verlängerung dieser Geste [des Zeigens, Anm. d. Verf.]; sie sagt: *das da, genau das, dies eine ist's!* und sonst nichts. [...] die Fotografie ist immer nur ein Wechselgesang von Rufen wie 'Seht mal! Schau! Hier ist's!', sie deutet mit dem Finger auf ein bestimmtes Gegenüber und ist an diese reine Hinweissprache gebunden." (Roland Barthes: Die helle Kammer (1989), S. 12f.)

die Fotografie von Kindern im gleichen Klassenzimmer, in dem Bereyter „gut fünfzehn Jahre darauf eine andere, von der hier abgebildeten kaum sich un- (B) terschei-
dende Kinderschar unterrichtete, unter der auch ich gewesen bin" (A 70). Nach dem
Tod seiner Freundin Helen Hollaender erscheint der Lehrer auf einer kleinen „Sonn-
tagnachmittagsfotografie", auf welcher der „innerhalb von Monatsfrist aus dem
Glück ins Unglück verstoßene Paul abgebildet ist als ein [...] fast auf dem Punkt der
körperlichen Verflüchtigung (B) sich befindender Mensch" (A 73). Vor allem in der
Erzählung *Ambros Adelwarth*, die anhand eines Fotoalbums rekonstruiert wird, finden sich viele derartige deiktische Verweise.[258]

Aber nicht nur Fotografien, auch ein Gemälde wird auf diese Weise eingefügt:
„Nach der an einer zweiten Staffelei angehefteten Vorlage zu schließen, hat Cour-
bets mir immer besonders liebes Bild (B) *Die Eiche des Vercingetorix* Aurach zum
Ausgangspunkt für seine Zerstörungsstudie gedient" (A 268f.). Hier ist das Bild der
Eiche einmontiert, der Titel kursiv und direkt unter die Abbildung gesetzt.[259]

Eine weitere Verweisvariante: Als sich der Erzähler in *Schwindel.Gefühle* von
Herbeck verabschiedet, ereignet sich folgende Szene:

> Ich bat ihn dann noch, mir irgend etwas in mein Notizbuch zu schreiben, was
> er auch, die linke Hand auf das aufgeschlagene Blatt gelegt, mit dem Druck-
> kugelschreiber aus seiner Jackentasche ohne das geringste Zögern besorgte.
> Mit zur Seite geneigtem Kopf, die Stirnhaut streng nach oben gezogen, die
> Lider gesenkt, schrieb er: [England. England ist bekanntlich eine Insel für sich
> Wenn man nach England reißen [sic!] will, braucht man einen ganzen Tag.
> 30. Oktober 1980, Ernst Herbeck.] (SG 59)

Der hier in eckige Klammern gesetzte Herbeck-Text ist als Handschriftenfaksimile
in ebendiesem Wortlaut in den Text einmontiert. Hier unterbricht also die Abbildung
eines gewissermaßen ikonisierten[260] Textes den normal gesetzten Fließtext und ersetzt ihn.[261] Solche ikonisierten Texte tauchen vor allem in der Erzählung *All'estero*
auf (SG 140f.). Abgedruckt sind Anzeigen aus Veroneser Zeitungen des Jahres

---

[258] Als Beispiele wären noch folgende Textstellen zu nennen: A 103: „Die nächststehende Fotografie"; A 109: „Das hier ist eine Fotografie aus der damaligen Zeit, wie wir einen Ausflug gemacht haben auf den Falkenstein"; A 117: „Das hier bin ich, sagte der Onkel Kasimir, indem er eine [...] Fotografie, die er von der Wand genommen hatte, mir über den Tisch zuschob, der ganz
rechts außen, von dir aus gesehen."

[259] Bei dem abgedruckten Bild handelt es sich tatsächlich um *Die Eiche des Vercingetorix* von
Gustave Courbet. (Pierre Courthion: L'opera completa di Courbet (1985), Tafel 20.) Dazu auch Iris
Denneler: Formel und Gedächtnis (2000), S. 166: Der Courbet wird „im Kontext der *Ausgewanderten* zum reproduzierten Bild eines Bildes, das, weil abfotografiert, das Ab-Bild nur simulieren, ein
wie immer beschaffenes Original supplementieren kann."

[260] Zum Begriff des ikonisierten Texts siehe wiederum Karl Dirscherl: Ikonische Schrift und
zeichenhaftes Bild (1993), S. 432.

[261] Ob es sich hierbei tatsächlich um ein Autograph Herbecks handelt, kann hier nicht letztgültig geklärt werden. Sebald hat Herbeck zwar in der Tat besucht (näheres dazu im Nachwort zu
Ernst Herbeck: *Im Herbst da reiht der Feenwind* (1992), S. 220), die Handschriftenprobe Herbecks,
die sich bei Leo Navratil findet, scheint jedoch nicht mit derjenigen in Sebalds Erzählband identisch. (Leo Navratil: Schizophrenie und Sprache (1976), S. 128.)

1913, die der Erzähler studiert und die als Rätsel erscheinen, weil der Kontext sie als solche charakterisiert und sie den Erzähler in einen traumhaften, visionären Zustand versetzen: „Allerhand Stummfilmszenen begannen sich nun vor mir abzuspielen" (SG 139). Nicht nur der Wortlaut der Anzeigentexte, sondern auch ihre Bildhaftigkeit und ihre äußere Faktur spielen offenbar für den Erzähler eine Rolle und sind an der Wirkung von „Offenbarung" (SG 141), die sie auf den Erzähler ausüben, beteiligt.

Noch komplexer zeigt sich das Verfahren der Prätextikonisierung beim Abdruck von ganzen Zeitungsartikeln (z.B. SG 115, A 37, RS 83). Der Text paraphrasiert jeweils die Geschehnisse, von denen auch die Zeitungsartikel handeln, das Beschriebene erscheint also in zwei erzählten Versionen, in der Sebalds und in der des jeweiligen Zeitungsartikels. Hier sind Fälschungen kaum möglich, da sich die erzählten Geschichten anhand der Zeitungsartikel nachvollziehen und nochmals in anderen Worten lesen lassen. Die Authentizität ist dadurch so hoch, daß das Text-Bild-Verhältnis an diesen Stellen beinahe überstrukturiert erscheint. Hinzu kommt die Tatsache, daß Texte abgebildet werden, die wiederum ein Bild enthalten, es handelt sich also um ein Bild im Bild, und die Dichte des Text-Bild-Verweises ist in diesen Fällen extrem hoch.

Für die Funktionen der beschriebenen Text-Bild-Beziehungen ließe sich folgendes zusammenfassen: Erstens läßt sich aus der Tatsache, daß der Autor an einigen, wenn auch wenigen Stellen, das Visuelle an die Stelle des Verbalen treten läßt, ein spielerisches Element erkennen, das den Text visuell anreichert. Zweitens scheint es aber Erzählsituationen zu geben, für die die Möglichkeiten der Sprache nicht ausreichen und Bilder ein Wort, wie im vorliegenden Fall des „Untergehenden", mit zusätzlicher Bedeutung aufladen. Drittens sind die explizit deiktischen Verweise auf einmontierte Abbildungen, insbesondere Fotografien, entscheidend für den Aufbau der dokumentarischen Fiktion verantwortlich, dies gilt für *Die Ausgewanderten* in besonderem Maße.[262] Bei den ikonisierten Texten hängt es stark vom Kontext ab, ob sie rätselhaft (wie im Fall der Zeitungsanzeigen in SG 140f.) oder dokumentarisch wirken[263] (wie etwa im Fall der Zeitungsausschnitte über den Major Le Strange in RS 83 oder über den Bergführer Naegeli in A 37).

---

[262] Auch deiktische Verweise auf eine Fotografie garantieren nicht zwangsläufig ihre tatsächliche Authentizität. Die Fotografien in *Die Ausgewanderten,* die laut Textauskunft aus Familienalben stammen, also im wesentlichen die Bilder in *Ambros Adelwarth,* hat Sebald selbst als authentisch deklariert. Andere hingegen sind Teil der Authentizitätsfiktion, etwa das Foto von Max Aurach als junger Mann (A 255). Sebald hat die Aurach-Erzählung nach eigenen Auskünften aus zwei realen Lebensläufen, dem des Malers Frank Auerbach und dem seines ehemaligen Vermieters in Manchester zusammengesetzt, der in Interviews abgekürzt mit der Initiale „D." erscheint. Auf die Frage von Carole Angier, wer von beiden auf besagtem Foto nun abgebildet sei, antwortet Sebald: „Keiner." (Carole Angier: Wer ist W.G. Sebald? (1997), S. 48f.)

[263] Vgl. dazu auch Stefanie Harris: The Return of the Dead (2001), S. 380: „Sebald both exploits and denies the documentary status of the photograph [...]."

III.3. Vermittlung von Weltsicht und die Rede der Literatur über sich selbst – Die Text-Bild-Beziehungen auf der Potenzierungsstufe

In Bezug auf die verbalen Prätexte bedeutet die Potenzierungsstufe auch und vor allem, daß auf dieser Ebene die Intertextualität durch sogenannte Intertextualitätshandlungen thematisiert wird, in denen die Figuren (einschließlich des Erzählers) lesen oder aus Texten zitieren, vorlesen etc., in denen also ein Prätext als Gegenstand „mitspielt".[264] Wie sich gezeigt hat, sind die Intertextualitätshandlungen zum Teil als auf die Metaebene transferierte Beschreibungen von Sebalds eigenen intertextuellen Verfahrensweisen zu deuten. Analog dazu lassen sich auch auf der Ebene der Text-Bild-Beziehung Stellen in Sebalds Werken finden, in denen Bilder als Gegenstände mitspielen. Der Begriff der „Intertextualitätshandlung" läßt sich somit zur „Intermedialitätshandlung" erweitern. Für eine Ermittlung möglicher Funktionen derartiger Textstellen ist es jedoch nicht nur entscheidend, daß der Bezug des Textes auf ein Bild ein expliziter ist, also Auskunft über Titel, Urheber und ähnliches gibt, sondern daß er ebenso dessen Produktion und/oder Rezeption thematisiert und deutlich wird, auf welche Weise und zu welchem Zweck der Text über das Bild spricht. Dabei kann es sich sowohl um Gemälde als auch um Fotografien handeln.

Schon in *Nach der Natur* findet sich eine Art und Weise des Umgangs mit einem bzw. mehreren Bildern, die parallel zur Paraphrase verbaler Prätexte betrachtet werden kann. Die Bilder, um die es geht, erscheinen hier nicht im Text, werden also eigentlich nur sprachlich evoziert. Dennoch handelt es sich hier um eine Text-Bild-Beziehung, in welcher der literarische Text sehr eingehend über das betreffende Bild spricht, weswegen die Bezugnahme an dieser Stelle und nicht im Kontinuum der sprachlich evozierten Prätexte verhandelt wird. Der lyrische Sprecher erzählt anhand verschiedener genannter und ungenannter Quellen das Leben des Malers Matthias Grünewald. Zu diesen Quellen gehören nicht nur Texte, sondern auch Grünewalds Gemälde, allen voran der „Isenheimer Altar."[265] In einer ausführlichen Ekphrasis[266]

---

[264] Dazu Jörg Helbig: Intertextualität und Markierung (1996), S. 131.

[265] Grünewalds Isenheimer Altar wurde schon häufig in literarischen Werken rezipiert, vor allem zu Beginn des 20. Jahrhunderts (etwa in Hermann Brochs *Schlafwandler*-Trilogie oder Canettis *Die Blendung*), als Grünewald von der Kunstgeschichte „entdeckt" wurde. Sein Werk erfuhr seine enorme Popularisierung in der Zeit zwischen dem Ersten und Zweiten Weltkrieg nicht zuletzt durch die Parallelsetzung von Reformationszeit und Zwischenkriegszeit. Seine Ästhetik wurde sowohl von den Vertretern des Expressionismus als später auch von den Nationalsozialisten vereinnahmt. (Thomas Eicher: Zeitdiagnose und Utopie in zitierten Bildern (1994), S. 127f. und Heinrich Geissler: Meister Mathis – Leben und Werk (1980).)

[266] Der Begriff der „Ekphrasis" stammt aus der griechischen Antike und meint für diese Arbeit den Texttypus der Bildbeschreibung (lateinisches Gegenstück: descriptio). Theon von Smyrna definierte ihn zuerst, und zwar als eine Art der Rede, die eine präzise Beschreibung verlange, um einen Gegenstand „augenfällig" zu machen (Theon von Smyrna: Progymnasmata, zit. nach G. Downey: Artikel „Ekphrasis." In: Reallexikon für Antike und Christentum. Hg. von Theodor Klauser, Bd. 4, (1950ff.), S. 922.) Die Ekphrasis bildet keine eigene Gattung, sondern läßt sich in jeden Texttyp integrieren, bei dem Beschreibung als sprachliche Evokation stattfinden soll. Als das älteste bekannte Beispiel literarischer Ekphrasis gilt Homers berühmte Beschreibung des Äneas-

beschreibt und deutet der Sprecher die Figuren und die Naturdarstellung, die Figurenkonstellation und die Farbgebung des Bildes und zieht daraus seine Schlüsse sowohl über den Charakter als auch die Weltsicht des Malers: „Dieses ist ihm, dem Maler, die Schöpfung, Bild unserer irren Anwesenheit auf der Oberfläche der Erde, einer in abschüssigen Bahnen verlaufenden Regeneration" (NN 23). Die Entwicklung der Menschheit erscheint in diesen Bildern als ein „pathologisches Schauspiel, zu dem er und seine Kunst, wie er wohl wußte, selber gehörten" (NN 24). Der Begriff der sogenannten „re-used authors",[267] mit dessen Hilfe im Bereich der sprachlich evozierten Textbezüge eine Thematisierung der Textproduktion einherging, läßt sich durch Malerfiguren wie Grünewald und beispielsweise auch den Maler Max Aurach auf „re-used artists" erweitern.

Der Isenheimer Altar erscheint jedoch nicht nur in *Nach der Natur*, sondern er stellt wiederum eine Geistesverwandschaft zwischen dessen Schöpfer Grünewald, dem lyrischen Ich des Langgedichts und der Figur des Max Aurach aus *Die Ausgewanderten* her, der bekennt: „Ich hatte seit sehr langer Zeit den Wunsch gehegt, die mir bei der Malarbeit so oft vorschwebenden Isenheimer Bilder Grünewalds [...] in Wirklichkeit zu sehen" (A 252). Als Aurach diesen Wunsch in die Tat umsetzt, beschreibt er die Isenheimer Bilder folgendermaßen: „Die extremistische, eine jede Einzelheit durchdringende, sämtliche Glieder verrenkende und in den Farben wie eine Krankheit sich ausbreitende Weltsicht dieses seltsamen Mannes war mir [...] von Grund auf gemäß", sagt Aurach und spricht von den „erloschenen Landschaften" und „menschlichen Todesfiguren" (A 253). Diese Aussage erscheint als Anspielung Sebalds auf seinen früheren Text *Nach der Natur,* denn dort ist fast identisch die Rede von einem „Grünewald, der ohnehin zu einer extremistischen Auffassung der Welt geneigt haben muß", von der gemalten Natur als „überzogen das tote Geäst von einer moosig herabtriefenden Substanz (NN 24f.)", ebenso von den Epileptikern, die in Isenheim die Vorlage für Grünewalds Figuren lieferten. Die Figur des Malers Aurach wird damit zu einem Künstler, der mit Sebald noch sehr viel mehr gemeinsam hat, als daß beide ihre Leben in einem Land verbringen, das nicht ihr Heimatland ist (wobei es sich bei Aurach um ein erzwungenes, bei Sebald um ein freiwilliges Exil handelt). Wie sich an dieser Stelle zusätzlich festhalten läßt, ist die Beschreibung von Aurachs Malverfahren dem Produktionsverfahren des Erzählers von *Die Ausgewanderten* auffallend ähnlich:

> Entschloß sich Aurach, nachdem er vielleicht vierzig Varianten verworfen beziehungsweise in das Papier zurückgerieben und durch weitere Entwürfe überdeckt hatte, das Bild, weniger in der Überzeugung, es fertiggestellt zu haben, als aus einem Gefühl der Ermattung, endlich aus der Hand zu geben, so hatte es für den Betrachter den Anschein, als sei es hervorgegangen aus einer langen Ahnenreihe grauer, eingeäscherter, in dem zerschun- (B) denen Papier nach wie vor herumgeisternder Gesichter. (A 239f.)

Schildes. Hierzu sowie auch zur historischen Entwicklung diese Texttypus siehe Monika Schmitz-Emans: Zur Geschichte literarischer Bildinterpretation (1999), S. 17.

[267] Jörg Helbig: Intertextualität und Markierung (1996), S. 115f.

Der Erzähler in *Die Ausgewanderten* sagt hingegen aus:

> Über die Wintermonate 1990/91 arbeitete ich in der wenigen mir zur freien Verfügung stehenden Zeit, also zumeist an den sogenannten Wochenenden und in der Nacht, an der im Vorhergehenden erzählten Geschichte Max Aurachs. Es war ein äußerst mühevolles, oft stunden- und tagelang nicht vom Fleck kommendes und nicht selten sogar rückläufiges Unternehmen, bei dem ich fortwährend geplagt wurde von einem immer nachhaltiger sich bemerkbar machenden [...] Skrupulantismus. Dieser Skrupulantismus bezog sich sowohl auf den Gegenstand meiner Erzählung, dem ich, wie ich es auch anstellte, nicht gerecht zu werden glaubte, als auch auf die Fragwürdigkeit der Schriftstellerei überhaupt. Hunderte von Seiten hatte ich bedeckt mit meinem Bleistift- und Kugelschreibergekritzel. Weitaus das meiste davon war durchgestrichen, verworfen oder bis zur Unleserlichkeit mit Zusätzen überschmiert. Selbst das, was ich schließlich für die ,endgültige' Fassung retten konnte, erschien mir als ein mißratenes Stückwerk. (A 345)

Beide, das Aurach-Bild und der Sebald-Text, werden durch diese Textstelle gleichgesetzt und als Palimpseste beschrieben.[268] Hierbei ist allerdings zu beachten, daß das beschriebene Verfahren beim Erzähler eher aus Selbstzweifeln und Skrupel vor seinem Gegenstand resultiert. Bei Aurach hingegen kann die fortwährende Produktion und Zerstörung der „herumgeisternden Gesichter" (A 240) als Versuch gelesen werden, die Gespenster seiner Vergangenheit durch das Zeichnen und wieder Zerstören zu bannen und zu bewältigen. Doch dieses Unternehmen ist vergeblich, und deshalb besteht Aurachs Malerleben nurmehr aus der sisyphoshaften, unablässigen Wiederholung dieses Versuchs.

Ausführliche Ekphrasis, hier allerdings zu abgebildeten Gemälden, findet sich auch in *Schwindel.Gefühle,* wenn es etwa um Fresken Pisanellos (SG 88ff.), Tiepolos oder aber um Bilder des Allgäuer „Kunstmalers" (SG 236) Hengge geht. Verstärkt eingesetzt erscheint die literarische Bildbeschreibung jedoch vor allem in *Die Ringe des Saturn.* Im ersten Kapitel wird beispielsweise der Betrachtung eines Rembrandt-Gemäldes besonders viel Raum gegeben. Es heißt *Die anatomische Vorlesung des Dr. Nicolaas Tulp* und stellt die öffentliche Prosektur an der Leiche „des wenige Stunden zuvor gehenkten Stadtgauners [...] Aris Kindt" (RS 20) in Amsterdam dar:

> Zweifellos handelt es sich bei dem vor einem zahlenden Publikum aus gehobenen Ständen gegebenen Schauspiel einesteils um eine Demonstration des unerschrockenen Forschungsdrangs der neuen Wissenschaft, andernteils aber, obzwar man das sicher weit von sich gewiesen hätte, um das archaische Ritual der Zergliederung eines Menschen, um die [...] Peinigung des Fleisches des Delinquenten bis über den Tod hinaus. (RS 20f.)

Um diese seine These über das Bild nachvollziehbar zu machen, analysiert und beschreibt der Erzähler das Werk und macht darauf aufmerksam, daß die dargestellte Prosektur nicht, wie es üblich sei, mit der Öffnung des Unterleibs beginnt, sondern

---

[268] Andrea Köhler: Gespräche mit Toten (2000).

mit der Sezierung der straffälligen Hand des Aris Kindt. Der Erzähler folgert schließlich aus seinen ausführlichen Betrachtungen: „Mit ihm, dem Opfer, und nicht mit der Gilde, die ihm den Auftrag gab, setzt der Maler sich gleich. Er allein hat nicht den starren, cartesischen Blick [...]" (RS 25). In dieser Bildinterpretationspassage ist das Bild einmal doppelseitig ganz abgebildet (RS 22f.), auf S. 24 nochmals der Ausschnitt mit der Hand der Leiche, die an dieser Stelle auch der Kontext genauer beschreibt.

Die Abbildungsweise folgt hier also dem Gang der Gedanken des interpretierenden Erzählers,[269] veranschaulicht und belegt sie. Auch hier greift wieder Vargas Begriff der „visuellen Argumentation", hier unterstützt diese jedoch die verbale Argumentation. Die Ekphrasis, die paraphrasierende Beschreibung eines Gemäldes und des Darstellungsverfahrens des Malers dient hier also einer weltanschaulichen Positionsbestimmung: So, wie Rembrandts angebliche künstlerische Parteinahme für das „Opfer" vorgeführt wird, ließe sie sich als eine Metaaussage über Sebalds intertextuelles Verfahren werten, und zwar bezüglich seiner Prätextauswahl, die (wie bereits deutlich geworden sein dürfte) zu nicht unerheblichen Teilen aus Hinterlassenschaften von Personen, die als Opfer der Geschichte dargestellt werden, besteht. Die Arbeit mit derartigen Hinterlassenschaften nennt Sebald eines seiner zentralen künstlerischen Anliegen.[270]

Diese Feststellung wiederum reiht sich in die Tradition der literarischen Bildbeschreibung ein. „Was der Beschreiber und Interpret aus den Bildwerken heraus- bzw. was er in sie hineinliest, ist stets eine Funktion seiner eigenen ästhetisch-poetologischen Konzeptionen."[271]

Was außerdem auffällt in *Die Ringe des Saturn,* ist der beschreibende Umgang des Erzählers mit historischen Gemälden:

> Sind die Berichte von den auf den sogenannten Feldern der Ehre ausgefochtenen Schlachten von jeher unzuverlässig gewesen, dann handelt es sich bei den bildlichen Darstellungen der großen Seetreffen ausnahmslos um pure Fiktionen. Selbst gefeierte Seeschlachtenmaler wie Storck, van de Velde oder de Loutherbourg, von denen ich einige der Battle of Sole Bay gewidmete Erzeugnisse [...] genauer studiert habe, vermögen, trotz einer durchaus erkennbaren realistischen Absicht, keinen wahren Eindruck davon zu vermitteln, wie es auf einem der [...] Schiffe zugegangen sein muß, wenn brennende Masten und Segel niederstürzten [...]. (RS 99f.)

---

[269] Dasselbe Verfahren der Vergrößerung von Bildausschnitten zu Argumentationszwecken findet sich in *Schwindel.Gefühle* S. 175f.

[270] „Der Umstand, daß das Thema [die Geschichte der Juden in Deutschland, Anm. d. Verf.] stets in diesen großen Kategorien abgehandelt wurde, hat mir zudem Mißbehagen bereitet. Es ging immer um die Massen, die da durch die Gaskammern geschleust wurden. Das waren aber nicht anonyme Millionen, sondern immer einzelne Menschen, die tatsächlich auf der anderen Seite des Flurgangs gelebt haben." (Sven Boedecker: Menschen auf der anderen Seite (1993).)

[271] „Außerdem wird das Bild zu einer Projektionsfläche einer literarischen Imagination, die es in etwas anderes verwandelt: in ein [...] bewegtes 'inneres' Bild." (Monika Schmitz-Emans: Zur Geschichte literarischer Bildinterpretation (1999), S. 23.)

Diese Passage ist mit der Reproduktion eines vom Text nicht weiter identifizierten Seeschlachtengemäldes illustriert, das offenbar der Veranschaulichung der Argumentation dient.[272] Ähnlich ist die Darstellung auch bezüglich des „Riesenrundgemäldes" (RS 157), das sich im Denkmal der Schlacht von Waterloo befindet und ebendieses historische Ereignis darstellt: „Das also, denkt man [...] ist die Kunst der Repräsentation von Geschichte. [...] Wir, die Überlebenden, sehen alles von oben herunter, sehen alles zugleich und wissen dennoch nicht, wie es war" (RS 159). Hier wird also, ebenso wie auf der Potenzierungsstufe der verbalen Prätexte, die Möglichkeit der Fälschung wieder aufgerufen. Beide Prätextbezüge werden in Kapitel C.II. noch einmal Gegenstand ausführlicher Interpretation sein.

Sebalds Texte äußern sich jedoch nicht nur anhand der Malerei, sondern auch anhand der Fotografie auf einer Metaebene zum Umgang mit Bildprätexten. Im vorliegenden Fall thematisieren sie jedoch nicht, wie im Fall Aurachs, das erzählerische Verfahren mit den verbalen Prätexten, sondern den Aspekt der Dokumentation durch Fotografie: In *Schwindel.Gefühle* trifft der Erzähler auf zwei Buben, offenbar Zwillinge, die dem jungen Kafka „auf unheimlichste Weise" (SG 105) ähnlich sehen. Er will sie fotografieren, aber dies scheitert am Widerstand der erbosten Eltern, schließlich muß der Erzähler den Ablichtungsversuch für gescheitert erklären in „ohnmächtigem Zorn darüber, daß ich nun keinerlei Beleg würde vorzuweisen haben über dieses höchst unwahrscheinliche Zusammentreffen" (SG 108). Grundsätzlich weist Sebald der Fotografie also tatsächlich eine dokumentarische Funktion zu, er hat das auch anderweitig in Interviews bestätigt: „Dann ereignen sich Dinge, die einem später kein Mensch mehr glaubt. [...] Es ist nötig, diese Dinge irgendwie festzuhalten. Das kann man natürlich schreibend tun, aber das Geschriebene ist ja kein wahres Dokument. Die Photographie ist das wahre Dokument par excellence."[273]

Als zentrale funktionale Aspekte für die Text-Bild-Beziehungen der Potenzierungsstufe lassen sich nun folgende festhalten: In der Intermedialitätshandlung gibt es Parallelen zur Intertextualitätshandlung insofern, als visuelle Prätexte dieselbe Quellenfunktion erfüllen können wie verbale Prätexte und beide durch eine beschreibende Technik, nämlich diejenige der Paraphrase bzw. Ekphrasis evoziert werden. Die Bildbeschreibung und -interpretation dient jedoch auch der Vorführung von weltanschaulichen Positionen und schließlich als Medium für Sebalds Literatur, um über sich selbst zu sprechen.[274]

In Einzelfällen, allerdings spärlicher als bei den verbalen Prätexten, metaphorisiert auch die Intermedialitätshandlung Sebalds Verfahrenstechniken mit seinen Prätexten. Insgesamt wird an den zuletzt genannten Beispielen jedoch vor allem eines

---

[272] Wie Recherchen ergeben haben, handelt es sich bei dem Gemälde um ein Werk Henry van de Velde des Jüngeren mit dem Titel *The burning of HMS Royal James at the Battle of Solebay, 28 May 1672.* (Concise Catalogue of Oil Paintings in the National Maritime Museum, (1988), S. 399, Abbildung g.)

[273] Christian Scholz: Aber das Geschriebene ist ja kein wahres Dokument (2000).

[274] Schmitz-Emans sieht in einer Literatur, welche nach dem Bild fragt, generell eine Literatur, der es auch um sich selbst geht im Sinne einer Grundkonzeption von Darstellung und Bedeutung im Medium Text (Monika Schmitz-Emans: Die „Sprache" der Bilder (1999), S. 11).

deutlich, daß nämlich Sebald insbesondere auf expliziter Stufe nicht nur den Prätexten aus der Literatur, sondern auch denjenigen aus der Malerei die Aufgabe zuweist, Abbild eines Seelenlebens oder einer Weltsicht zu sein, der sich der jeweilige Erzähler oder lyrische Sprecher geistesverwandt sieht und die er in seinem Erzählen reflektiert. Der Fotografie hingegen wird ein an sich dokumentarischer Charakter zugewiesen.

IV. Claude Lévi-Strauss' Prinzip der „Bricolage" als zentrale intertextuelle Verfahrensweise

Ein abschließender Blick auf das skizzierte Verweissystem als Ganzes zeigt, daß es mit einem Begriff beschrieben werden kann, wie ihn der Erzähler von *Die Ausgewanderten* gebraucht, als er von der Arbeit an seiner Erzählung über den Maler Max Aurach berichtet: „Stückwerk" (A 345) nennt er dabei seinen Text. Diese Beschreibung als „Stückwerk" läßt sich, wie aus den bisherigen Ausführungen deutlich geworden sein dürfte, auf alle vier untersuchten Bücher Sebalds ausdehnen, denn der Begriff bezeichnet das ihnen allen zugrundeliegende intertextuelle Grundmuster. An den folgenden Stellen sprechen die Texte selbst über dieses Grundmuster:

Als der Erzähler von *Die Ausgewanderten* die Gründe für den Selbstmord des verehrten, großen Einfluß auf ihn ausübenden und als vielschichtig und tiefsinnig geschilderten Lehrers Paul Bereyter recherchiert, erinnert er sich, daß Bereyter ihm „manchmal vorkam, als werde alles in seinem Inwendigen von einem Uhrwerk angetrieben und der ganze Paul sei ein künstlicher, aus Blech- und anderen Metallteilen zusammengesetzter Mensch, den die geringste Funktionsstörung für immer aus der Bahn werfen könnte" (A 52). Die Hingabe des Lehrers an seinen Beruf geht hier eine Verbindung mit dessen Seelenstruktur ein, die durch die Beschreibung des Erzählers als eine zusammengesetzte, notdürftig gebastelte erscheint. Eine Bastelarbeit ist auch das „aus Fichtenholz, Papiermaché und Goldfarbe" (A 262f.) gemachte Modell des salomonischen Tempels der Figur Frohmann, das dem Maler Aurach als das „einzig wahre Kunstwerk" erscheint (A 263). In *Die Ringe des Saturn* taucht ein zweites Mal eine Figur, ein Herr namens Alec Garrard, auf, die ihr Leben der Rekonstruktion dieses Tempels gewidmet hat. Garrards Ziel ist es dabei, durch seine Bastelarbeit an diesem Tempel „den Eindruck von Lebenswahrheit" (RS 305ff) zu erzeugen. Dazu „muß jede der quadratzentimetergroßen Kassetten an den Decken der Kolonnaden [...], jedes einzelne der abertausend Quadersteinchen von Hand gefertigt und eigens bemalt werden" (RS 305). Die Arbeit an diesem Tempel wird damit zum Lebenswerk, wenn nicht zum aussichtslosen, weil nie beendbaren Unterfangen.

In der Erzählung über die Leiden der aus Nordirland vertriebenen und nun in England im Exil lebenden Familie Ashbury, die Bestandteil von *Die Ringe des Saturn* ist, wohnen die drei ältlichen Ashbury-Schwestern mit Mutter und Bruder auf einem verfallenden Gutshof, wo sie „in einem Nordzimmer, wo sie Unmengen von

Stoffresten angehäuft hatten, jeden Tag ein paar Stunden damit verbrachten, vielfarbige Kissenbezüge, Bettüberwürfe und dergleichen mehr zusammenzunähen" (RS 264) und am nächsten Tag wieder aufzutrennen.[275] Der Erzähler spekuliert über den Grund für dieses ihm absonderlich erscheinende Tun und kommt zu folgendem Ergebnis:

> Möglich auch, daß ihnen in ihrer Phantasie etwas von solch außergewöhnlicher Schönheit vorschwebte, daß die fertigen Arbeiten sie unfehlbar enttäuschten, dachte ich, als sie mir [...] in ihrer Werkstatt ein paar der Zertrennung entgangene Stücke zeigte, denn eines davon zumindest, ein aus Hunderten von Seidenfetzchen zusammengesetztes, mit Seidenfäden besticktes oder vielmehr spinnennetzartig überwobenes Brautkleid [...], war ein beinahe ans Lebendige heranreichendes Farbenkunstwerk von einer Pracht und Vollendung, daß ich damals meinen Augen so wenig traute wie heute meiner Erinnerung. (RS 264f.)

Ähnlich liest sich eine Textstelle im letzten Kapitel von *Die Ringe des Saturn*, in dem die Anordnung der unterschiedlichen, in Norwich hergestellten Seidenstoffe beschrieben wird als „von wahrhaft phantastischer Vielfalt und einer in sich leicht changierenden, mit Worten kaum zu beschreibenden Schönheit [...], ganz als seien sie hervorgebracht worden von der Natur selber [...]" (RS 351). Die Musterbücher, in denen die Probestücke dieser Seidenstoffe angeordnet und präsentiert sind und die im Seidenmuseum von Norwich ausgestellt liegen, erscheinen dem Erzähler „als Blätter aus dem einzig wahren, von keinem unserer Text- und Bildwerke auch nur annähernd erreichten Buch" (RS 354). Noch signifikanter wird diese Textstelle, wenn man berücksichtigt, daß die Seide und die Tätigkeit des Webens in *Die Ringe des Saturn* als Metaphern für die Dichtung selbst gelesen werden können.[276]

Das Kunstideal, das sich aus diesen Textstellen ablesen läßt und das dem „Stückwerk" damit innewohnt, enthält also vor allem zwei Parameter: zum einen die Suche nach größtmöglicher Natur- und Lebensnähe, nach „Lebenswahrheit" (RS 305), also nach einer Form der Mimesis von Natur und Leben, ohne daß diese beiden Begriffe zunächst jedoch eine genauere Definition erfahren würden. Zum zweiten ist die sich hier artikulierende Kunstvorstellung geprägt durch den Aspekt der Künstlichkeit der betreffenden Dinge. Künstlichkeit impliziert dabei sowohl Kunstfertigkeit als auch das Bestehen der betreffenden Gegenstände aus Materialien oder Objekten, aus denen sie in der Regel nicht hergestellt werden, also ihre Simulation:[277] Ein Mensch ist nicht aus Metallteilen zusammengesetzt, ein Kleid (zumindest in den meisten Fällen) nicht aus Hunderten von Seidenfetzchen, und ein Tempel besteht nur im Modell aus Pappmaché. Künstlichkeit in diesem Sinne kann auch als ein Kennzeichen Sebaldscher Prosa angenommen werden, wenn man bedenkt, daß

---

[275] Vgl. hierzu auch wieder die Vorgehensweise des Malers Aurach, der seine Poträtstudien immer wieder zerstört und von neuem beginnt (A 239).

[276] Hierzu Beatrice v. Matt: Archäologie einer Landschaft (1992) und Patrick Bahners: Kaltes Herz (1995).

[277] Vgl. dazu auch Wrobel, der in der Simulation eine der zentralen strukturellen Analogien von Chaostheorie und Postmoderne sieht. (Dieter Wrobel: Postmodernes Chaos (1997), S. 143f.)

die Texte zu großen Teilen durch die Verarbeitung von schon bestehenden Texten und Bildern entstanden sind und auf diese Weise Fiktionen simulieren. Die Forderung bzw. das Streben nach größtmöglicher Natur- und Lebensnähe und der gleichzeitige Aspekt der Künstlichkeit scheinen jedoch zunächst widersprüchlich, denn wie soll ein Objekt, das künstlich hergestellt, also simuliert ist, Lebenswahrheit wiedergeben? Die Einbeziehung eines auf Lévi-Strauss zurückgehenden Denkmodells kann diesen scheinbar widersprüchlichen Zusammenhang von Künstlichkeit und Mimesis erhellen.

Das Verfahren, Kunstwerke aus schon vorhandenem Material zu generieren, läßt sich mit Claude Lévi-Strauss' Begriff der „Bricolage" in Verbindung bringen.[278] Lévi-Strauss setzt die Technik dieses „Bastelns", die er als den (auch intellektuell) improvisierenden Umgang mit Gegebenem beschreibt, den Techniken des Spezialisten oder Ingenieurs entgegen, der zielgerichtet arbeiten kann, weil ihm alle notwendigen Instrumente zur Verfügung stehen. Die Technik der „Bricolage" ist für Lévi-Strauss auch Grundlage dessen, was er als mythisches (im Sinne von vor- oder nichtwissenschaftlichem) Denken bezeichnet:

> Die Wissenschaft baut sich ganz und gar auf der Unterscheidung zwischen Zufälligem und Notwendigem auf [...]. Die Eigenart des mythischen Denkens besteht, wie die der Bastelei auf praktischem Gebiet, darin, strukturierte Gesamtheiten zu erarbeiten, nicht unmittelbar mit Hilfe anderer strukturierter Gesamtheiten, sondern durch Verwendung der Überreste von Ereignissen [...], Abfälle und Bruchstücke, fossile Zeugen der Geschichte eines Individuums oder einer Gesellschaft.[279]

Die Tatsache, daß Fundstücke aus ihren ursprünglichen Kontexten herausgelöst und in neue Zusammenhänge überführt werden, bedeutet jedoch nicht, daß sie keine Vergangenheit mehr hätten, im Gegenteil: „Der bricoleur erschafft nicht aus dem Nichts, sondern indem er auf ein Arsenal von schon Vorhandenem zurückgreift und dieses umfunktioniert."[280] Dies bedeutet, „daß das Vorhandene nie soweit disponibel ist, daß es sich bruchlos der neuen Intention fügt: es bleibt ein Rest von Bestimmtheit, die sich gegen neue Zusammenhänge sperrt [...]. Überkommenes und neue Intention verbinden sich in einem unaufhebbaren Verhältnis dialektischer Spannung."[281]

---

[278] Claude Lévi-Strauss: Das wilde Denken (1997), S. 29-37.

[279] Ebd., S. 35. Bisher hat in der Forschung alsl einer der weinigen Arthur Williams diese Anwesenheit Lévi-Strauss' bei Sebald erwähnt, doch auch er tat dies nur in einer Randbemerkung: „[...] 'Stückwerk' invites the reader, perhaps by a process akin to Levy-Strauss' bricolage, to complete the unnarrated, subliminal story." (Arthur Williams: The elusive first Person Plural (1998), S. 101.) Sebald hat auch selbst auf seine Beziehung zu diesem Denker hingewiesen: „Familienfotoalben sind ein Schatz an Information. Ein einziges Familienfoto ersetzt viele Seiten Text [...]. Die Texte wurden viel lebendiger, realer und facettierter. Ich arbeite nach dem System der Bricolage – im Sinne von Lévi-Strauss. Das ist eine Form von wildem Arbeiten, von vorrationalem Denken, wo man in zufällig akkumulierten Fundstücken solange herumwühlt, bis sie sich ihrgendwie zusammenreimen." (Sigrid Löffler: „Wildes Denken" (1997), S. 136.)

[280] Karlheinz Stierle: Mythos als Bricolage (1971), S. 457.

[281] Ebd.

Auf dieser Basis kann nun auch deutlich werden, warum das Streben nach Lebenswahrheit im Kunstwerk einerseits und sein gleichzeitig künstlicher Charakter andererseits im Fall Sebalds keine Widersprüche sind. Sebald arbeitet in seiner intertextuellen Prosa mit dem von Stierle genannten „Rest von Bestimmtheit",[282] der dem vorgefundenen Material aus seinen ursprünglichen Zusammenhängen noch anhaftet. Durch diesen teilweisen Rest- oder Fundcharakter der Materialien eignet dem Ergebnis der „Bricolage", bei Sebald also dem künstlichen Kunstwerk, eine gewisse Morbidität und Brüchigkeit, wobei die Naht- und Bruchstellen der Einzelteile, wie sich gezeigt hat, mehr oder weniger verwischt sind. Das Kunstwerk enthält nun in dieser Morbidität und Brüchigkeit tatsächlich eine Simulation von Natur und Leben, wenn man eine Textstelle mit einbezieht, in der Sebald genauer definiert hat, was er mit der Darstellung von Lebenswahrheit meint: Letztere ist für ihn gleichbedeutend mit der Darstellung der „Todesnähe des Lebens".[283] Zur Verwirklichung dieses Projekts ist für Sebald die „Bricolage" im Sinne Lévi-Strauss' das Verfahren der Wahl, und wie sich in den folgenden Kapiteln zeigen wird, ist diese „Todesnähe des Lebens" auch in der intertextuellen Geschichtsdarstellung sein Thema.

---

[282] Ebd.
[283] W.G. Sebald: Wie Tag und Nacht (1998), S. 178.

C. TEXTBEZIEHUNGEN UND GESCHICHTSDARSTELLUNG BEI W.G. SEBALD

I. GEGENSTÄNDE INTERTEXTUELLEN GESCHICHTSERZÄHLENS

Nach der formal-markierungstechnisch akzentuierten Überblicksdarstellung der Textbeziehungen im vorangegangenen Kapitel und der Feststellung ihrer poetologischen Aussage- und Deutungsmöglichkeiten dürfte die Intertextualität als das zentrale Gestaltungsverfahren Sebalds deutlich geworden sein. Diese Ergebnisse sollen nun im folgenden Kapitel mit einer thematischen Komponente verknüpft werden, die gleichfalls als zentral in Sebalds Werk erscheint, und zwar mit dem Thema Geschichte. Es wird also im folgenden darum gehen, anhand signifikanter Beispiele erstens das Ausmaß und die Bedeutsamkeit des Themas Geschichte für die zu analysierenden Werke zu verdeutlichen und dabei zweitens die Formen und Spielarten von Sebalds Geschichtserzählung zu differenzieren. Außerdem soll exemplarisch vorgeführt werden, wie Sebald sein zentrales Darstellungsmittel der Intertextualität und sein Hauptthema Geschichte miteinander verknüpft, aufeinander bezieht, und wie er diese Verknüpfung im einzelnen ausarbeitet. Schlußendlich wird dann zu fragen sein, welche Deutungen und Interpretationsmöglichkeiten sich aus der Gestaltung dieser Verknüpfungen ergeben und welches Geschichtsverständnis sich daraus destillieren läßt.

I.1. Historische Ereignisse: Die intertextuelle Präsenz der Geschichte als Schlacht und Krieg

Betrachtet man *Nach der Natur, Schwindel.Gefühle, Die Ausgewanderten* und *Die Ringe des Saturn*, so ergeben sich zunächst insgesamt folgende Beobachtungen: Sebald gestaltet, wenn er über Geschichte erzählt, bevorzugt Ereignisse aus der Sinnzone der politischen Geschichte, das heißt in diesem Fall, daß Geschichte häufig in Form einer Schlacht oder aber in Form eines Ereignisses präsent ist, das im Zusammenhang mit einem Krieg steht. Außerdem ist festzustellen, daß er bei der Erzählung solcher historischen Ereignisse häufig Prätexte konstitutiv in seinen Text einbezieht. Im folgenden sollen nun Beispiele, die solche historischen Ereignisse erzählen, analysiert und vorgeführt werden, um die Paradigmen der Sebaldschen Geschichtsdarstellung zu verdeutlichen.

Der früheste Fall von Geschichtsthematisierung findet sich in Sebalds Werk in der Beschreibung einer Schlacht im ersten Langgedicht von *Nach der Natur*. Gegenstand ist dabei die sogenannte Schlacht von Frankenhausen, die im Jahr 1525 stattfand und die deutschen Bauernkriege beendete. Die Schlacht erscheint hier als Teil

der Biographie des Malers Matthias Grünewald, die in diesem ersten Teil nachge-
dichtet wird:

Mitte des Mai, Grünewald
war mit seinem Gesprenge
in Frankfurt zurück, war
das Korn weiß zur Ernte,
zog die geschärfte Sichel
durch das Leben eines Heers von fünftausend
in der sonderbaren Schlacht von Frankenhausen,
in der kaum ein Reisiger fiel,
die Leiber der Bauern aber
zur Hekatombe sich türmten,
weil sie, als wären sie wahnsinnig,
sich weder zur Wehr setzten
noch anschickten zur Flucht. (NN 31)

Wenn man diese kurze Schilderung auf jene Aspekte hin betrachtet, die sie betont
und herausstellt, nämlich die Vernichtung von Leben, die massenhafte Zerstörung
und den Leichenberg, so läßt sich feststellen, daß der Text hier weit entfernt ist von
einer Heroisierung oder Verklärung des erzählten Ereignisses. Obwohl die Schlacht
datiert und somit in eine Chronologie eingeordnet wird (NN 29), verliert der Sprecher kein Wort über die historischen oder politischen Konsequenzen der Schlacht
bei Frankenhausen. Das Hauptaugenmerk der Darstellung gilt hingegen der Interpretation dieser Schlacht als ein Akt der Vernichtung für die beteiligten Menschen. Dadurch erscheint das Geschehen auf die existentielle Situation konzentriert. Nicht die
historischen Zusammenhänge, sondern das Sterben und seine Umstände stehen im
Mittelpunkt. Damit wird das Ereignis auch aus seinen historischen Zusammenhängen herausgelöst und das Leiden als ahistorische Kategorie etabliert, denn eine Vernichtung menschlichen Lebens bringt in größerem oder kleinerem Umfang jede
Schlacht mit sich, ob sie nun 1525, 1914 oder zu einer anderen Zeit stattfindet.

Im dritten Langgedicht von *Nach der Natur* schreibt Sebald erneut über eine
Schlacht, und zwar über jenen weltgeschichtlich bedeutsamen Kampf, den Alexan-
der der Große im Jahr 333 v. Chr. gegen den Perserkönig Darius gewann und der als
Schlacht bei Issus in die Geschichtsbücher einging. Im Gegensatz zum Bauernkrieg
speist sich die Beschreibung dieser Schlacht nicht vorrangig aus der Imagination des
Sprechers oder etwa aus einer unbekannten historischen Quelle wie im Fall der
Schlacht von Frankenhausen, sondern sie besteht in der Beschreibung des berühmten
Monumentalgemäldes *Die Alexanderschlacht* von Albrecht Altdorfer (ca. 1480-
1538). Damit beruht sie im Unterschied zum vorangegangenen Beispiel jetzt auf der
Bezugnahme auf einen künstlerischen Prätext. Was auf dem Gemälde zu sehen ist,
läßt sich folgendermaßen zusammenfassen: Alexander stürmt mit eingelegter Lanze
auf seinem Pferd Bukephalos gegen den Perserkönig, der seinen mit drei Schimmeln
bespannten Streitwagen bereits zur Flucht gewendet hat.[284] Umgeben ist diese Szenerie von weitläufigen Heeresdarstellungen, und diese wiederum finden sich einge-

---

[284] Franz Winzinger: Albrecht Altdorfer (1975), S. 41.

bettet in eine phantastisch anmutende Naturszenerie, von der im folgenden noch die Rede sein wird. Es handelt sich bei dieser Ekphrasis, soviel kann vorab festgehalten werden, um eine zweifach distanzierte Anschauung eines historischen Schlachtereignisses, denn der lyrische Sprecher ist genausowenig Augenzeuge des Geschehens, wie es der Maler gewesen ist, auch wenn letzterer Augenzeugenschaft vortäuscht, indem er die Perspektive eines auf höherer Warte stehenden, das Schlachtfeld weit überblickenden Beschauers einnimmt.

Wie geht nun diese dichterische Schlachtbeschreibung anhand des Prätextes vor sich? Zuerst richtet sich der Blick des Sprechers auf die Inschrift, die in der oberen Hälfte des Gemäldes plaziert ist. Dieser Blick gilt damit also erneut den Opfern dieses folgenschweren Wendepunktes der abendländischen Geschichte:

> Weit über hunderttausend,
> verkünden die Inschriften,
> zählen die Toten, über denen
> die Schlacht wogt zur Errettung des Abendlands in den Strahlen
> einer versinkenden Sonne. (NN 97)[285]

Doch nicht nur in den zahl- und namenlosen Toten, die auf dem Gemälde einen regelrechten Teppich für die Streitwagen Alexanders und Darius' bilden, findet Sebald das Leiden wieder. Auch der hier schon besiegte Darius erscheint bei Sebald nicht nur als eine der beiden repräsentativen Machtfiguren, die auf dem Gemälde in der Bildmitte angeordnet sind, sondern er wird zum Leidenden, den im Augenblick der Niederlage die Todesangst befällt. Auffällig ist die Dynamik des Sebald-Textes an dieser Stelle der Ekphrasis, die durch atemlos wirkende, gereihte Syntax und Präsensverwendung vergegenwärtigend wirkt.

> Eben wendet sich das Geschick
> Im Zentrum des grandiosen Getümmels
> Der Banner und Fahnen, Lanzen und
> Spieße und Stangen, der kürassierten
> Leiber der Menschen und Tiere,
> Alexander, der Held der westlichen
> Welt auf seinem Schimmel,
> und vor ihm auf der Flucht,
> in die Richtung der Sichel des Mondes,
> Darius, den Ausdruck des hellen
> Entsetzens im Antlitz. (NN 97f.)

---

[285] Die beschriebene monumentale Tafelinschrift ist eines der zentralen Elemente des Bildes; die sie verzierende Goldkordel deutet auf Alexander, sie teilt das Bild in Sonne- und Mondbereich. Im Wortlaut der Übersetzung aus dem Lateinischen besagt sie: „Alexander der Große besiegt den letzten Darius, nachdem in den Reihen der Perser 100 000 Mann zu Fuß erschlagen und über 10 000 Reiter getötet wurden. Während König Darius mit nicht mehr als 1000 Reitern sich durch Flucht retten konnte, wurden seine Mutter, seine Gattin und seine Kinder gefangengenommen." Diese Angaben entsprechen auch den historischen Überlieferungen, insbesondere den Berichten des Historikers Curtius. (Gisela Goldberg: Die Alexanderschlacht (1983), S. 10.)

Der Sprecher spielt mit seinem Verweis auf die Mondsichel hier auf ein Bildelement an, das für das Gemälde von großer Wichtigkeit ist: Altdorfer malte in jenem Teil des Bildes, das den Himmel darstellt, Mond und Sonne in einer Konstellation, in der sie auf gleicher Höhe einander gegenüberstehen. Darius und Alexander versinnbildlichen damit wiederum das Gegenüber von Morgen- und Abendland. Durch diese Elemente erhebt Altdorfer die Schlacht in einen über sie hinausweisenden Zusammenhang, verkettet himmlisches und irdisches Geschehen miteinander.[286]

In der nächsten Zeile der Ekphrasis wechselt der Sprecher zunächst jedoch unvermittelt vom das Bild vergegenwärtigenden Präsens ins Präteritum und in die indirekte Rede:

> Als glücklich
> beschrieb der kluge Kaplan,
> der einen Öldruck des Schlachtbilds
> neben der Tafel aufgehängt hatte,
> diesen Ausgang der Dinge. Es sei,
> sagte er, eine Demonstration
> der notwendigen Vernichtung aller
> aus dem Osten heraufkommenden Horden
> und also ein Beitrag zur Geschichte des Heils. (NN 98)

Das Suggestive, Vergegenwärtigende der bisherigen Ekphrasis scheint für den Moment zu verlöschen. Der Satz von „den aus dem Osten heraufkommenden Horden" kann einerseits als eine rhetorisch durchaus gängige Abgrenzung des christlichen Abendlandes von der orientalischen Welt verstanden werden, andererseits aber auch als eine sarkastische Anspielung auf nationalsozialistische Ideologie.

Der Sprecher selbst jedoch deutet das Gemälde ganz anders, wie der Fortgang der Ekphrasis zeigt: Sie beschreibt nun, wie Altdorfer auf seinem Gemälde die Schlacht in eine weite Landschaft mit weißen Gipfeln am Horizont einbettet, die als die Landschaft des östlichen Mittelmeerraums zu identifizieren ist,[287] und wie dadurch der Blick geweitet, ein größerer Zusammenhang hergestellt wird. Der Sprecher folgt diesem Blick und beschreibt ihn:

> Ich weiß jetzt, wie mit dem Aug
> eines Kranichs überblickt man
> sein weites Gebiet [...]
> und lernt langsam an der Winzigkeit
> der Figuren und der unbegreiflichen
> Schönheit der Natur, die sie überwölbt,
> jene Seite des Lebens zu sehen,
> die man vorher nicht sah.
> [...]
> Das Nildelta ist zu erkennen,
> die Halbinsel Sinai, das rote Meer
> und weiter noch in der Ferne

---

[286] Siehe dazu Franz Winzinger: Albrecht Altdorfer (1975), S. 42f.

[287] Ebd., S. 44.

das im schwindenden Licht sich
auftürmende Schnee- und Eisgebirge
des fremden, unerforschten
und afrikanischen Kontinents. (NN 98f.)

Dieser hier evozierte Blick des Malers betrachtet die Figuren der Schlacht einerseits
so aufmerksam, daß jedes noch so kleine Detail ihrer Gesichter und Rüstungen sorg-
fältig gemalt ist, und stellt andererseits das historische Ereignis, an dem sie teilha-
ben, zugleich in einen naturgeschichtlichen, kosmischen Zusammenhang.[288] Der
Blick für das Detail und der Überblick schließen sich hier also nicht aus, sondern
sind in der Wahrnehmung des Malers vereint.

Der lyrische Sprecher beschreibt das Bild und das dargestellte historische Ereignis, indem er dem Blick des Malers Altdorfer und damit auch dessen Deutung der
Schlacht als Naturereignis, welche die Schlacht durch das Gemälde bereits enthält,
affirmierend folgt. Stützen läßt sich diese Beobachtung durch eine Passage aus einem Interview: Auf Marco Poltronieris Feststellung, daß das einzige, über das sich
die Sebald-Figuren noch freuen können, der Naturzusammenhang sei, antwortete
Sebald: „Natur ist der Kontext, in den wir ursprünglich hineingehört haben und aus
dem wir sukzessive und in rapidem Maße [...] evakuiert und vertrieben worden sind.
Wir haben zwar in unseren organischen Körpern noch eine Erinnerung an die Natur,
aber eben nur eine Erinnerung."[289] Der Naturzusammenhang, der den Horizont der
Altdorferschen Alexanderschlacht bildet, kann somit für den Sprecher als ein Blick
ins gelobte Land, ins verlorene Naturparadies gedeutet werden. Es ist kein Zufall,
daß Sebald dieses Land mit Altdorfers schneebedeckten Gipfeln beschreibt, denn die
Farbe Weiß erscheint in allen vier Werken immer wieder als die Farbe des Todes
und gleichzeitig der Transzendenz.[290] Erst der Tod, die Herauslösung aus seiner zeitlichen und historischen Determiniertheit bringt den Menschen, so könnte der Schluß
aus der Deutung dieser Textbeziehung lauten, wieder zur Natur zurück.

Auch hier ist festzustellen, daß das Leiden am Erleben von Geschichte im Vordergrund der Textbeziehung steht, daß aber unterschieden wird zwischen dem massenhaften, namenlosen Leiden der Soldaten und dem Leiden der Figur Darius', die
eine Herrscherfigur ist. In dieser Schlacht werden nach Deutung Altdorfers und Sebalds beide zu Opfern des Siegers Alexander. Der beschriebene kosmische Naturzusammenhang ist jedoch imstande, eine Relativierung dieses Leidens zu leisten, indem er es als Erlösung, als Rückkehr zur Natur deutet.

Die Präsenz der Historie in Gestalt von Krieg und Schlacht setzt sich fort im
Erzählband *Schwindel.Gefühle*. Die letzte der vier Erzählungen, *Il ritorno in patria*,
handelt davon, daß der Ich-Erzähler nach langer Zeit wieder sein Heimatdorf W. im
Allgäu besucht. Er sucht dabei einzelne Orte der Kindheit auf und vergleicht die

---

[288] „Hat man sich in dem [...] Reichtum der Einzelformen in liebevoller Nahsicht vertieft und
fast verloren, so braucht es nur einen Schritt zurück und einen Blick aufs Ganze und die mikrokos-
mische Welt klärt und erfüllt sich in einem [...] Makrokosmos." (Ernst Buchner: Die Alexanderschlacht (1969), S. 13.) Siehe dazu auch Franz Winzinger: Albrecht Altdorfer (1975), S. 42f.

[289] Marco Poltronieri: Wie kriegen die Deutschen das auf die Reihe? (1997), S. 143.

[290] Entsprechende Textstellen etwa in NN 33, 57f., A 22, 36, 44 oder auch in RS 361.

kindlichen Eindrücke, an die er sich noch erinnern kann, mit jenen, die er nun als Erwachsener von den Kindheitsorten empfängt. Zu diesen Eindrücken gehören auch die Bilder eines ehemals ortsansässigen „Kunstmalers" (SG 236) namens Hengge,[291] der die Fassaden der Häuser von W. mit „stets in braunen Farben gehaltenen Wandmalereien" (SG 233) verziert hat, deren Hauptmotive „Holzknechte, Wilderer und die aufständischen Bauern mit der Bundschuhfahne" bildeten (SG 233). Der Erzähler gibt Kurzbeschreibungen dieser Bilder, spricht z.b. über die Darstellung eines Autorennens über der Tür einer Schmiede oder über Hengges allegorische Darstellung der Wasserkraft an einem Transformatorenhäuschen. Die entsprechenden Bilder, um die es dabei geht, sind dem Text alle als Abbildungen beigegeben und sie sind nach Auskunft des autobiographischen Erzählers der einzige Berührungspunkt, den das Kind, das er war, bis zum Alter von acht Jahren mit der Malerei gehabt hat. Einen besonderen Stellenwert erhalten dabei zwei Gemälde, davon eines von Hengge, die in der intuitiven, kindlichen Anschauung des Erzählers mehr oder weniger genau benanntes historisches Geschehen mit Schrecken, Angst und vor allem mit der Vorstellung von Tod und menschlicher Vernichtung verknüpfen:

> Vor einem besonderen aber, vor dem an der Raiffeisenkasse angebrachten Fresko einer hochaufgerichteten Schnitterin, (B) die dasteht vor einem Feld zur Zeit der Ernte, das mir immer wie ein entsetzliches Schlachtfeld vorgekommen ist, habe ich mich jedesmal, wenn ich daran vorbeiging, derart geängstigt, daß ich die Augen abwenden mußte. (SG 234ff.)

Die fast ganzseitige Abbildung des Gemäldes illustriert diesen Eindruck und macht ihn nachvollziehbar, denn im Bildhintergrund finden sich undeutlich gemalte Gesichter in einem Feld, die durch diese Undeutlichkeit etwas Verwundetes und Grauenvolles an sich haben. Die Schnitterin mit der großen Sichel in der rechten Hand kann hier, nicht nur aus einer Kinderperspektive heraus betrachtet, durchaus als eine Allegorie des Todes aufgefaßt werden. Die Abbildung bildet hier das visuelle Argument, daß die kindliche Lesart des Bildes für den Rezipienten nachvollziehbar machen kann.

Vor allem aber zeigt die Abbildung dem Leser ein zusätzliches Merkmal der Hengge-Bilder, das im Sebaldtext so nicht erwähnt wird (es sei denn, man liest die Formulierung der „in braunen Farben gehaltenen Wandmalereien" als Anspielung): Die Ästhetik der Hengge-Gemälde kann den Rezipienten in ihrer vordergründig naiven Verherrlichung von Handwerk, Landleben und Weiblichkeit in Gestalt der Schnitterin durchaus an die Ästhetik nationalsozialistischen Kunstwollens erinnern.[292] Der kindliche Erzähler hat indes aus diesem Bild zuallererst die oben beschriebenen Elemente subversiven Schreckens gelesen, die es gleichfalls enthält.

---

[291] Wie Nachforschungen in Wertach ergaben, handelt es sich bei den in *Schwindel.Gefühle* einmontierten Gemälden in der Tat um Bilder eines im Allgäuer Raum tätigen Malers namens Josef Hengge (1890-1970), die jedoch in diesem abgebildeten Zustand nur noch teilweise an den Häuserwänden von Wertach vorhanden sind.

[292] Siehe dazu Bernd Weyergraf: Aspekte faschistischer Demagogie und Volkstümlichkeit (1978), S. 4; Ralf Schnell: Die Zerstörung der Historie. Versuch über die Ideologiegeschichte faschistischer Ästhetik (1978), S. 48f., und Martin Damus: Gebrauch und Funktion von bildender

Das zweite Bild, das in der Kindheit einen ähnlich nachhaltigen Eindruck auf den Erzähler gemacht hat, ist „ein großes Gemälde von der Schlacht auf dem Lechfeld" (SG 236),[293]

> wo der Fürstbischof Ulrich mit seinem Schimmel über einen am Boden liegenden Hunnen hinwegreitet und auf dem auch alle Pferde diese irren Augen haben, einen vernichtenden Eindruck auf mich gemacht. Ich habe darum, als ich mit meinen Aufzeichnungen an einem bestimmten Punkt angelangt war, meinen Posten in der Gaststube des Engelwirts verlassen, und diese Bilder, soweit sie noch da waren, noch einmal in Augenschein genommen. Daß sie für mich durch die Wiederbegegnung weniger vernichtend geworden wären, könnte ich nicht sagen. Es ist wohl eher das Gegenteil der Fall. (SG 237f.)

Das beschriebene Bild[294] ist wiederum in einer ganzseitigen Abbildung dem Text beigegeben. Es erfüllt auch hier sowohl eine illustrative als auch belegende Funktion und gibt dem Betrachter die Möglichkeit, den Schrecken, den der Erzähler angesichts der Bilder empfunden hat und noch immer empfindet, nachzuvollziehen.

In *Die Ringe des Saturn* verdichten sich die Darstellungen historischer Ereignisse stark und zudem die Anwendung von Intertextualität bei ihrer Erzählung.

Als ein erstes Beispiel aus diesem Buch, das auf ausführliche und eindrückliche Weise über kriegerische Ereignisse erzählt, sei das folgende angeführt: Als der Erzähler auf seiner Fußwanderung durch Suffolk das verfallende, ehemals prächtige Schloß Somerleyton besucht, kommt er mit William Hazel, dem Gärtner des Anwesens, ins Gespräch. Während der Unterhaltung mit ihm erfährt der Erzähler von dessen privater Wissen- bzw. Leidenschaft: dem Luftkrieg, „der von den siebenundsechzig nach 1940 in East Anglia angelegten Flugfeldern nach Deutschland getragen wurde" (RS 52). Auch hier ist wieder zu bemerken, daß weder der Erzähler noch der Gärtner, der in diesem Fall die Rolle eines Sekundärerzählers übernimmt, diesen Luftkrieg selbst erlebt haben. Doch durch die sehr eindringlichen Vorstellungen und Phantasien des Gärtners über diesen Krieg, die ausschließlich Ergebnis seines leidenschaftlichen Interesses an den entsprechenden Geschehnissen sind, werden der Luftkrieg und seine Verheerungen Teil des Sebald-Textes, wenn der Autor Hazel beispielsweise berichten läßt:

> Abend für Abend sah ich die Bombergeschwader über Somerleyton hinwegziehen, und Nacht für Nacht malte ich mir vor dem Einschlafen aus, wie die deutschen Städte in Flammen aufgingen, wie die Feuerstürme in den Himmel lohten und die Überlebenden in den Trümmern herumwühlten. (RS 52)

Kunst und Architektur im Nationalsozialismus (1978), S. 96-100. Recherchen in Wertach ergaben, daß die Nähe dieses Bildes zur faschistischen Ästhetik ein Grund dafür war, daß es so nicht mehr existierte und übermalt wurde.

[293] Gemeint ist hier jene sogenannte Schlacht auf dem Lechfeld aus dem Jahr 955, in welcher der spätere Kaiser Otto I. die Ungarn vernichtend schlug.

[294] Es handelt sich bei diesem Gemälde um ein Werk eines königlich-bayerischen Hofmalers namens Franz Sales Lochbihler (1777-1854), das den Titel *Die Schlacht auf dem Lechfeld 955* trägt. Das Bild hängt in der Gemäldegalerie des Heimatmuseums von Wertach.

Die Obsession dieses Gärtners erscheint so auf den ersten Blick als Teil der fiktiven Erzählung. Berücksichtigt man jedoch, daß diese Thematisierung des Luftkriegs in auffälligem Bezug zu den Interessen des Literaturwissenschaftlers Sebald und zu seinen Thesen zu Literatur und Luftkrieg, die er nur wenige Jahre nach *Die Ringe des Saturn* publiziert hat, steht, erscheint die Figur des Gärtners als eine, der Sebald seine eigenen Forschungserfahrungen mit diesem Thema in den Mund gelegt hat, denn die Sätze, die er Hazel sagen läßt, geben den Kern der Sebaldschen Thesen in Ausschnitten wieder:

> Ich habe sogar [...] Deutsch gelernt, um [...] die von den Deutschen selber über die Luftangriffe und über ihr Leben in den vernichteten Städten geschriebenen Berichte lesen zu können. Zu meinem Erstaunen freilich mußte ich bald feststellen, daß die Suche nach solchen Berichten stets ergebnislos verlief. Niemand scheint damals etwas aufgeschrieben oder erinnert zu haben. (RS 53)[295]

Ein weiteres Beispiel einer Thematisierung und Darstellung von historischen Ereignissen, diesmal jedoch durch Bezugnahme auf Prätexte, findet sich im VI. Kapitel von *Die Ringe des Saturn*. Sebald berichtet über eine lange Strecke hinweg zunächst über die Niederschlagung der Rebellion der Taiping-Sekte, einer religiös-sozialrevolutionären Bewegung in China, die das hierarchische Kaisertum in ihrem Land durch eine egalitäre Gesellschaftsordnung ersetzen wollte. Dieser Taiping-Aufstand wurde von der chinesische Armee im China des Jahres 1853 blutig niedergeschlagen, forderte ca. 20 Millionen Tote und hinterließ eine verwüstetes Land. Im Anschluß daran erzählt Sebald davon, wie der Erfolg dieser Niederschlagung mit den imperialistischen Rivalitäten und Agitationen europäischer Mächte in China, vor allem England und Frankreich, in Zusammenhang steht. Die Regierungen beider Staaten versuchten zu dieser Zeit, ebenso wie Deutschland und Rußland, das chinesische Reich als neues Territorium zu gewinnen und ihren Wirtschaftsbereich auf den asiatischen Raum auszudehnen.[296] Dabei griffen sie, so erzählt Sebald, zu gewaltsamen Maßnahmen wie diesen:

> Im Namen der Ausbreitung des christlichen Glaubens und des als Grundvoraussetzung für jeden zivilisatorischen Fortschritt geltenden freien Handels demonstrierte man die Überlegenheit der westlichen Geschütze, stürmte eine Reihe von Städten und erpreßte sodann einen Frieden, zu dessen Bedingungen bestimmte Garantien für die britischen Faktoreien an der Küste, die Abtretung

---

[295] Sebalds Ausgangspunkt in seinen Thesen zum Verhältnis von Literatur und Luftkrieg, die eine umfangreiche Feuilletondebatte auslösten, ist folgender: „Die in der Geschichte bis dahin einzigartige Vernichtungsaktion ist in die Annalen der neu sich konstituierenden Nation nur in Form vager Verallgemeinerungen eingegangen, scheint kaum eine Schmerzensspur hinterlassen zu haben, [...] ist nie [...] zu einer öffentlich lesbaren Chiffre geworden. [...] Außer Heinrich Böll haben nur wenige andere Autoren wie Hermann Kasack, Hans Erich Nossack, Arno Schmidt und Peter de Mendelssohn es gewagt, an das über die äußere und innere Zerstörung verhängte Tabu zu rühren, zumeist freilich [...] auf fragwürdige Weise." (W.G. Sebald: Luftkrieg und Literatur (1999), S. 12f. und S. 19).

[296] Gregor Schöllgen: Das Zeitalter des Imperialismus (1994), S. 49-52.

von Hongkong sowie nicht zuletzt wahrhaft schwindelerregende Reparationszahlungen gehörten. (RS 178f.)

Sebald berichtet dann, was nach der Betrachtung der bisherigen Beispiele nicht mehr überrascht, ausführlich von den diversen Zerstörungen, die im Zuge dieser Kolonisierungsversuche angerichtet wurden, sei es nun über die schaurigen Einzelheiten der Exekution eines Missionspriesters (RS 180) oder über die sinnlose Verwüstung des „nahe bei Peking gelegenen, mit einer Unzahl von Palästen, Pavillons, Wandelgängen, Tempeln und Turmbauten bestückten Zaubergarten[s] Yuan Ming Yuan" (RS 182). Der im Zuge der Kolonialisierungsversuche sich ereignenden Zerstörung von Land und der massenhaften Vernichtung von Menschenleben gestaltet Sebald ein biographisches Äquivalent durch das gleichzeitige Leiden des dekadenten Kaisers Hsien-feng, der im Exil „dem Ende seines kurzen, von Ausschweifungen zerstörten Lebens" (RS 184) entgegendämmert:

> „Mit flackerndem Bewußtsein erlebte Hsien-feng die Invasion der Provinzen
> seines Reiches durch fremde Mächte auf exemplarische Weise an den eigenen
> absterbenden Gliedern und in den von giftigen Stoffen überfluteten Organen.
> Er selber war nun die Walstatt, auf der sich der Niedergang Chinas vollzog
> [...]." (RS 184f.)

Die Passagen über die zerstörerischen Kolonialaktionen in China wirken im Gegensatz zu anderen, schon skizzierten Passagen der Geschichtserzählung wie aus einem Guß, denn sie sind nicht von dem für Sebald typischen Ineinander von Eigen- und Fremdtext geprägt. Dennoch erscheint der Text nicht ganz durchgehend als fiktionalisierte Geschichtserzählung, sondern ist stellenweise von Prätextangaben durchsetzt. So verweist Sebald auf „Berichte von dem, was an jenen Oktobertagen sich zugetragen hat" (RS 182), auf Aufzeichnungen eines Baptistenpredigers namens Timothy Richard[297] (RS 189) und eines Pionierhauptmannes namens Charles George Gordon,[298] der auch die Zerstörung des Gartens Yuan Ming Yuan miterlebt haben soll. Die Durchsetzung des Textes mit derartigen Prätextverweisen läßt das Erzählte zwar als ein Produkt aus Angelesenem und Imaginiertem erscheinen, aber die Nahtstellen zwischen Zitiertem und eigenem werden aus dem Text nicht erkennbar. Von den bisher aufgeführten Beispielen unterscheidet sich die Prätextverwendung hier insofern, als die Prätexte auf eine Quellenfunktion reduziert werden. Das bedeutet: der Verfasser des jeweiligen Prätextes wird entweder überhaupt nicht oder nicht so stark wie in anderen Fällen (etwa dem Fall Altdorfers) als Subjekt präsent. Der Prätext erscheint stärker vom Erzähler angeeignet, der das Angelesene als eigene Erzählung wiedergibt und in dieser aufgehen läßt.

Ein weiteres Beispiel, das für die Verknüpfung von Geschichtserzählung und Intertextualität hochsignifikant ist, möchte ich im folgenden der Vollständigkeit halber erwähnen, jedoch an dieser Stelle nicht ausführlich beschreiben, da es im Kapitel

---

[297] Timothy Richard: *45 Years in China* (1916). Siehe dazu auch Marcel Atze: W.G. Sebald – ein Bibliophile? (1997), S. 236.

[298] Charles George Gordon: *The Journal of Major-Gen. C.G. Gordon* (1885). Siehe dazu auch Marcel Atze: W.G. Sebald — ein Bibliophile? (1997), S. 236.

C.II.4. Gegenstand eingehender Analyse und Interpretation sein wird. Der Prätextbezug hat sich in diesem Beispiel als so vielschichtig und fundamental für die Geschichtsdarstellung Sebalds erwiesen, daß seine Interpretation den Rahmen dieses Kapitels, das den Charakter einer Überblicksdarstellung hat, sprengen würde. In *Die Ringe des Saturn* thematisiert Sebald die sogenannte Schlacht von Sole Bay, die am 28. Mai 1672 zwischen den Armeen Englands und der Niederlande vor der Küste Suffolks ausgefochten wurde. Sebald gestaltet diese Textstelle, davon war bereits kurz die Rede, unter Bezugnahme auf ein Schlachtengemälde Willem van de Velde des Jüngeren (1633-1707). Das Gemälde wird dabei sowohl textlich als auch bildlich vom Erzähler evoziert und erscheint durch die gemeinsame Nennung mit anderen Seeschlachtenmalern der Zeit gleichzeitig als Vertreter eines ganzen Genres der Malerei, das bezüglich seiner Geschichtsdarstellung zum Gegenstand der Kritik des Ich-Erzählers wird.

Ebenfalls in *Die Ringe des Saturn* erzählt Sebald von der Erschießung des österreichischen Erzherzogs Franz Ferdinand in Sarajevo durch Gavrilo Princip, ein Geschehen, das bekanntermaßen zum Ausbruch des Ersten Weltkriegs führte. Wie bereits in Teil B festgestellt, werden diese Ereignisse unter Zuhilfenahme eines vom Erzähler als Zufallsfund inszenierten Folianten dargestellt, der eine „photographische Geschichte des Ersten Weltkriegs" enthält (RS 120). Dabei wird nicht nur das Bildmaterial des Folianten sowohl in Text- als auch in Bildform Gegenstand der Erzählung, sondern dieser erhält gleichzeitig eine starke physische Präsenz im Text durch die Beschreibung seines äußeren Erscheinungsbildes. Die Schwerpunktsetzung in dieser Kriegsdarstellung ist die nun bereits bekannte: „gezeigt ist jede nur erdenkliche Form des gewaltsamen Todes" (RS 120).

Schließlich sei noch ein letztes Beispiel analysiert, das in *Die Ringe des Saturn* die Verknüpfung von Geschichte bzw. Krieg und Intertextualität auf eine sehr spezielle und intensive Art und Weise aktualisiert. Die Passage, um die es hier gehen soll, erstreckt sich über beinahe das ganze Schlußkapitel von *Die Ringe des Saturn*. Sebald erzählt in diesem Kapitel, wie der Seidenbau nach Europa kam und wie er sich dort entwickelte, beginnend mit dem Bericht über zwei persische Mönche, die, nachdem sie sich „zur Ergründung der Geheimnisse des Seidenbaus lange in China sich aufgehalten hatten, die ersten Eier der Seidenraupe glücklich über die Reichsgrenzen und in den westlichen Weltteil brachten" (RS 340).

Diese im folgenden entwickelte Chronik des Seidenbaus, die sich am Ende als eine Unglückschronik herausstellen wird, ist als Intertextualitätshandlung angelegt, d.h. Sebald erzählt sie anhand von Prätexten. Von diesen Prätexten lassen sich die meisten auf der Potenzierungsstufe der Markierungsdeutlichkeit ansiedeln, denn sie werden durch bibliographische Angaben genau identifiziert, und einige erscheinen auch zu Beleg- und Illustrationszwecken in bildlicher Wiedergabe. Es handelt sich in diesem Fall jedoch, und hier unterscheidet sich dieses Beispiel von den meisten bisher genannten, nicht um Prätexte aus dem künstlerischen oder literarischen Bereich, und die Prätexte werden auch nicht unter literarischen Gesichtspunkten gelesen. Vielmehr werden sie vom Erzähler herangezogen und zitiert, so wie ein Geistes- oder auch Geschichtswissenschaftler seine Quellen- und Belegstellen für seine Argumentation heranzieht.[299]

Diese Intertextualitätshandlung entwickelt sich im einzelnen wie folgt: Zunächst schreibt der Erzähler anhand eines „Conversationslexikons aus dem Jahr 1844" (RS 342) generell über die Lebensgewohnheiten des auf Maulbeerbäumen lebenden Schmetterlings *Bombyx mori*. Er beschreibt, wie sich die Tiere im Laufe von sechs bis sieben Wochen mehrmals häuten, verpuppen, um dann als nächste Schmetterlingsgeneration auszuschlüpfen. Anschließend wird berichtet von den Anfängen der Seidenzucht in China, wo die Pflege der Seidenraupen und die Verarbeitung des gewonnenen Seidenfadens zur „vornehmlichen Beschäftigung aller Kaiserinnen wurde und aus deren Händen überging in die Hände des gesamten weiblichen Geschlechts" (RS 343). Nachdem nun die zu Beginn der Passage erwähnten Mönche durch ihren Seidenraupenschmuggel diese „kunstreiche Form der Menagerie" (RS 344) nach Europa gebracht hatten, dauerte es, so der Erzähler, weitere tausend Jahre, ehe sie über Byzanz und Oberitalien nach Frankreich kam, um sich von dort auch über die Nachbarländer zu verbreiten. Die Erzählung fährt fort mit Zitaten aus dem landwirtschaftlichen Leitfaden eines französischen Politikers namens Olivier de Serres, „veröffentlicht im Jahre 1600 unter dem Titel *Théâtre d'agriculture et mesnage de Champs*" (RS 344).[300] In diesem Leitfaden versucht de Serres bei seinem König die Einführung des Seidenbaus in Frankreich durchzusetzen. Er hat jedoch einen anderen Berater des Königs, den Herzog von Sully, gegen sich, der alle möglichen Gründe gegen den Seidenbau anführt „im sechzehnten Buch seiner Memoiren, die, seit ich von diesem Werk [...] eine schöne, 1788 bei F.J. Desoer in Lüttich, à la Croix d'or gedruckte Ausgabe für ein paar Schillinge erstanden habe, zu meiner liebsten Lektüre gehören" (RS 346).[301] Sebald zitiert diese Schrift und die Argumentation Sullys in einer langen und ausführlichen Paraphrase in indirekter Rede.[302]

Im Anschluß an diese Paraphrase befaßt sich der Sebald-Text mit der Ausbreitung des Seidenbaus in England und mit dem Aufstieg der Seidenweber von Norwich „zur wohlhabendsten, einflußreichsten und kultiviertesten Unternehmerklasse im ganzen Königreich" (RS 349). Wurde bisher der Seidenbau trotz der ausführlichen Darstellung des „Raisonnements" (RS 348) des Herzogs von Sully in den jeweiligen Staaten insgesamt als eine kulturelle Errungenschaft gezeigt, bekommt die Erzählung, als sie von den Seidenwebern in Norwich handelt, doch eine neue Richtung: Sebald stellt die beginnende menschliche Ausbeutung des Industriezeitalters in den Vordergrund, wenn er die Arbeiter der Seidenwebereien beschreibt, die dort „bereits in der Zeit vor der Industrialisierung mit ihren armen Körpern fast ein Leben lang eingeschirrt gewesen sind in die aus hölzernen Rahmen und Leisten zu-

---

[299] Thomas Kastura: Geheimnisvolle Fähigkeit zur Transmigration (1996), S. 213.

[300] Olivier de Serres: Théâtre d'agriculture et mesnage de champs (1600).

[301] Die korrekte bibliographische Angabe lautet: Mémoires De Maximilien de Béthune, Duc de Sully, Principal Ministre De Henri le Grand. Liège: Desoer 1788.

[302] In der Tat besteht der Schlußteil des 16. Buches der Memoiren des Duc de Sully in einer Kritik des Vorhabens, den Seidenbau in Frankreich zu etablieren.

sammengesetzten [...] und an Foltergestelle oder Käfige erinnernden Webstühle in einer eigenartigen Symbiose [...]" (RS 350).

Von England aus wendet der Erzähler seinen Blick anschließend nach Deutschland: „Selbstredend wurden auch im damaligen, eher rückständigen Deutschland, wo man in manchen Residenzstädten am Abend noch die Schweine über den Schloßplatz trieb, die größten Anstrengungen zum Emporbringen des Seidenbaus unternommen" (RS 354). In diesem Deutschland des 18. Jahrhunderts wurde jedoch nicht nur einfach die Einführung des Seidenbaus als Hobby oder Nebentätigkeit der Bürger versucht, sondern gar die Etablierung einer „staatlichen Seidenkultur" (RS 354) angestrebt. Sebald beschreibt im folgenden, wie die Staatsorgane die Seidenzucht im Laufe der Zeit immer fester in die Hand nehmen und instrumentalisieren, die Bürger z.B. zur Pflanzung von Maulbeerbäumen verpflichten oder drastische Geld- und Leibesstrafen auf Seidenfrevel verhängen. Sebald zitiert hierzu Aktenstücke, die durch linguistische Codewechsel deutlich vom Erzähltext abgesetzt und somit als Zitat auf der Vollstufe der Markierungsdeutlichkeit identifizierbar sind: „jeder Bürger mußte zwei, jeder Beysaß einen, jeder neue, mit Schild-, Back,- oder Feuergerechtigkeit versehene Unterthan einen, alle Kameral-, Zeit- und Erbbeständer eine bestimmte Anzahl Bäume pflanzen [...]" (RS 356). In diesem Zusammenhang wird schließlich auch das *Lehrbuch des Seidenbaues für Deutschland* von Staatsrat Joseph von Hazzi[303] zitiert, der 1826 betont „die Serikultur unter tunlicher Vermeidung bisheriger Mißgriffe und Fehler, als einen wichtigen Zweig der allmählich nun aufstrebenden Nationalkultur zu befürworten" (RS 358). Diese Überführung des Seidenbaus in den Status einer nationalen Angelegenheit im Deutschland des 19. Jahrhunderts soll nach Joseph von Hazzi gar zu einer „moralischen Umwandlung der Nation" (RS 360) führen.

Ihren Höhe- und Endpunkt erreicht Sebalds Darstellung der Geschichte des Seidenanbaus in Europa schließlich mit der Beschreibung seiner Entwicklung unter der nationalsozialistischen Herrschaft:

> Die Vision des Staatsrathes von Hazzi von einer durch die Seidenkultur vereinigten, zu höheren Zwecken sich fortbildenden Nation fand zwar seinerzeit [...] keinen Anklang, wurde aber, nach hundertjähriger Remission, mit der den deutschen Faschisten in allem, was sie verfolgten, eigenen Gründlichkeit wieder aufgegriffen. (RS 361)

Die Einbettung des Seidenbaus in die totalitären Utopien der Nationalsozialisten geschieht im Sebald-Text anhand eines Beihefts zu einem Unterrichtsfilm zum Seidenbau aus dem Jahr 1939, auf das der Erzähler, so gibt er an, in der Kreisbildstelle Sonthofen gestoßen ist und dessen Existenz wiederum durch die Einmontage einer

---

[303] Wie Atze feststellt, lautet der richtige, vollständige Titel des Werkes Joseph von Hazzis: *Lehrbuch des Seidenbaues für Deutschland und besonders für Bayern oder vollständiger Unterricht über die Pflanzung und Pflege der Maulbeerbäume, dann Behandlung der Seidenwürmer, sohin über die ganze Seidenzucht.* (Marcel Atze: W.G. Sebald – ein Bibliophile? (1997), S. 238.)

Abbildung des Titelblattes belegt wird.[304] Außerdem zitiert Sebald im Zuge seiner Darstellung den Inhalt dieses Beiheftes.

> Die Bedeutung des Seidenbaus für Deutschland, heißt es in den Ausführungen Professor Langes, des Verfassers des Beihefts F 213/1939, bestehe nicht allein darin, daß die den Devisenmarkt unnötig belastenden Auslandskäufe eingestellt werden müßten, sondern auch in der wichtigen Rolle, welche der Seide im Rahmen der fortschreitenden Aufrichtung einer unabhängigen Wehrwirtschaft zukomme. (RS 363)

Außerdem spricht der zitierte Text des Beihefts über den Umgang mit den Seidenraupen in einer Weise, die als Spiel mit dem sogenannten „kommunikativen Gedächtnis" im Sinne Jan Assmanns,[305] an dem der Rezipient teilhat, bezeichnet werden kann, denn: er verwendet Formulierungen, die auf die Rassentheorie der Nationalsozialisten anspielen und die vom Rezipienten problemlos mit dem Sprechen bzw. dem Diskurs über die Judenvernichtung und das diesbezügliche Vorgehen in den Konzentrationslagern in Zusammenhang gebracht werden dürften:

> Schließlich sei ja die Seidenraupe, so fügt Professor Lange noch an, über ihren offenkundigen Nutzwert hinaus auch ein nahezu idealer Gegenstand für den

---

[304] Bei Recherchen im Schulmedienzentrum Oberallgäu (in das die Kreisbildstelle Sonthofen jetzt eingegliedert ist) hat sich ergeben, daß der von Sebald beschriebene Film über den Seidenbau F 213/1939 der Reichsanstalt für Film und Bild zwar noch existiert, nicht aber das von Sebald beschriebene und abgebildete Beiheft. Statt dessen ist dem Film ein Informationsblatt, ebenfalls von besagtem Prof. Lange verfaßt, beigegeben, das inhaltlich den Ausführungen Sebalds nahe kommt: „Seide ist für die moderne Gegenwart ein Rohstoff, der dank seiner einzigartigen physikalischen Eigenschaften (Festigkeit, Elastizität, schlechter Leiter von Wärme und Elektrizität, Gewicht) für manche Zweige der Technik, insbesondere für eine Reihe wehrtechnischer Einrichtungen, unentbehrlich und unersetzbar ist. Da wir Seide im eigenen Lande erzeugen können, war die Schaffung einer einheitlichen und umfassenden Organisation und die Aufstellung eines Seidenbauprogramms gleich nach der Machtübernahme der erste entscheidende Schritt zur Einleitung einer neuen Aufbauperiode in Deutschland. Die Wichtigkeit des Seidenbaus für unsere Wehrwirtschaft ist auch der Grund, aus welchem der Herr Reichserziehungsminister in zwei Erlassen aus den Jahren 1936 und 1939 die Schulen zur Mitarbeit aufrief und sie aufforderte, Seidenbau zu treiben. Es soll dabei in erster Linie das Interesse unserer Jugend für den Seidenbau geweckt werden, um so über die Schülerschaft zur Entstehung einer leistungsfähigen und bodenständigen Seidenwirtschaft beizutragen. In unseren Filmen sehen wir in zwei Rollen alle wichtigen Vorgänge bei der Zucht des Seidenspinners. [...] In dem Film F 213 'Deutscher Seidenbau II – Aufzucht der Raupen, Verarbeitung des Trockenkokons' sehen wir zunächst die Aufzucht der Raupen beim Seidenbauer. In klaren, eindrücklichen Bildern verfolgen wir die Arbeit des Seidenbauers von der Ankunft der Bruteier bis zum Versand der wertvollen Kokons. Hierbei haben wir die Gelegenheit, den Vorgang des Einspinnens der Raupen in allen Einzelheiten zu beobachten."
[305] Jan Assmann hat den Begriff des kommunikativen Gedächtnisses für jene Spielart des kollektiven Gedächtnisses eingeführt, die die Kommunikation im Alltag der Menschen bestimmt und speichert: „Jedes individuelle Gedächtnis konstituiert sich in der Kommunikation mit anderen. Diese anderen sind aber keine beliebige Menge, sondern Gruppen, die ein Bild oder einen Begriff von sich selbst, d. h. ihrer Einheit und Eigenart haben und dies auf ein Bewußtsein gemeinsamer Vergangenheit stützen. [...] Jeder Einzelne hat daher an einer Vielzahl kollektiver Selbstbilder und Gedächtnisse teil." (Jan Assmann: Kollektives Gedächtnis und kulturelle Identität (1988), S. 10f.)

96

Unterricht. In beliebiger Menge praktisch unkostenfrei erhältlich [...] sei die Seidenraupe in jeder Entwicklungsstufe zu den verschiedensten Versuchsanordnungen [...] verwertbar. Bau und Besonderheiten des Insektenkörpers seien an ihr aufzuzeigen, desgleichen Domestikationserscheinungen, Verlustmutationen sowie die in der menschlichen Zuchtarbeit notwendigen Grundmaßnahmen der Leistungskontrolle, Auslese und Ausmerzung zur Vermeidung rassischer Entartung. (RS 363f.)

Das, was Jahrhunderte zuvor als spielerische, vom Odium poetischen Zaubers umgebene Beschäftigung der chinesischen Kaiserinnen begonnen hat, wird also am Ende der von Sebald vorgeführten Entwicklung zum industriell organisierten, entseelten „Tötungsgeschäft" (RS 364). Dieses Tötungsgeschäft vernichtet in der vorliegenden Erzählung zwar die Seidenraupen, doch die Opfer der Judenvernichtung sind durch derartige Formulierungen, wie sie Sebald verwendet und zitiert, gleichsam indirekt mitgemeint. Dieses Spiel mit dem kommunikativen Gedächtnis der Rezipienten kann durchaus auch als eine Variante von Intertextualität gelesen werden, einer Intertextualität, die als allgemein vorhandenes kulturelles und universell vorhandenes Wissen definiert ist wie etwa in den poststrukturalistisch geprägten Schriften Julia Kristevas.[306]

Es geht in der eben beschriebenen Textpassage einmal mehr um die Darstellung von Zerstörung. Doch in diesem Falle ist der Zielpunkt der Gestaltung eine Vernichtung der besonders schweren, wenn nicht inkommensurablen Art,[307] denn es geht um den Holocaust. Der Holocaust wird poetisch hergeleitet aus der intertextuell erzähl-

---

[306] Kristeva teilt als Vertreterin der poststrukturalistischen Intertextualitätstheorie zwar nicht den Subjektbegriff Assmanns, wenn sie den Begriff der Intersubjektivität als Intertextualität deutet (Julia Kristeva: Bachtin, das Wort, der Dialog und der Roman (1972), S. 348), dennoch ergibt sich eine Schnittmenge mit dem Raum des von Assmann postulierten kommunikativen bzw. kollektiven Gedächtnisses, denn ihr Begriff des Intertextes besteht auch darin, daß er den „gesamten Bestand soziokulturellen Wissens" meint, „an dem jeder Text partizipiert, auf den jeder Text verweist, aus dem jeder Text entsteht und in dem sich jeder Text auch wieder auflöst." (Susanne Holthuis: Intertextualität (1993), S. 15.)

[307] Die Undarstellbarkeit bzw. Unerzählbarkeit des Holocaust ist längst zu einem Topos geworden. Eine Gesamtdarstellung der Diskussionen über die Undarstellbarkeit bzw. Darstellbarkeit des Holocaust fehlt zwar nach wie vor, Ansätze hierzu liefern jedoch beispielsweise Aleida Assmann/Ute Frevert: Geschichtsvergessenheit – Geschichtsversessenheit (1999), Petra Bock/Edgar Wolfrum (Hg.): Umkämpfte Vergangenheit (1999) oder Peter Reichels: Untersuchung Vergangenheitsbewältigung in Deutschland (2001). Betrachtet man die Entwicklungen in der Holocaustdarstellung in der Kunst und Architektur genauer, so finden Manuel Köppen und Klaus R. Scherpe, im Anschluß an den gedanklichen Entwurf Jean-Francois Lyotards, der forderte, daß nach Auschwitz nach neuen Regeln der Verknüpfbarkeit der Sprache und der Zeichen gesucht werden müsse, eine gemeinsame Strategie wieder, die sich beispielsweise an der Architektur des Jüdischen Museums in Berlin beobachten läßt: „Den verschiedenen Darstellungsversuchen gemeinsam ist eine kulturelle Strategie, die gegen das Vergessen und die mit Auschwitz erzwungene Erfahrungslosigkeit [der nachgeborenen Generation, Anm. d. Verf.] auf eine emotionale Rückkopplung, auf anschlußfähige Tätigkeiten und Erlebnisse setzt." (Manuel Köppen/Klaus R. Scherpe (Hg.): Bilder des Holocaust (1997), S.7). Außerdem stellt James E. Young in diesem Zusammenhang fest, daß der Gedenk-Raum zwischen Denkmal und Betrachter inzwischen oft wichtiger sei als das monumentale Denkmal selbst. (James E. Young: Die Texte der Erinnerung (1992), S. 213-232).

ten Geschichte des Seidenbaus. Ein derartiges Schreiben über den Holocaust ist als Experiment des Autors Sebald zu werten, der nach eigenem Bekunden intensiv nach Möglichkeiten der Darstellung absoluten Grauens sucht.[308] In dem vorliegenden Experiment entwickelt der Autor durch den Rückgriff auf die Prätexte eine Art und Weise des Schreibens über den Holocaust, die als essayistische Betrachtung einer Sache, der Seide, inszeniert ist und die auf fiktionale Narration verzichtet. Durch die Prätextbezüge suggeriert der Text eine Atmosphäre wissenschaftlicher Sachlichkeit: Die Quellen vermitteln Transparenz, indem Sebald die Texte bibliographisch penibel nachweist und seine Geschichtserzählung dadurch argumentativ stützt. Durch die linguistischen Codewechsel bleiben dabei die Grenzen zwischen Eigen- und Fremdtext in den meisten Fällen deutlich erkennbar. Die Verwendung von Prätexten ist im Kapitel X von *Die Ringe des Saturn* im Vergleich zum Rest des Buches insgesamt verdichtet. Vor allem zum Ende der Passage hin verstärkt Sebald zudem sein Spiel mit Elementen und Bruchstücken eines kollektiven Gedächtnisraumes.

Sebald inszeniert und interpretiert den Holocaust in seinem Kapitel von der Geschichte des Seidenbaus als apokalyptischen End- und Höhepunkt einer Entwicklung. Eine Wurzel dieser Entwicklung ist nach Sebald der Nationalismus, der mittels der Geschichte des Seidenbaus in seiner europäischen Breite gezeigt wird. Für den deutschen Sonderweg macht Sebald den besonders rigiden Nationalismus des deutschen Kaiserreiches verantwortlich,[309] aber auch die gleichzeitig fortschreitende Industrialisierung, die Menschen zunehmend als Material bei der Güterproduktion verbraucht. Die Prätexte repräsentieren dabei verschiedene Entwicklungsstufen und Epochen auf dem Weg zum Holocaust. Insgesamt läßt sich aus der beschriebenen Textpassage jedoch eine Deutung bzw. Sichtweise extrapolieren, die nicht unproblematisch ist, weil sie Eigenschaften wie Gründlichkeit oder die Tendenz zur Verstaatlichung und Indienstname aller Angelegenheiten zwecks Propagierung nationalistischer Ideen als typisch deutsche Eigenschaft darstellt. Daß der Autor Sebald einen solchermaßen gearteten Nationalcharakter für durchaus existent hält, geht z.B.

---

[308] Beispielsweise äußerte Sebald hierzu: „Die Reproduktion des Grauens oder besser: die Rekreation des Grauens, ob mit Bildern oder mit Buchstaben, ist etwas, das im Prinzip problematisch ist. Ein Massengrab läßt sich nicht beschreiben. Das heißt, man muß andere Wege finden, die tangentieller sind, die den Weg über die Erinnerung gehen, über das Archäologisieren, über das Archivieren [...]." (Volker Hage: Gespräch mit W.G. Sebald (2003), S. 38.) Im Interview mit Sven Siedenberg sagte der Autor Ähnliches: „Es ist ein Grundproblem des Schreibens, wie man das Grauen übersetzt in Worte, das ist für Autoren in diesem 20. Jahrhundert in weit höherem Maße ein Problem geworden, als es ja in der Vorzeit war." Auch der folgende Satz liefert einen Grund dafür, warum Sebald über den Holocaust durch die Geschichte des Seidenbaus erzählt: „Das ist mein schriftstellerischer Ehrgeiz: die schweren Dinge so zu schreiben, daß sie ihr Gewicht verlieren. Ich glaube, daß nur durch Leichtigkeit Dinge vermittelbar sind und daß alles, was dieses Bleigewicht hat, auch den Leser in einer Form belastet, die ihn blind macht. Wir deutschen Autoren haben kein besonders ausgeprägtes Talent für diese gemischten Gefühle, die die Literatur am Leben erhalten." (Sven Siedenberg: Anatomie der Schwermut (1997), S. 146.)

[309] Auch die Geschichtswissenschaft hat entsprechende Theorien entwickelt, die eine direkte, folgerichtige Linie in der Entwicklung vom deutschen Kaiserreich zum Hitler-Regime sehen. Als Beispiel sei hier genannt Sebastian Haffner: Von Bismarck zu Hitler (1987).

auch deutlich aus Interviews hervor, in denen von der Bewältigung deutscher Vergangenheit die Rede ist:

> Die Vergangenheitsbewältigung geschieht hier sehr professionell [...]. Da gibt es zum Beispiel in Hannover so Sachen wie eine antifaschistische Stadtrundfahrt, all diese wunderbaren Sachen, die wirklich aus gutem Willen entstehen, aber doch etwas sehr Deutsches haben. [...] Natürlich haben auch die Spanier ihre Faschismusgeschichte und die Franzosen und die Italiener natürlich auch. Aber Deutschland war das einzige Land, wo es keinen Widerstand im wahren Sinne des Wortes gegeben hat. In der Literatur finden sich Formen der Auseinandersetzung mit der Vergangenheit, die gut gemeint sind, aber furchtbar daneben treffen.[310]

Zusammenfassend lassen sich anhand der Beispiele für die Verknüpfung der Textbeziehungen mit der Geschichtsthematik folgende Paradigmen feststellen:

Der Erzähler bzw. der lyrische Sprecher ist erstens niemals selbst Zeuge eines kriegerischen Ereignisses, sondern die Kriege und Schlachten werden fast ausnahmslos über Prätextbezüge vermittelt, und ihre Erscheinungsdichte verstärkt sich exponentiell in *Die Ringe des Saturn*. Zweitens teilen diese historischen Ereignisse in ihrer Erscheinungsweise folgende Merkmale: es handelt sich bei ihnen nicht um belanglose Scharmützel, sondern meist um entscheidende Schlachten der Weltgeschichte von der Antike (wie im Falle der Alexanderschlacht) über das frühe Mittelalter (im Falle der Schlacht auf dem Lechfeld), die frühe Neuzeit (im Falle der Bauernkriege und der Schlacht bei Sole Bay), des Ersten Weltkriegs (im Falle des Folianten aus dem sailor's reading room) sowie auch und vor allem des Zweiten Weltkriegs (bei Luftkrieg und Holocaust). Fokussiert werden bei der Beschreibung und Darstellung der Schlachten nicht ihre chronologische Abfolge, ihr politischer Stellenwert oder andere Facetten, die möglicherweise in der historischen Geschichtsschreibung im Mittelpunkt der Darstellung stünden, sondern fokussiert wird die Zerstörung, vor allem die Zerstörung von Leben. Man könnte von Zerstörungsstudien sprechen, die Sebald in den verschiedenen Epochen anstellt und die er in seinen Texten nebeneinanderlegt, um die Vernichtung und das Leiden als hervorstechende Konstante der Geschichte zu etablieren. Die Prätexte, auf die er sich dabei bezieht, entstammen fast sämtlichen Bereichen der in Kapitel B.I. erstellten Typologie, so z.B. aus dem Bereich der Autobiographie, aus Wissenschaft und Politik oder aus der Lexikographie und der Malerei.

Diese intertextuellen, im Sebaldtext nebeneinandergelegten Zerstörungsstudien in der Geschichte werden häufig als Funde inszeniert, die der Erzähler auf den Wegen seiner Reiseerzählungen oder aber in seinem Leben als Leser gemacht hat. Außerdem erscheinen sie in der vorliegenden Form als Zusammenschau von Geschichtsbruchstücken, die aus der Gesamtheit der Historie herausgebrochen sind. Durch diese Eigenarten enthält seine Zusammenschau den Charakter einer Sammlung. Und nicht nur die Zerstörungsstudien selbst sind Fundstücke eines Sammlers, sondern oft erscheinen auch die Prätexte, aus denen die einzelnen Studien gemacht

---

[310] Marco Poltronieri: Wie kriegen die Deutschen das auf die Reihe? (1997), S. 141f.

sind, als solche, handelt es sich bei den Prätexten in vielen Fällen doch nicht um kanonischen Texte, sondern um abseitige, abgelegene wie etwa den Folianten im sailor's reading room oder die autobiographischen Schriften, derer sich Sebald bei der Darstellung des Taiping-Aufstandes und der Geschichte des Seidenbaus bedient. Geschichtsschreibung ist im Falle Sebalds also gleichzusetzen mit der Tätigkeit des Sammelns und einer Anordnung der gesammelten Gegenstände mit dem Ziel, Zerstörung in der Geschichte darzustellen. Vor dem Aufklärungswert solcher Fundstükke, schreibt Sebald in *Luftkrieg und Literatur,* verblasse jede Fiktion.[311] Dies erinnert wiederum an das in Kapitel B.IV. festgestellte zentrale Verfahren der Bricolage im Sinne Lévi-Strauss', das Sebald als das seinige benannt hat und das für ihn einen Weg bedeutet, sich möglichst weit der Wirklichkeit anzunähern, in diesem Falle also einer Wirklichkeit der Geschichte.

Diese Auffassung von der Geschichtsschreibung und der Geschichtserinnerung als Sammeltätigkeit ist vergleichbar mit der Geschichtsphilosophie Walter Benjamins, die gleichfalls eine Philosophie des Sammelns ist.[312] Bei Benjamin wird der melancholische Sammler, der sich nach dem Unbedeutenden bückt, um es aufzuheben und zu bewahren,[313] zum Schöpfer eines kulturellen Erinnerungs- und Gedächtnisraumes, der anhand der gesammelten Gegenstände „die Tiefe der Geschichte jenseits der politischen Staatsaktionen auszuloten sucht und das unbedeutende Detail in den Vordergrund der Betrachtung rückt."[314] Auch Sebald ist solch ein melancholischer (Text-) Sammler, wenn er davon spricht, daß er eine „am liebsten das Wertlose bewahrende Hand" (RS 230) sein eigen nennt. Anders als Benjamin nutzt er seine Sammelobjekte jedoch, um mit ihrer Hilfe jene politischen Staatsaktionen, jene historischen Ereignisse zu schildern, von denen Benjamin sich abwendet. Die Perspektive des Historikers nimmt er dabei dennoch nicht ein, sondern er beschreibt aus der Sicht des zutiefst melancholischen Beobachters und Auffinders von Vergangenheit.

Der Aspekt des Sammelns impliziert zudem einen Akt der Vergegenwärtigung von Vergangenem, da die Sammlung „zu einem Ort wird, an dem sich Nähe und Ferne schwellenartig miteinander verschränken, so daß der nahe Gegenstand der Sammlung ein fernes Moment – die Vergangenheit des zur Disposition stehenden Gegenstandes [...] in den Bereich der Nähe hinüberzieht,"[315] denn „die wahre Methode, die Dinge sich gegenwärtig zu machen", heißt es in Benjamins *Passagen-Werk*, ist, „sie in unserem Raum, nicht uns in ihrem vorzustellen."[316]

---

[311] W.G. Sebald: Luftkrieg und Literatur (1999), S. 72f.

[312] Christian J. Emden: Stückwerk (1999), S. 70.

[313] Siehe dazu auch Hubertus Tellenbach: Melancholie (1983), S. 167. Tellenbach nennt als typisches Kennzeichen des Melancholikers seine „Maßlosigkeit in der Bewertung des Kleinen."

[314] Christian J. Emden: Stückwerk (1999), S. 70: Benjamins Konzeption einer solchen Erinnerungsarbeit erscheint wiederum von Prousts *mémoire involontaire*, Bretons *hasard objectif* und Valérys Definition des Zufalls als *dehors de notre attente* geprägt. Benjamin selbst schreibt hierzu: „Und gewiß ist's nützlich, bei Grabungen nach Plänen vorzugehen. Doch ebenso unerläßlich ist der behutsame, tastende Spatenstich ins dunkle Erdreich." (Walter Benjamin: Gesammelte Schriften IV (1991), S. 400.)

[315] Christian J. Emden: Stückwerk (1999), S. 84.

[316] Walter Benjamin: Gesammelte Schriften V (1991), S. 273.

Als letztes Ergebnis ist schließlich festzuhalten: Da der Erzähler die aufgeführten Prätexte in der Regel als Produkt der Geisteshaltung ihrer Autoren betrachtet, referiert er in seiner intertextuellen Arbeit gleichzeitig subjektive Äußerungen und Blickwinkel auf die behandelten Gegenstände, in diesem Fall auf Kriege und Schlachten. Solche subjektiven Ansichten enthalten notwendigerweise immer nur Teilaspekte und spezielle Deutungen eines Ereignisses. Diese Verwendung von textuell manifestierten Äußerungen von Individuen unterschiedlichster Epochen mit unterschiedlichen Aussageintentionen (z.B. in künstlerischen oder wissenschaftlichen Prätexten) läßt Sebalds Text zunächst als eine vielstimmige und variantenreiche Geschichtserzählung erscheinen. Bei genauer Betrachtung zeigt sich jedoch ihre starke Steuerung durch den Erzähler, denn die Stimmen, die durch das Fremdmaterial repräsentiert sind, ordnet dieser Erzähler in seiner Geschichtsdarstellung mit drei unterschiedlichen Zielrichtungen an, die alle auf die schlußendliche Erkenntnis der Allgegenwart von Zerstörung und Leid in der Geschichte hin gearbeitet sind: Im ersten Fall folgt der Erzähler bzw. der Sprecher wie im Falle Altdorfers der subjektiven Stimme des Prätextes affirmierend, zustimmend oder sogar bewundernd. Im zweiten Fall reibt er sich an der Darstellung des Prätextes und kritisiert die Geschichtsauffassung, die er aus den Prätexten herausliest. Diese Haltung läßt sich etwa an der Beschreibung der Bilder Martin Hengges ablesen, ist aber im Werk Sebalds beinahe ein Einzelfall. Zum dritten ordnet Sebald, wie im Falle der Holocaustdarstellung von *Die Ringe des Saturn* gezeigt, Prätexte aus thematisch anderen Zusammenhängen sowohl als textuelle als auch als bildliche Argumente an, wobei der affirmierende oder ablehnende Erzählton der ersten beiden Varianten stark abgeschwächt erscheint und durch die langen Zitatstrecken ein wissenschaftlichsachlicher Duktus entsteht.

Die Polyphonie der Sebaldschen Geschichtserzählung ist also keine vollkommen dialogische etwa im Sinne Bachtins, der vor den sozialhistorischen Gegebenheiten seiner Zeit den polyphonen Roman als „Mikrokosmos der Redevielfalt" forderte, der die „sozioideologischen Stimmen" einer Epoche in sich vereinen müsse.[317] Es handelt sich bei Sebald vielmehr um eine Vielstimmigkeit über Epochengrenzen hinweg. Dabei läßt der Erzähler vor allem solche Stimmen zu Wort kommen, denen er bezüglich ihrer Geschichtsdeutung folgen oder die er als Argumente für die Allgegenwart der Zerstörung nutzen kann. Es handelt sich also um eine zwar auf verschiedene subjektive Sichten bezogene, gleichwohl von einem starken selektierenden Erzähler angeordnete und bewertete Vielstimmigkeit.

I.2. Intertextuell erzählte Biographien

I.2.1. Stendhal – Die Schwierigkeiten der Geschichtserinnerung

Sebald erzählt von Geschichte jedoch nicht nur über historische Ereignisse in Verbindung mit Textbeziehungen, sondern es existiert noch ein zweiter Gegenstand der

---

[317] Michail M. Bachtin: Die Ästhetik des Wortes (1979), S. 290.

Geschichtserzählung, der von Belang ist, wenn es gilt, die Intertextualität im Kontext von Sebalds Poetik und Geschichtsverstädnis zu untersuchen. Sebald erzählt von Geschichte nicht nur in der Sinnzone der politischen, sondern auch in der Sinnzone der Lebensgeschichte, der Biographie. Diese ausgedehnten Biographien waren im Teil B dieser Arbeit unter dem Aspekt der Markierungstechnik bereits Gegenstand der Betrachtung. Sie beinhalten in manchen Fällen ganze Lebensgeschichten von der Jugend bis zum Tod oder aber lediglich Teilstücke von Biographien. Oft handelt es sich bei den Biographierten um bedeutende Künstler und Schriftsteller.

In der Reihenfolge des Erscheinens der untersuchten Texte ist dabei eine Entwicklung zu beobachten: Die Bedeutung des Geschichtserlebens für die Protagonisten auf der Folie der intertextuellen Biographien verstärkt sich schrittweise. Die Lebensgeschichten des Malers Grünewald und des Naturwissenschaftlers Steller aus *Nach der Natur* beispielsweise sind wie viele andere durch die Erfahrung von Leiden an der Welt und Melancholie (im Falle Grünewalds) oder auch von Desillusionierung und Scheitern (im Falle Stellers) geprägt, wobei ihre Leiden jedoch nicht primär aus dem Leiden an der Geschichte folgen. Diese beiden Biographien sind in ihrer Anlage und dem Grund des Leidens vergleichbar mit der Figur des Dr. K in der Erzählung *Dr. K's Badereise nach Riva* aus *Schwindel.Gefühle*, in der Sebald über einen Aufenthalt Franz Kafkas im genannten oberitalienischen Badeort erzählt. Im gleichen Band jedoch findet sich auch die Erzählung *Beyle oder das merckwürdige Faktum der Liebe,* in der das Geschichtserleben zum ersten Mal eine prägende Rolle für das weitere Leben des Protagonisten spielt, auch wenn in dieser Biographie der Dichter Henri Beyle alias Stendhal vor allem bei seinen Aktivitäten als Liebender, Reisender und Schreibender gezeigt wird. Einige Biographien in *Die Ringe des Saturn* hingegen zeigen sich dann in einem noch viel stärkeren Maße vom Geschichtserleben oder auch vom Nachdenken über Geschichte getränkt: in diesem Buch erscheinen viele Figuren als Individuen, die in ihrem Wesen von der Geschichte in Mitleidenschaft gezogen sind. Die Thematisierung des Bezugs der politischen Geschichte auf das Leben des Individuums wird also im Verlauf der Werke immer intensiver.

Immer jedoch sind die Biographien, um die es im folgenden gehen soll, stark intertextuell gebaut, das heißt, Sebald bezieht sich ausgedehnt auf literarische und autobiographische Prätexte aus der Feder des jeweiligen Protagonisten,[318] der in allen Fällen eine Schriftsteller- bzw. Künstlerfigur ist. Ich möchte im folgenden nun anhand dreier höchst signifikanter Beispiele solcher intertextuell erzählten Biographien zeigen, wie Sebald mit diesem literarisch-biographischen Zugang zur Geschichte eine eigene Art der Geschichtsschreibung etabliert. Hierbei ist zunächst die genaue Betrachtung jener bereits erwähnten Erzählung über Stendhal geboten.[319]

---

[318] „Diese Steinbrüche, dieses uferlose Material zieht mich besonders an", hat Sebald die Verwendung solcher Textlandschaften begründet. (Renate Just: Stille Katastrophen (1990), S. 30.)

[319] Vor allem der Vicomte de Chateaubriand und seine *Mémoires d'outre tombe* erscheinen als thematisches Pendant zu Stendhal, zumal beide Zeitgenossen waren und Sebald ihm und seinem Text in *Die Ringe des Saturn* ähnlich viel Platz einräumt wie Stendhal in *Schwindel.Gefühle:* „Die Entwicklung der eigenen Gefühle und Gedanken [Chateaubriands, Anm. d. Verf.] geschieht vor

„Wer weiß, wie es vor Zeiten wirklich gewesen ist" (RS 108), diese Frage stellt nicht nur der Erzähler in *Die Ringe des Saturn*: Die Frage nach dem „Wie", die sich auf den Hergang eines historischer Ereignisse bezieht, ist in jedem der vier Werke wiederzufinden,[320] und auch für den Protagonisten der Beyle-Erzählung ist sie zentral: So versucht sich Beyle z.B. „zu vergegenwärtigen, wie es war, als der Truppenteil, mit dem er sich fortbewegte, in der Nähe des Dorfes und der Festung Bard unter Feuer kam" (SG 10, dazu auch SG 170). Um diese Frage nach dem „wie" und um ihre Beantwortung wird es im folgenden gehen.

Zunächst sei jedoch ein Blick auf die Art und Weise geworfen, in der Sebald Beyle alias Stendhal als seinen Zeugen, seine Überlieferungsinstanz etabliert. Dieser hat durch seine langjährigen Dienste im napoleonischen Militär an den historischen Umwälzungen seiner Zeit teilgehabt, hat Schlachten und Feldzüge miterlebt und, was das entscheidende ist, er hat sein Leben damit verbracht, diese Ereignisse wieder und wieder schreibend zu rekapitulieren und zu erinnern. Zu diesen Erlebnissen gehörte auch die Überquerung des Großen Sankt Bernhard auf dem Weg nach Italien, mit der Sebalds Erzählung beginnt. Der Erzähler begründet bereits eingangs drei zentrale Kriterien seiner Zeugenwahl: „Zu den wenigen nicht namenlos gebliebenen Teilnehmern dieser legendären Alpenüberquerung gehört Henri Beyle" (SG 8). Die einmontierten Abbildungen verstärken hier den Akt des Heraushebens Beyles aus der Masse der Namenlosen: Der Erzählung ist die Abbildung eines Gemäldes vorgeschaltet, das am Fuß eines Bergmassivs eine im Verhältnis zum Gebirge winzig wirkende Armee zeigt, die sich offenbar anschickt, den Berg zu erklimmen. Die Einführung Beyles wird mit einem Selbstporträt von Beyles eigener Hand versehen.[321] Beyle wird also erstens als Zeuge für das historische Ereignis benannt und wird als solcher zweitens zum Anwalt einer namenlosen Masse stilisiert, der sich zudem „die Strapazen jener Tage aus dem Gedächtnis heraufzuholen versucht" (SG 8). Es geht also nicht um eine Wiedergabe des Triumphes der napoleonischen Armee, sondern um die mit dieser politischen Staatsaktion verbundenen Leiden. Autointertextuelle Kunstgriffe bewirken dabei die Legitimation Beyles auch über die Grenzen der Beyle-Erzählung hinaus. So findet sich in der Erzählung *Dr. K's Badereise nach Riva* im selben Band die Figur eines alten Generals, der sich auf Stendhals Biographie bezieht und den Sebald zu Dr. K sagen läßt:

---

dem Hintergrund der großen Umwälzungen jener Jahre: Revolution, Schreckensherrschaft, Exil, Aufstieg und Fall Napoleons. [...] Farbenprächtige Schilderungen von militärischen Schauspielen und Staatsaktionen bilden im Gesamtzusammenhang der Erinnerungsarbeit sozusagen die Höhepunkte der blindlings von einem Unglück zum nächsten taumelnden Geschichte. Der Chronist, der dabeigewesen ist, schreibt sich seine Erfahrungen in einem Akt der Selbstverstümmelung auf den eigenen Leib" (RS 319). Stendhal und Chateaubriand haben sich nie persönlich kennengelernt. Stendhal jedoch hegte eine tiefe Abneigung, fast Verachtung gegen Chateaubriand und seine Literatur, zumal letzterer in Frankreich großen Erfolg als Schriftsteller erfuhr. (Robert Alter: Stendhal (1992), S. 101 und 237.)

[320] Weitere Beispielstellen finden sich etwa in *Die Ringe des Saturn* auf S. 99 und 158.
[321] Das Porträt findet sich beispielsweise bei Michael Nerlich: Stendhal (1993), S. 16.

Kleinigkeiten, die sich unserer Wahrnehmung entziehen, entscheiden alles! Bei den größten Schlachten der Weltgeschichte sei das genauso gewesen. Kleinigkeiten, die aber so schwer wiegen, wie die 50 000 toten Soldaten und Pferde von Waterloo. Es sei eben letzten Endes alles eine Frage des spezifischen Gewichts. Stendhal habe davon einen genaueren Begriff gehabt als jeder Generalstab, und er gehe nun auf seine alten Tage bei ihm in die Lehre, um nicht ganz ohne Einsicht sterben zu müssen. (SG 178f.)

Auch in *Die Ringe des Saturn* hat Stendhal kurze Auftritte, erstens in Gestalt des Fabrizio del Dongo, des jungen Helden aus Stendhals Roman *Die Kartause von Parma*, der die Schlacht von Waterloo miterlebt und dadurch eine ähnliche Bewußtseinsveränderung erfährt, wie der General sie schildert (RS 159), oder auch in der Erzählung über Joseph Conrad, der sich als „Stendhalien" empfindet (RS 151).

Es ist jedoch auch und vor allem die Sprache der Beyle-Erzählung, die in nun schon vertrauter Weise Henri Beyle als Autorität legitimiert. Sebald greift durch seine gewohnte Zitattechnik der parenthetischen Einschübe (z.B. „schreibt er", „wie er uns versichert", „so käme es ihm vor"), mit der er Zitate indirekt wiedergibt, erneut den Duktus eines Geisteswissenschaftlers auf, der Argumente als Beweise heranzieht[322] und diese offenbar für so essentiell erachtet, daß er sie im Wortlaut zitiert. Stendhal wird also nicht allein dadurch zum Bürgen, daß er einer der wenigen Zeugen überhaupt ist, sondern vor allem durch seine Sicht der Dinge auf das Erlebte und dessen literarische Formulierung.[323] Die schon festgestellten steten Wechsel von Verdunklung und Erhellung der Zitathaftigkeit[324] (sie wurden im Teil B beschrieben) bewirken eine wechselnde Distanz zwischen dem Erzähler und der zeugnisgebenden Figur: In den fiktiv anmutenden Passagen scheint der Erzähler mit der Figur Beyles zu verschmelzen, in den parenthetisch durchsetzten Stellen gewinnt er mehr Distanz zu ihr, da das Gesagte trotz geistiger Nähe als Aussage eines anderen erscheint. Es sind also Abstufungen von Distanz, die sich in diesen Wechseln von argumentativ und fiktiv gefärbter Aneignung fremder Autobiographie manifestieren. Affirmativ gebraucht werden jedoch beide Verfahren. Stendhal erscheint also sowohl durch seine Person als auch durch die Inszenierung derselben bzw. seiner Texte als gültige Autorität.

Wie läßt Sebald die solchermaßen etablierte Autorität nun die erlebten historischen Ereignisse beschreiben und überliefern? Zunächst wird Stendhals Erinnerung

---

[322] Dazu Thomas Kastura: Geheimnisvolle Fähigkeit zur Transmigration (1996), S. 213.

[323] Bezüglich der Geschichtsthematik macht Sebald seine Prätexte in dieser Erzählung nicht ganz so transparent wie etwa im Falle der Stendhal-Schrift *Über die Liebe*, doch er legt dem Rezipienten Fährten, die zu den zitierten Textstellen führen. Aus dem Hinweis auf die verwendeten Notizen beispielsweise, die Beyle „im Alter von dreiundfünfzig Jahren in Civita Veccia verfaßt" (SG 8), läßt sich eruieren, daß es sich bei diesen „Notizen" um den autobiographischen Roman *Das Leben des Henry Brulard* handelt, der Beyles Kindheit bis zu seinem Eintritt in die napoleonische Armee erzählt. Vor allem bezieht sich Sebald dabei, wie zu sehen sein wird, auf Textstellen des Abschlußkapitels, das vom Übergang über den Großen Sankt Bernhard handelt. Daneben enthält die Erzählung Textstellen aus den Tagebüchern, auf die Sebald jedoch nicht explizit verweist.

[324] Dazu Jörg Helbig: Intertextualität und Markierung (1996), S. 97.

an jene Zeit als eine bruchstückhafte ausgewiesen, er bekennt „verschiedene Schwierigkeiten der Erinnerung" (SG 10):

> Einmal besteht seine Vorstellung von der Vergangenheit aus nichts als grauen Feldern, dann wieder stößt er auf Bilder von solch ungewöhnlicher Deutlichkeit, daß er ihnen nicht glaubt, trauen zu dürfen, beispielsweise dasjenige des Generals Marmont, den er in Martigny [...] in dem himmelblauen Kleid eines Staatsrates gesehen zu haben meint und das er genau so, wie er uns versichert, immer noch sieht, wenn er, die Augen schließend, sich die Szene in Erinnerung ruft, obschon Marmont ja damals, wie Beyle sehr wohl weiß, seine Generaluniform und nicht das blaue Staatskleid getragen haben muß. (SG 8f.)[325]

Der Weg der Erinnerung erscheint hier als nicht gangbar zur Vergegenwärtigung der Vergangenheit und damit auch nicht für die Erkenntnis über sie, zumindest läßt sich keine Szene rekonstruieren, die das Geschehen so genau und linear schildert, wie man es von einem Historiker erwarten würde. Bezüglich der Generaluniform Marmonts ist die Erinnerung sogar falsch: „Im übrigen schreibt Beyle, es sei selbst da, wo man über lebensnahe Erinnerungsbilder verfüge, auf diese nur wenig Verlaß" (SG 10).[326] Beyle begründet diese Zerstörung und Fragmentierung seiner Erinnerung dergestalt,

> daß er von der großen Anzahl der toten Pferde am Wegrand und von dem sonstigen Kriegsgerümpel [...] derart betroffen gewesen sei, daß er von dem, was ihn seinerzeit mit Entsetzen erfüllte, inzwischen keinerlei genauen Begriff mehr habe. Die Gewalt des Eindruckes hätte diesen selber, so käme es ihm vor, zunichte gemacht. (SG 9)[327]

Die Erinnerung an die Ereignisse ist also von emotionalen Begleiterscheinungen in Mitleidenschaft gezogen:[328] vom Grauen und Entsetzen angesichts der Zerstörung sowohl von Leben als auch von Gegenständen. Die Bezeichnung „Eindruck" erscheint für die beschriebene Emotion stark untertrieben. Die Frage danach, „wie es vor Zeiten wirklich gewesen ist", wird hier mit „grauenvoll" beantwortet. Nur der

---

[325] Die hier paraphrasierte Szene findet sich in Stendhal: *Das Leben des Henry Brulard* (1956), S. 521.

[326] Eine ähnliche Feststellung findet sich immer wieder in Beyles Schriften, z.B. auf S. 526 in *Das Leben des Henry Brulard*, wo Beyle über die Zerstörung der Erinnerung spricht, die vorgefertigte Bilder und Ansichten anrichten. Sebald zitiert diese Stelle wörtlich auf S. 12. Er teilt diese Ansicht mit seinem Alter ego Beyle, denn er schreibt an anderer Stelle: „Je mehr Bilder aus der Vergangenheit ich versammle, desto unwahrscheinlicher scheint es mir, daß es sich so abgespielt haben soll" (SG 241).

[327] Auch hier handelt es sich um ein fast wörtliches Zitat aus *Das Leben des Henry Brulard*, S. 537. An anderen Stellen spricht Stendhal ebenfalls immer wieder davon, wie die Gewalt eines Eindrucks die Erinnerung an ein Ereignis zunichte machen kann, z.B. auf S. 529.

[328] Interessant und bedenkenswert ist hier ein Hinweis McCullohs: „Psychology has applied Beyle's nom de plume to a condition known as the ʻStendhal Syndrome', which refers to incapacitation due to sensory overload." (Mark R. McCulloh: Understanding W.G. Sebald (2003), S. 86.)

Schrecken bleibt, und er überlagert und verändert das Erlebte.[329] Dieser Vorgang ist aus wahrnehmungspsychologischer Perspektive nicht ungewöhnlich. Wie sich beispielsweise aus der Literatur zum historischen Verfahren der sogenannten Oral history entnehmen läßt, ist die Verschiebung von Wahrnehmung bei Augenzeugen eines Ereignisses eine oft zu beobachtende Tatsache: „Understanding is a process which in turn modifies perceptions, and it is very difficult to recover later the sources ‚put in' from memory or current reading or conversation which alter the significance of what you see.“[330]

Sebald führt neben der literarischen Verschriftlichung jedoch noch andere Verfahren bzw. Versuche vor, die Beyle zum Zweck der Vergegenwärtigung erlebter historischer Ereignisse unternimmt, nachdem die Erinnerung keine verläßlichen Bilder seiner Vergangenheit liefert: „Die nachstehende Zeichnung ist darum bloß anzusehen als eine Art Hilfsmittel, durch welches Beyle versucht, sich zu vergegenwärtigen, wie es war, als der Truppenteil, mit dem er sich fortbewegte, in der Nähe des Dorfes und der Festung Bard unter Feuer kam (B)“ (SG 9f.).[331] Die beigegebene Abbildung (B) zeigt eine geometrisch-mathematisch, beinahe dürr anmutende Handzeichnung, die in ihrer Machart den zuvor beschriebenen Schrecken des Ereignisses konterkariert. Der Abbildung, die hier als illustratives Dokument zu werten ist, wird eine Erläuterung beigegeben, die gleichfalls nüchtern und beinahe hilflos wirkt:

> B ist das Dorf Bard. Die drei C auf der Anhöhe zur Rechten bezeichnen die Kanonen der Festung, welch die Punkte LLL auf dem über dem jähen Abhang P sich hinziehenden Weg unter Beschuß nehmen [...] H steht für Henri, die eigene Position des Erzählers.[332]

Der darauf folgende Kommentar des Erzählers weist Beyle als dessen Sprachrohr aus: „Freilich wird Beyle, als er sich auf diesem Punkt befand, die Sache so

---

[329] Im Interview sprach Sebald mit Sven Siedenberg über Möglichkeiten und Schwierigkeiten der literarischen Darstellung des Grauens am Beispiel der in Peter Weiss' *Ästhetik des Widerstandes* beschriebenen Hinrichtungen in Plötzensee: „Es ist äußerst fraglich, ob Peter Weiss das in dieser grauenvollen Form hätte beschreiben können, wenn er den Hinrichtungen als Zeuge beigewohnt hätte [...]. Ich glaube, daß man sehr viel einleuchtender über das schreiben kann, was in der Entfernung ist und daß diese Entfernung eine Voraussetzung für die Wahrnehmung ist.“ (Sven Siedenberg: Anatomie der Schwermut (1997), S. 146f.) Doch auch Distanz allein genügt nicht: Für Stendhal bietet, da er den Schrecken erlebt hat, auch der zeitliche Abstand keinen Erkenntnisgewinn.

[330] Marc Bloch: The Historian's Craft (1954), S. 49 und Samuel Schrager: What is social in Oral History? (1983), S. 80.

[331] Auch die Beschreibung von Beyles militärischer „Feuertaufe“ bei der Einnahme der Festung Bard findet sich in *Das Leben des Henry Brulard*, S. 532.

[332] Diese und auch die anderen Abbildungen der Erzählung stammen von Beyles eigener Hand und sind Bestandteil des *Henry-Brulard*-Manuskriptes, hier S. 537. Doch auch diesen naheliegenden und tatsächlichen Dokumentcharakter ist der Sebald-Text in der Lage, unsicher scheinen zu lassen, wieder durch Bemerkungen wie diejenige in SG 27, wo er die ominöse Mme Gherardi erwähnt, die in *De l'amour* eine große Rolle spielen soll: „Es gibt Grund für die Vermutung, [...] daß Mme Gherardi, deren Leben, wie Beyle an einer Stelle schreibt, leicht einen ganzen Roman ausmachte, allen dokumentarischen Angaben zum Trotz gar nicht existiert hat und nur eine Art Phantomfigur ist“ (SG 27).

nicht gesehen haben, denn in Wirklichkeit, ist, wie wir wissen, alles immer ganz anders" (SG 10). Dieser „Punkt" der erhöhten Warte, auf dem sich Beyle auf seiner Zeichnung plaziert und der sowohl auf die räumliche, situative Position als auch auf den zeitlichen Abstand, der zwischen Erlebnis und Vergegenwärtigungsversuch liegt, bezogen werden kann, verschafft dem Protagonisten hier offenbar keine weiterführenden Erkenntnisse oder etwa substantiellere Erinnerungen.[333] Auch die von Beyle versuchte und vorgeführte Visualisierung funktioniert hier nicht als Erinnerungsinstrument. Dies erweist sich jedoch als eine Wertungsverschiebung des Erzählers, denn der reale Beyle griff, wie er in seinen *Oeuvres intimes* vermerkte, in Situationen, in denen ihm das diskursive Denken nicht mehr auszureichen schien, doch immer wieder zu den Mitteln der Zeichnung und Visualisierung.[334] Die Erinnerung sei ihm, so schreibt er, ein Bild, in dem er wiedererkenne und manchmal auch zu tieferer Erkenntnis gelange als damals, beim ersten Anblick,[335] obwohl er gleichzeitig den schädlichen Einfluß von gemalten Andenken auf die Erinnerung feststellt (SG 12). Im vorliegenden Text jedoch ist das durch das Erleben heraufgerufene Entsetzen in so hohem Maße vorhanden, daß nicht einmal die Visualisierung die Erinnerung mehr zurückbringen kann.

Sebald nimmt die Technik der Visualisierung jedoch durch seine eigene Hereinnahme von Bildern in den Text auf, folgt dem Autor Stendhal also nicht nur hinsichtlich des Inhalts seiner autobiographischen Niederschriften, sondern ebenso im Erkenntnisverfahren, auch wenn er das Mittel der Visualisierung für seine Zwecke modifiziert. Er tut dies beispielsweise, als er Beyle auf seinen Wanderungen durch Oberitalien die großen Stätten der napoleonischen Schlachten in Augenschein nehmen läßt, darunter auch das Schlachtfeld von Marengo:

> So hält Beyle, von Tortone her kommend, in den frühen Morgenstunden des 27. September 1801 auf dem weiten und stillen Gefild – einzig die aufsteigenden Lerchen sind zu hören – auf dem am 25. Prairial des Vorjahres, vor genau fünfzehn Monaten und fünfzehn Tagen, wie er vermerkt, die Schlacht von Marengo stattgefunden hatte. Die entscheidende Wendung dieser Schlacht, herbeigeführt von der furiosen Reiterattacke Kellermanns, die, als alles bereits verloren schien, die österreichische Hauptmacht im Licht der niedergehenden Sonne von der Seite her aufriß, war ihm aus zahllosen Erzählvarianten vertraut, und auch er selbst hatte sie sich verschiedentlich und in vielerlei Farben ausgemalt. Nun aber überblickte er die Ebene, sah vereinzelt tote Bäume aufragen, und er sah die weithin verstreuten, zum Teil schon völlig gebleichten und vom Tau der Nacht glänzenden Gebeine der vielleicht 16 000 Männer und 4000 Pferde, die hier um ihr Leben gekommen waren. Die Differenz zwischen

---

[333] Die Erzähler Sebalds stehen in den Texten des öfteren auf erhöhten, olympischen Aussichtspunkten, die sie zum Zweck eines besseren Überblicks aufgesucht haben (z.B. RS 217), doch oft bietet auch dieser Punkt nicht die gewünschte Erkenntnis: „Wir, die Überlebenden, sehen alles von oben herunter, sehen alles zugleich und wissen dennoch nicht, wie es war" (RS 158). Siehe hierzu auch die Beschreibung des Panoramas von Waterloo, die im Kapitel C.II.4. dieser Arbeit interpretiert wird.
[334] Michael Nerlich: Stendhal (1993), S. 101.
[335] Ebd.

den Bildern der Schlacht, die er in seinem Kopf trug und dem, was er als Beweis [...] nun vor sich ausgebreitet sah, diese Differenz verursachte ihm ein noch niemals zuvor gespürtes, schwindelartiges Gefühl der Irritation. Möglicherweise machte aus diesem Grund die Gedenksäule, die man auf dem Schlachtfeld errichtet hatte, einen, wie er schreibt, äußerst mesquinen Eindruck auf ihn. Sie entsprach in ihrer Schäbigkeit weder seiner Vorstellung von der Turbulenz der Schlacht von Marengo noch dem riesigen Leichenfeld, auf welchem er sich nunmehr befand, mit sich allein (B) (B)[336] wie ein Untergehender. (SG 21-23)

Das Zusammenspiel von Text und Bild an dieser signifikanten Textstelle war bereits Gegenstand ausführlicher Analyse in Teil B dieser Arbeit und sei hier noch einmal in Erinnerung gerufen: Die Bildausschnitte akzentuieren das Zitat visuell hinsichtlich des Leidens und des Entsetzens, das Beyle hier mit dem Schicksal jedes einzelnen Kriegsteilnehmers verbunden sieht. Für dessen Darstellung ist dem Erzähler das Mittel der Sprache offenbar nicht mehr ausreichend, so daß er die emotionale Überwältigung durch den Schrecken mit einem Bild besetzt. Die visuelle Argumentation illustriert, verdichtet und zielt dabei nicht nur auf den Intellekt, sondern auf den Affekt des Rezipienten, auf das Mit-Leiden mit den schon eingangs erwähnten „Namenlosen". Sebald betrachtet im Gegensatz zu Stendhal die Visualisierung als fruchtbares Erkenntnisinstrument,[337] auch wenn es an dieser Stelle nicht um das Heraufrufen von Erinnerung, sondern um eine bildliche Verstärkung des Schreckens geht.

Die eben beschriebene Textstelle ist jedoch noch in einer zweiten Hinsicht aufschlußreich für die Funktion der Intertextualität, denn es ergibt sich ein neuer Aspekt in Sebalds Umgang mit seinem Prätext, wenn man jene Textstelle bei Stendhal betrachtet, die der Besichtigung des Schlachtfelds zugrunde liegt.

Sebalds Beschreibung der Szene ist geprägt durch den Gegensatz zwischen einerseits dem, was der Soldat Beyle vom Verlauf der Schlacht von Vorgesetzten gehört hat und andererseits seinen Eindrücken und Emotionen, die er selbst angesichts ihrer Hinterlassenschaften entwickelt und die den heroisch gefärbten Erzählungen, die er bisher kennt, diametral entgegenstehen. Die Erwähnung des „weiten und stillen Gefild" (SG 21), auf dem man nur die Lerchen aufsteigen hört, erzeugt dabei den atmosphärischen Rahmen für die Verdeutlichung der sich in Beyles Seele auftuenden Kluft zwischen der heroischen Vorstellung von der Schlacht und der eigenen Anschauung des „riesigen Leichenfeldes", dessen Objekte, die Skelette, als

---

[336] Die Abkürzung (B) steht hier wieder für einen der in den Text einmontierten Bildausschnitte, in diesem Falle handelt es sich also um zwei Bildausschnitte.

[337] Hier ist deshalb James Wood zu widersprechen, der Sebalds Einsatz von Abbildungen in *Die Ausgewanderten* und *Die Ringe des Saturn* generalisiert: „It seems likely that Sebald borrowed this idea from Stendhals autobiography *The Life of Henri Brulard*, throughout which Stendhal litters his own often unreliable drawings and diagrams." (James Wood: The broken Estate (1999), S. 276.) Möglicherweise hat Sebald die Text-Bild-Technik übernommen, die Funktionen der Abbildungen in seinem Werk unterscheiden sich, wie oben gezeigt, jedoch durchaus von jenen Stendhals.

„gebleicht" (SG 22) und „vom Tau der Nacht glänzend" (SG 22) beschrieben werden.

Der Prätext, der sich in den Tagebuchaufzeichnungen Beyles findet, lautet jedoch anders:

> Um zwölf Uhr bin ich von Tortone weggeritten; ich hatte für sieben Lire einen Esel gemietet, der meine Mantelsäcke nach Alessandria trug. Am Ausgang von Tortone ist die Straße kaum angedeutet [...]. Die Gegenden sind immer voller Räuber, da ihnen die Berge leichte Fluchtmöglichkeiten bieten. Drei Meilen von Tortone erblickte ich das berühmte Schlachtfeld von Marengo; man sieht dort einige umgehauene Bäume und viele Menschen- und Pferdeknochen; ich besuchte es fünfzehn Monate und vierzehn Tage nach dem 25. Prairial, dem Tage der Schlacht. Ich sah eine in diesem Jahr am Jahrestag errichtete Säule; sie ist sehr unbedeutend.[338]

Diese Beschreibung hat im Gegensatz zum atmosphärisch aufgeladenen Text Sebalds einen nüchternen und beiläufigen Charakter, scheint den Anblick des Schlachtfeldes fast gelangweilt zu protokollieren.[339] Übernommen hat Sebald die Fakten: die Zeitangabe der fünfzehn Monate und fünfzehn Tage, die Bäume, die Knochen und die Säule entsprechen dem Inhalt des Prätextes. Alles andere jedoch, die Lerche, das „weite, stille Gefild" (SG 21), die poetischen Ausschmückungen der Knochen und Gebeine, die vom Erzähler geschätzte Anzahl der toten Männer und Pferde, vor allem aber die Irritation und Verzweiflung Beyles sind ganz offensichtlich hinzuerfunden. Hier zeigt sich, daß die gezielte Verwischung zwischen Fremdem und Eigenem, Zitiertem und Erfundenem, Realem und Fiktivem dem Erzähler nicht nur dazu dient, in wechselnder Distanz durch die Gedanken und den Wortlaut eines Geistesverwandten zu sprechen und dadurch eine polyphone Geschichtsschreibung zu erzeugen, die in diesem Fall eine zweistimmige ist. Sebald modifiziert den Fremd- und Eigentext und auch die Figur des Autors zu seinem Zweck, der in der Darstellung des schrecklichen Erlebnisses besteht. Er überführt den Dichter Stendhal durch die fiktiven Zusätze von der realen Person in eine literarische Figur, macht sie zu einem „author on loan",[340] den er für eigene Aussagen instrumentalisiert, als ob er eine erfundene Figur wäre. Dem Rezipienten dürften solche Veränderungen jedoch nur auffallen, wenn er sich recherchierend auf die Fährte des Prätextes begibt oder denselben zuvor gelesen hat.

---

[338] Stendhal: Tagebücher und andere Selbstzeugnisse (1983), S. 27.

[339] In jungen Jahren hat Beyle dieses und andere Schlachtfelder in der Tat eher mit der Haltung eines Touristen besucht und der schreckliche Anblick scheint zum Zeitpunkt der Niederschrift dieser Zeilen keinen tiefgreifenden Eindruck hinterlassen zu haben. Den Wandel in seinem Denken verursachte, darüber ist sich die Forschung einig, erst die Teilnahme an Napoleons scheiterndem Rußlandfeldzug. Dies erklärt, warum Beyles Sichtweise des Krieges in *Das Leben des Henry Brulard,* das er in seinen fünfziger Jahren schrieb, rückschauend eine andere ist als in den zur Zeit des Erlebens entstandenen Tagebüchern: „Die grausame Wirklichkeit des Krieges konnte also kaum seine Vorstellung korrigieren, die französische Eroberung Italiens sei ein festliches Ereignis." (Robert Alter: Stendhal (1992), S. 77).

[340] Jörg Helbig: Intertextualität und Markierung (1996), S. 115f.

Zusammenfassend läßt sich zu diesem ersten Beispiel einer Verbindung von Intertextualität, Lebensgeschichte und politischer Geschichte festhalten: Die Beyle-Biographie handelt zwar nur zu einem geringen Teil, der sich etwa auf ein Viertel der gesamten Erzählung beläuft, ausschließlich vom Geschichtserleben und seinen Auswirkungen in Beyles Psyche, doch die eben beschriebenen Textstellen inszeniert Sebald zu Beginn der Lebensgeschichte und damit als prägend für seine Figur. Für ihn steht dieses Erlebnis am Beginn von Stendhals Künstlertum:

> Zurückdenkend an diesen Septembertag auf dem Feld von Marengo schien es Beyle späterhin oft, als habe er die folgenden Jahre, sämtliche Kampagnen und Katastrophen, selbst den Sturz und die Verbannung Napoleons damals vorausgesehen und als sei ihm zu diesem Zeitpunkt klar geworden, daß er sein Glück nicht im Dienste der Armee würde machen können. Jedenfalls war es in jenen Herbstwochen gewesen, daß er den Entschluß faßte, der größte Schriftsteller aller Zeiten zu werden. (SG 23f.)

Gleichzeitig etabliert Sebald hier in der Figur Beyles und ihrer Texte das Subjekt als gültige Überlieferungsinstanz von Geschichte. Es geht bei dieser Überlieferung jedoch nicht um die Möglichkeiten der Rekonstruktion von Ereignissen, sondern um Vergegenwärtigung der Vergangenheit: „Der Begriff der Rekonstruktion steht für die Arbeit des wissenschaftlichen Forschers. Er bezieht sich auf dessen Hauptaufgabe, also auf die möglichst irrtumsfreie Erforschung der Vergangenheit [...]. Der Begriff Vergegenwärtigung benennt einen anderen Schwerpunkt historischer Bemühung: Das Vergangene muß eine Art neuer Gegenwart erhalten, zu neuem Leben erweckt werden."[341] Wie aus dem Interview hervorgeht, das Sebald Sigrid Löffler gegeben hat, ist seiner Ansicht nach die Fähigkeit zur Vergegenwärtigung eine genuine Fähigkeit der Literatur, und dies ermögliche den emphatischen Zugang zur Geschichte, den er für notwendig und fruchtbar hält.[342]

Dieser Akt der Vergegenwärtigung geschieht im vorliegenden Fall durch einen Augenzeugen, der das Ereignis, über das er berichtet, aus größtmöglicher Nähe verfolgt hat. Doch auch der Augenzeugenbericht dient hier nicht dazu, aus dieser Nähe eine „irrtumsfreie", lineare Darstellung dessen abzuleiten, „wie es war", sondern etwas anderes rückt durch die Verwendung eines Augenzeugen und seiner Niederschriften in den Rang der Wahrheit der Geschichte: die fragmentierte, fehlerhafte Erinnerung, die das Ergebnis ihrer Überlagerung durch Schrecken und Entsetzen des Augenzeugen angesichts der Dinge ist. Die Wahrheit der Geschichte ist keine faktisch historiographische, sondern die erlebte Wahrheit des Schreckens. Die Frage „wie es war" kann, wenn überhaupt, nur mit der individuellen Erfahrung beantwortet werden.

Die Textbeziehungen übernehmen in diesem Gefüge verschiedene Aufgaben und Funktionen: Die Prätexte werden meist dergestalt zitiert und paraphrasiert, daß

---

[341] Rolf Schörken: Begegnungen mit Geschichte (1995), S. 11. Vergleichbares äußert auch Sebald, wenn er schreibt: „Es gibt viele Formen des Schreibens, einzig aber in der literarischen geht es, über die Registrierung der Tatsachen und über die Wissenschaft hinaus, um einen Versuch der Restitution." (W.G. Sebald: Zerstreute Reminiszenzen (2001).)

[342] Sigrid Löffler: „Wildes Denken" (1997), S. 137.

Sebald Stendhal vor allem dann zu Wort kommen läßt, wenn es um Geschichtserfahrung, Erinnerung daran und um die Erfahrung der Schwierigkeiten und der Zerstörung dieser Erinnerung geht. Die Textbezüge dienen also dazu, dem Sebald-Text in seinen zentralen Aussagen Authentizität zu verleihen. Die bildlichen Prätexte bzw. die Abbildungen funktionieren zum einen illustrativ, zum anderen verstärken und gestalten sie aber auch die Grundaussage Sebalds vom Schrecken als Konstante der ganzen Geschichte.

I.2.2. Joseph Conrad – Zeuge der Anklage

Eine der biographischen Erzählungen, die in *Die Ringe des Saturn* sehr viel Raum erhalten, ist die Lebensgeschichte des Schriftstellers Joseph Conrad, die Sebald auf den Seiten 131-154 erzählt. Als Anlaß für diese Biographie wird im Text eine Fernsehdokumentation über den irischen Politiker Roger Casement genannt, die der Erzähler versäumt, weil er während dieser Dokumentation vor dem Fernseher einschläft. Das einzige, woran er sich erinnert, sei die Sympathie, die Casement für den Schriftsteller Conrad gehegt habe, den er im Kongo kennenlernte und den er „unter den teils von dem tropischen Klima, teils von ihrer eigenen Habsucht und Gier korrumpierten Europäern, denen er dort begegnete, für den einzig geradsinnigen Menschen gehalten hatte" (RS 132). Das Versäumnis veranlaßt den Erzähler, den Lebensweg Conrads, „die von mir damals in Southwold (unverantwortlicherweise, wie ich meine) verschlafene Geschichte aus den Quellen einigermaßen zu rekonstruieren" (RS 133). Die Bezugnahme auf Prätexte wird hier also als ein Versuch des Erzählers deutlich, sich und dem Leser das Versäumte zu vergegenwärtigen, es sich anzueignen, es sowohl dem eigenen als auch dem Wissensbestand des Lesers hinzuzufügen.[343]

Der erste Teil der biographischen Erzählung berichtet zunächst von der traurigen Kindheit Conrads, die bestimmt war vom einsamen Leben in der Verbannung an einem Ort namens Vologda, in die sein Vater mit seiner ganzen Familie wegen politisch-konservativer Aktivitäten im Polen seiner Zeit geschickt worden war: „Vologda [...] ist ein einziges Sumpfloch. [...] Alles ringsum versinkt, verfault und verrottet. Es gibt nur zwei Jahreszeiten, einen weißen und einen grünen Winter" (RS 134). Doch die Einsamkeit und Unwirtlichkeit des Exils sind nicht die einzigen Bedrückungen, unter denen der Knabe Teodor (der Geburtsnahme Conrads lautet Teodor

---

[343] Interessant ist in diesem Zusammenhang das in Sebalds Werk des öfteren wiederkehrende latente Schuldbewußtsein des Erzählers, das auch an anderen Textstellen anklingt und die Voraussetzung für die Rekonstruktion der Lebensläufe in *Die Ausgewanderten* bildet. Im Interview mit Marco Poltronieri sagt Sebald: „Ich schaue mir ein Familienalbum an aus jener Zeit, wo ich im Kinderwagen liege, meine Mutter schiebt mich durch die blühenden Voralpenfelder, und man schreibt Mai 1945. Inzwischen weiß ich ja, was damals anderswo alles stattgefunden hat." (Marco Poltronieri: Wie kriegen die Deutschen das auf die Reihe? (1997), S. 35f.) Auch der lyrische, autobiographisch gefärbte Sprecher aus dem dritten Teil von *Nach der Natur* ist „dem anderwärts furchtbaren Zeitlauf zum Trotz / am Nordrand der Alpen [...] aufgewachsen ohne einen Begriff der Zerstörung" (NN 76).

Konrad Korzeniowski) zu leiden hat: Seine junge Mutter Evelina stirbt 1865 qualvoll an Tuberkulose, wenig später folgt ihr der Vater in den Tod.

Der Hinweis der Rekonstruktion dieser Lebensgeschichte aus den „Quellen" bleibt über eine lange Strecke der einzige Verweis auf Prätextverwendung und das einzige Indiz für die Intertextualität, die sich in diesem Teil der Erzählung demnach auf der Reduktionsstufe befindet. Der Text enthält bis Seite 145 eine Erzählung, die offensichtlich aus angelesenem biographischen Material über Joseph Conrad besteht. Dieses Material entspricht bis in die Details der realen Biographie dieses Schriftstellers, dennoch klärt der Sebald-Text selbst nicht, welche Information aus welcher Quelle stammt, wo der Erzähler möglicherweise dem Wortlaut einer Quelle folgt und wo er in eigenen Worten berichtet. Ebensowenig finden sich wörtliche Zitate aus eventuellen Quellen, es herrscht noch keine Polyphonie oder Zweistimmigkeit, zu hören ist nur die paraphrasierende, Recherchiertes und Gelesenes in eins verschmelzende Erzählerstimme. Dieses Gewebe aus Eigen- und Fremdmaterial ist hier also vom Sebald-Text her gesehen nicht auflösbar.

Gleichzeitig markiert der Erzähler dennoch jene Textstellen, an denen er das Angelesene, Paraphrasierte durch seine eigene Imagination ergänzt und rückt damit den Text, der bisher als Gemisch aus fremdem und eigenem Textmaterial erschien, ab S. 139 stärker in Richtung Vollstufe der Markierungsdeutlichkeit.[344] Dies geschieht beispielsweise in jener Szene, die das Begräbnis von Conrads Vater Apollo Korzeniowski schildert und in der die Elemente als Imagination des Erzählers deutlich erkennbar werden:

> Vielleicht hat Konrad im Verlauf der Beisetzung [...] einmal den Blick gehoben und dieses Wolkensegelschauspiel gesehen wie niemals in seinem Leben zuvor, und vielleicht ist ihm dabei der für den Sohn eines polnischen Landedelmanns ganz und gar abwegige Gedanke gekommen, Kapitän werden zu wollen [...]. (RS 138f.)

Der junge Conrad fährt dann tatsächlich mit siebzehn zur See und bereist von diesem Zeitpunkt an die Welt. Seine Reisen auf den Meeren und auch seine Landabenteuer bilden nach dem Bericht über die Kindheit in der Verbannung den zweiten Schwerpunkt der aus den Quellen rekonstruierten biographischen Erzählung. Conrads Seefahrten finden ein Ende, als sich eines Tages nach jahrelangem hartnäckigem Bemühen sein Kindheitstraum erfüllt: Er bekommt von der belgischen Kongo-Gesellschaft, die im Auftrag des Königs Leopold II. die koloniale Erschließung des afrikanischen Landes betreibt, als Kapitän „das Kommando eines am Oberlauf des Kongo verkehrenden Dampfbootes" (RS 147) übertragen, „wahrscheinlich weil dessen Kapitän [...] gerade von den Eingeborenen umgebracht worden war" (Ebd.).

Der nun folgende Textteil ab Seite 147, der die Erzählung über jenes Kongo-Abenteuer enthält, bildet nun das Kernstück der Sebaldschen Conrad-Biographie.

---

[344] Durch jene Elemente, die als vom Erzähler imaginiert erkennbar sind, tritt die Grenze zwischen Fiktion und der aus Quellen angelesenen Information deutlicher zutage als zuvor, so daß man bei letzterer nicht mehr nur von Indizien von Intertextualität sprechen kann, sondern der Leser von der fremden Herkunft des Materials ausgehen kann.

Gleichzeitig mit dem Einsetzen des Berichts über die Kongo-Fahrt ist auffälligerweise auch eine Veränderung in der Handhabung der Textbeziehungen zu beobachten: die Intertextualität gewinnt an Transparenz, denn nun erscheint der Sebald-Text an mehreren Stellen von Zitaten durchbrochen, die durch graphemische und linguistische Interferenzen auch als solche deutlich werden und somit auf der Vollstufe der Intertextualität angesiedelt werden können. Die Quellen werden jetzt ausdifferenziert, und die Prätexte erscheinen nicht mehr nur in Paraphraseform, sondern werden auch im Wortlaut zitiert, wie zum Beispiel die Briefe, die Conrad an seine Freundin und Tante Marguerite Poradowska schreibt:

> Das Leben, schreibt er an seine schöne, soeben verwitwete Tante Marguerite Poradowska nach Brüssel, sei eine Tragikomödie – beaucoup de rêves éclair de bonheur, un peu de colère, puis de désillusionnement, des années de souffrance et la fin, in der man wohl oder übel seinen Part spielen müsse. (RS 148)[345]

Jene Briefe und Berichte von seiner Reise in den Kongo sind jedoch alles andere als euphorisch, und von der anfänglichen Begeisterung Conrads bleibt nicht viel, denn die Fahrt in das Traumland seiner Kindheit wird für den Seemann und Schriftsteller zu einem Alptraum, in dem er sich mit den skrupellosen, menschenverachtenden Praktiken der Kolonialisierung Afrikas im Zuge des europäischen Imperialismus konfrontiert sieht, wobei die schwächlichen Versuche der belgischen Regierung, den Kongo zu kolonisieren, in keinem Verhältnis zum Ausmaß der Zerstörung und Vernichtung von Menschenleben standen, die im Zuge dessen angerichtet wurden.[346]

Bevor der Erzähler jedoch den Schriftsteller Conrad mit dessen eigener Stimme durch von ihm verfaßte Texte zu Wort kommen läßt, berichtet er selbst über seine Sicht dieser kolonialen Aktivitäten:

> Im September 1876 wird unter Verkündigung der denkbar besten Absichten und unter angeblicher Hintanstellung aller nationalen und privaten Interessen die Association Internationale pour L'Éxploration et la Civilisation en Afrique ins Leben gerufen. Hochgestellte Persönlichkeiten aus allen Bereichen der Gesellschaft, Vertreter des Hochadels, der Kirchen, der Wissenschaft und des Wirtschafts- und Finanzwesens nehmen an der Gründungsversammlung teil, bei der König Leopold, der Schirmherr des vorbildlichen Unternehmens, erklärt, daß die Freunde der Menschheit keinen edleren Zweck verfolgen könnten, als den, der sie heute vereine, nämlich die Öffnung des letzten Teils unserer Erde, der bislang von den Segnungen der Zivilisation unberührt geblieben sei. Es ginge darum, sagte König Leopold, die Finsternis zu durchbrechen, in der heute noch ganze Völkerschaften befangen seien, ja es ginge um einen Kreuzzug, der wie kein anderes Vorhaben angetan sei, das Jahrhundert des Fortschritts der Vollendung entgegenzuführen. Naturgemäß verflüchtigte sich

---

[345] Sebald gibt selbst keinen Hinweis auf die genaue Briefstelle, doch Recherchen haben ergeben, daß es sich bei diesem Schriftstück um jenen Brief handelt, den Conrad am 15. Mai 1890 von der Insel Teneriffa geschrieben hat. (Joseph Conrad: Letters of Joseph Conrad to Marguerite Poradowska (1968), S. 10f.)

[346] Dazu Hermann J. Weiand: Joseph Conrad (1979), S. 138.

in der Folge der hohe, in dieser Deklaration zum Ausdruck gebrachte Sinn. (RS 150)[347]

Der Erzähler kommt zu dem Schluß: „Tatsächlich gibt es in der ganzen größtenteils noch ungeschriebenen Geschichte des Kolonialismus kaum ein finstereres Kapitel als das der sogenannten Erschließung des Kongo" (RS 149).

Im Anschluß an diese Aussage wird nun auf Texte Conrads, in denen er seine Erfahrungen im Kongo niedergelegt hat, Bezug genommen. Eine Intertextualitätshandlung entfaltet sich, wobei die einmontierten Texte beschreiben, was Conrad gesehen und was das Gesehene bei ihm ausgelöst hat, wie er nämlich bei alledem „so krank wird an Leib und Seele, daß er sich selber den Tod wünscht" (RS 153). Dies formuliert er wieder in einem Brief an Marguerite, der im Wortlaut zitiert in den Sebald-Text eingebaut wird:

> Tout m'est antipathique ici, schreibt er an Marguerite Poradowska, les hommes et les choses, mais surtout les hommes. Tout ces boutiquiers africains et marchands d'ivoire aux instincts sordides. Je regrette d'être venu ici. (RS 153)[348]

Auch und vor allem werden Conrads Erlebnisse im Kongo jedoch anhand von Paraphrasen (die stellenweise auch wörtliche Entlehnungen enthalten) geschildert, die Teile seines berühmten Romans *Herz der Finsternis* wiedergeben. Dieser Roman schildert eine Expedition ins Innere Zentralafrikas aus der Sicht des jungen Kapitäns Marlow (Conrads Alter ego), der sich auf der Suche nach dem mysteriösen Elfenbeinagenten Kurtz befindet, einer Gestalt, in dessen Machtmißbrauch, wie sich später zeigt, die vermeintlichen sittlichen Ideale der europäischen Kolonialmächte pervertiert erscheinen. In Sebalds Bezugnahme auf diesen Text spielt diese Figur jedoch keine Rolle, Sebald konzentriert sich in seinen Paraphrasen vielmehr auf Textstellen, in denen Marlow alias Conrad entsetzt und desillusioniert von seinen Eindrücken aus dem Kongo berichtet. Diese Textteile liest der Sebald-Erzähler unter biographischen Gesichtspunkten als ein Dokument, das authentisches Erleben von Geschichte in vertexteter Form enthält. Im Gegensatz zu den oben zitierten Ausführungen des Erzählers zu den vorgeblichen politischen Zielsetzungen der belgischen Regierung bei der Kolonisierung des Kongo vermittelt die an diese Ausführungen sich anschließende Beispielpassage aus *Herz der Finsternis* sinnliche, düsterere und anschauliche Eindrücke der Ereignisse in den Kolonien. Der Prätext wird also zitiert in einem Akt der Entgegensetzung, der Setzung einer subjektiven Erfahrung gegen die objektiv-faktische Seite des historischen Geschehens sowie gegen offiziell verlautbarte Ziele. Der vermeintliche Fortschritt erscheint als ein Inferno menschlicher

---

[347] Dieses Textstück enthält wörtliche Entlehnungen aus der Conrad-Biographie von Jocelyn Baines. Diese Biographie ist demnach eine jener „Quellen", aus denen Sebald hier schöpft. (Jocelyn Baines: Joseph Conrad (1960), S. 136.)

[348] Diese Textstelle läßt sich als ein wörtliches Zitat aus jenem Brief identifizieren, den Conrad am 26.9.1890 aus Kinchasa nach Brüssel geschrieben hat. (Joseph Conrad: Letters of Joseph Conrad to Marguerite Poradowska (1968), S. 126f.)

Zerstörung, als „mythische Reise in die Unterwelt, als Dantescher Abstieg in die Hölle."[349]

> Ein paar Tage schon ist Korzeniowski in der [...] an einen riesigen Steinbruch ihn erinnernden Arena, als er, wie er später seinen Stellvertreter Marlow in *Heart of Darkness* erzählen läßt, ein Stück weit außerhalb des besiedelten Areals auf einen Platz stößt, an dem die von Krankheit Zerstörten und von Hunger und Arbeit Ausgehöhlten zum Sterben sich niederlegen. Wie nach einem Massaker liegen sie da in dem gräulichen Dämmer auf dem Grund der Schlucht. [...] Allmählich, berichtet Marlow, dringt aus dem Dunkel der Glanz einiger aus dem Jenseits auf mich gerichteter Augen. Ich beuge mich hinab und sehe ein Gesicht neben meiner Hand. Langsam heben sich die Lider. Irgendwo weit hinter dem leeren Blick rührt sich nach einer Weile ein blindes Flackern, das gleich wieder erlischt. Und während so ein kaum dem Knabenalter entwachsener Mensch seinen letzten Atem verströmt, tragen diejenigen, die noch nicht am Ende sind, zentnerschwere Säcke mit Nahrungsmitteln, Werkzeugkisten, Sprengsätze, Ausrüstungsgegenstände jeder Art, Maschinenteile und auseinandermontierte Schiffsleiber durch Sümpfe und Wälder [...]. (RS 151f.)[350]

Am Ende der biographischen Erzählung erscheint Conrad durch seine Kongo-Erfahrung nachhaltig verändert, sie wird für den Rest seines Lebens sein Denken prägen, und er sieht die Sünden, die die Europäer in der Wildnis ihrer Kolonien begehen, bis ins Herz der Zivilisation zurückschlagen: „Er empfindet jetzt die Hauptstadt des Königreiches Belgien wie ein über einer Hekatombe von schwarzen Leibern sich erhebendes Grabmal, und die Passanten kommen ihm vor, als trügen sie allesamt das dunkle, kongolesische Geheimnis in sich" (RS 155).[351] Auch dieser Aussage schließt sich Sebalds Ich-Erzähler, der in *Die Ringe des Saturn* gleichfalls nach Belgien reist, an und bestätigt sie: „Tatsächlich gibt es in Belgien bis auf den heuti-

---

[349] Hermann J. Weiand: Joseph Conrad (1979), S. 382 und 35ff.

[350] Zum Vergleich sei hier die entsprechende Textstelle aus *Herz der Finsternis* angeführt: „Schwarze Gestalten kauerten, lagen, saßen in allen Haltungen von Schmerz, Hoffnungslosigkeit und Verzweiflung zwischen den Bäumen, lehnten sich an die Stämme, schmiegten sich an den Boden, vom Dämmerlicht halb ausgespien, halb verschlungen [...]. Sie starben langsam, das war völlig klar. Sie waren keine Feinde, sie waren keine Verbrecher, sie waren nichts Irdisches mehr – nichts als schwarze Schatten von Krankheit und Hunger, die in der grünlichen Düsternis umherlagen. Aus jedem Winkel der Küste hatte man sie hergeschleppt [...] so daß sie krank wurden und [...] sich schließlich verkriechen durften, um ihre Ruhe zu finden. Diese todgeweihten Gestalten waren frei wie die Luft – und fast so dünn. Ich unterschied jetzt unter den Bäumen das Schimmern der Augen. Dann sah ich hinab und erblickte nahe meiner Hand ein Gesicht. Das schwarze Skelett in seiner ganzen Länge lehnte mit einer Schulter gegen den Baum, und langsam hoben sich die Lider, und die eingesunkenen Augen schauten zu mir hoch, riesengroß und leer, in den Tiefen der Augäpfel etwas wie ein blindes weißes Flackern, das langsam erstarb. Der Mann schien jung zu sein, fast noch ein Knabe, aber ihr wißt, es ist bei ihnen schwer zu sagen." (Joseph Conrad: Herz der Finsternis (1992), S. 31f.)

[351] In der Tat bezeichnet Conrad in seinem Roman *Lord Jim* Brüssel als eine „Totenstadt" und London als einen „grausamen Verschlinger des Lichts der Welt". (Hermann J. Weiand: Joseph Conrad (1979), S. 382.)

gen Tag eine besondere, von der Zeit der ungehemmten Ausbeutung der Kongoko-
lonie geprägte [...] sich manifestierende Häßlichkeit, wie man sie anderwärts nur selten antrifft" (RS 155).

Welche Funktion übernehmen nun die Bezüge auf die Conrad-Texte? Der Er-
zähler montiert die Prätexte in diesem Falle ein, um eine von ihm selbst in abstrakter
Form vorgebrachte Anklage gegen Zerstörung von Menschenleben unter dem
Deckmantel historischen Fortschritts, die hier in Form der Auswirkungen des europäischen Imperialismus des 19. Jahrhunderts aktualisiert wird, mit einer zweiten
Stimme zu bestätigen und zu bekräftigen. Vor allem durch die Bezüge auf *Herz der
Finsternis* wird Conrad hier zum Zeugen der Anklage erhoben, denn die Zitate aus
Herz der Finsternis werden als beweiskräftige Argumente für diese Anklage eingesetzt und sind imstande, der ethischen Position des Erzählers düstere Anschaulichkeit, Wahrheit und Authentizität zu verleihen. Wie stark das intertextuelle Argument
ist, das der Prätext hier zu liefern vermag, wird noch deutlicher, wenn man berücksichtigt, daß der Roman *Herz der Finsternis* in der Literaturgeschichte als „one of
fiction's strongest statements about imperialism"[352] gilt, und daß Conrad es in seiner
Arbeit an diesem Roman offenbar darauf angelegt hat, „dem Leser die düstere
Wahrheit, die ihm durch die tiefe seelische Erschütterung im Gefolge seines Kongo-
abenteuers zuteil geworden war, vor Augen zu führen."[353]

Die Textbezüge repräsentieren im Falle Conrads im Gegensatz zum Stendhal-
Beispiel nicht die Schwierigkeiten von Erinnerung an erlebte Geschichte, nicht die
Brüchigkeit und Fragwürdigkeit solcher Augenzeugen-Erinnerungen, sie thematisieren auch nicht auf der Metaebene den Vorgang dieses Erinnerns. Vielmehr faßt Sebald Conrads Roman als eine gestalterisch sublimierte Form der Geschichtserinnerung auf und etabliert damit die Literatur ebenso wie andere individuelle Äußerungen des Literaten Conrad als ein Speichermedium für das, was er als die düstere
Wahrheit der Geschichte begreift, und deren Bruchstücke er in den eigenen Text
aufnimmt. Was Sebalds Conrad-Biographie jedoch mit derjenigen Stendhals teilt, ist
die prägende Kraft, die dem Geschichtserleben in seiner Wirkung auf das Individuum zugeschrieben wird und in deren Folge die Sinnzone der Lebensgeschichte in
jener der politischen Geschichte aufgeht.[354]

I.2.3. Michael Hamburger – Die Geschichte als Rätsel

Ein drittes signifikantes Beispiel einer intertextuell erzählten Biographie findet sich
im VII. Kapitel von *Die Ringe des Saturn*, das Teile der Lebensgeschichte des Lyri-
kers und Übersetzers Michael Hamburger (*1924) erzählt. Es geht in dieser Biographie einmal mehr um das Erleben von Zerstörung, jedoch wird dieser Dichter nicht
auf eine ganz so unmittelbare Weise zum Zeugen historischer Ereignisse wie es

---

[352] Hunt Hawkins: Conrad's Critique of Imperialism in *Heart of Darkness* (1979), S. 286.

[353] Hermann J. Weiand: Joseph Conrad (1979), S. 131

[354] Vergleichbar sind unter diesem Aspekt zum Beispiel die Lebenserzählungen des Malers
Max Aurach in *Die Ausgewanderten*, des Vicomte de Chateaubriand in *Die Ringe des Saturn* und
auch der Figur des Jaques Austerlitz in Sebalds Roman *Austerlitz*.

Stendhal und Joseph Conrad in den beiden schon erläuterten Beispielen geworden sind. Es geht bei Hamburger weniger um die Vernichtung von Menschenleben, Dingen oder von Natur als vielmehr um die Zerstörung von Erinnerung, die hier gleichgesetzt wird mit einer Zerstörung von Teilen der Identität eines Individuums. Diese solchermaßen geartete Zerstörung hängt jedoch eng mit der Geschichte zusammen, denn sie wird durch sie verursacht: Die jüdische Familie Hamburger begibt sich angesichts der beginnenden Judenverfolgung im Deutschland des Jahres 1933 ins englische Exil.

Die intertextuelle Erzählung Sebalds konzentriert sich auf drei Aspekte, die für das Leben und die Identität des Dichters Hamburgers als besonders prägend und bedeutsam ausgestaltet werden. Der erste dieser Gestaltungsaspekte betrifft das Exil und den damit verbundenen Übergang in eine andere Welt, in eine andere Kultur und Sprache. Mit dieser Reise ins Exil beginnt Sebald seine Hamburger-Erzählung: „Michael war neuneinhalb Jahre alt, als er im November 1933 zusammen mit den Geschwistern, mit der Mutter und mit deren Eltern nach England kam" (RS 220). Wie Sebald im weiteren heraushebt, bedeutet diese Reise einen entscheidenden, wenn nicht den zentralen Bruch im Leben des Dichters, mit dem er sein Leben lang zu kämpfen haben wird. Um diesen Bruch darzustellen und zu veranschaulichen, bezieht sich der Erzähler auf einen Prätext. Er läßt Hamburger selbst zu Wort kommen und nimmt sich dabei als Erzählerinstanz auf diskret anmutende Weise zurück:

> In den späteren autobiographischen Aufzeichnungen Michaels wird beschrieben, wie die Befürchtungen und Ängste der ohne den Vater dem Unbekannten entgegenreisenden Familie ihren Höhepunkt in der Zollabfertigungshalle von Dover erreichten, als sie sprachlos zusehen mußte, wie die beiden Wellensittiche [...] beschlagnahmt wurden. Der Verlust dieser zahmen Vögel [...] führte uns, so schreibt Michael, deutlicher als alles andere vor Augen, mit welchen Ungeheuerlichkeiten das Überwechseln in ein neues Land unter den gegebenen Umständen verbunden war. (RS 220)

Die Intertextualität ist hier zwar transparent, der genaue Ort dieser Textstelle in den erwähnten „autobiographischen Aufzeichnungen" verbleibt vom Sebald-Text aus gesehen jedoch im Bereich des Vagen. Erst Nachforschungen im Werk Michael Hamburgers ergeben, daß diese Bezugsstelle, wie im übrigen auch die meisten anderen Textbezüge dieser Biographie, dem ersten Kapitel von Hamburgers Erinnerungen entnommen sind, das dessen „Berliner Kindheit"[355] enthält und deren deutsche Fassung unter dem Titel *Verlorener Einsatz*[356] erschienen ist. Vergleicht man den Sebald-Text nun mit seinem Prätext, so läßt sich besagte Textstelle, die dazu dient, den Bruch in Hamburgers Leben zu veranschaulichen, als Paraphrase der Prätextvorlage mit wörtlich zitierten Elementen beschreiben, denn der Prätext lautet im Original folgendermaßen:

---

[355] Dies ist die Überschrift für die Hamburger-Biographie in der Kapiteleinteilung am Ende von *Die Ringe des Saturn*. Sie kann natürlich als Anspielung auf Walter Benjamins *Berliner Kindheit um Neunzehnhundert* verstanden werden.

[356] Michael Hamburger: *Verlorener Einsatz* (1987).

Die Reise mit Schiff und Zug dorthin ist mir nur als ein schreckliches Durcheinander und eine einzige große Aufregung in Erinnerung geblieben, die ihren Höhepunkt erreichte, als der Zoll in Harwich den Wellensittich beschlagnahmte, den mein Großvater großgezogen und dem er das Sprechen beigebracht hatte. Vor der Einreise hatte mein Großvater dem Vogel noch ein Partnertier gegeben, und seitdem hatte er kaum mehr gesprochen. So verloren wir zwei Wellensittiche. Der Vogel war bei meinem Großvater gewöhnlich frei herumgeflogen, [...]. Er sprach deutsch und war sicher auch zu alt, um noch eine neue Sprache zu lernen; aber als wir nach so vielen Trennungen ihn auch noch verloren, macht sich die Ungeheuerlichkeit eines solchen Landwechsels endgültig spürbar. Die Trennung, das wußten wir, war endgültig und ihre Plötzlichkeit war mir ein Zeichen dafür, wie wenig wir eigentlich mit ins neue Leben hinüberretten konnten, wie wenig von den Gewohnheiten, Verpflichtungen, Neigungen. Wie wenig Kontinuität gab es doch mit dem Vorausgegangenen.[357]

Das erzwungene Verlassen Berlins, die Trennungen und Abschiede sind hier also, wie vor allem die letzten Sätze des Zitates zeigen, gleichbedeutend mit der Zerstörung von Identität. Diese Identitätsproblematik ist auch in der Exilforschung immer wieder Gegenstand der wissenschaftlichen Betrachtung gewesen: „Wer ins Exil geht, verläßt, um es paradox zu formulieren, sein eigenes Ich, er ist quasi nicht nur aus seiner, sondern auch aus der Geschichte schlechthin herausgefallen. Das Exil löscht aus, macht geschichts- und vergangenheitslos.“[358] „Der Bruch war so unvermittelt gekommen, daß mir meine Kindheit wie die eines anderen Menschen erschien“,[359] schreibt Hamburger entsprechend in seinen Memoiren. Sebald knüpft sinngemäß daran an, wenn er formuliert: „Das Verschwinden der Wellensittiche [...] ist der Anfang gewesen des Verschwindens der Berliner Kindheit hinter der im Verlauf des nächsten Jahrzehnts Stück für Stück neu erworbenen Identität“ (RS 220). Die Funktion des Prätextes bei dieser Beschreibung des Übergangs ins Exil besteht also in der Fixierung der mit diesem Übergang verbundenen Ängste und Emotionen und ebenso der zerstörerischen, erinnerungs- und geschichtsauslöschenden Kraft, die diese Emotionen zu entfalten imstande sind. In dieser ihrer Kraft liegt eine Parallele zu der bereits beschriebenen Erfahrung des Dichters Stendhal, der gleichfalls davon spricht, daß die „Gewalt des Eindruckes [...] diesen selber, so käme es ihm vor, zunichte gemacht“ hätte (SG 9).[360]

Der zweite der drei genannten Hauptgestaltungsaspekte dieser biographischen Erzählung liegt auf der intertextuellen Schilderung und Ausgestaltung einer Folgeerscheinung des beschriebenen Lebensbruchs in der Innenwelt des hier zur literarischen Figur werdenden Michael Hamburger.[361] Diese Folgeerscheinung besteht in der zerstörten, in Fragmente zerfallenen Erinnerung und den Versuchen Hambur-

---

[357] Ebd., S. 25.

[358] Helmut Koopmann: Geschichte, Mythos, Gleichnis (1995), S. 77.

[359] Michael Hamburger: *Verlorener Einsatz* (1987), S. 15.

[360] Siehe dazu auch wieder Stendhal: *Das Leben des Henry Brulard* (1956), S. 537.

[361] In Anlehung an Helbig könnte man Michael Hamburger hier wiederum als einen „author on loan" bezeichnen. (Jörg Helbig: Intertextualität und Markierung (1996), S. 115-117.)

gers, mit diesen Erinnerungsbruchstücken umzugehen, sie einzuordnen, einen Platz für sie zu finden. „*How little there has remained me of my native country*, konstatiert der Chronist bei der Durchsicht seiner Erinnerungen, kaum daß es ausreicht für einen Nachruf auf einen verschollenen Knaben" (RS 221).[362] Sebald präsentiert in seinem Text einen Durchgang durch diese Erinnerungsbruchstücke, der sich in Auszügen folgendermaßen liest:

> „Die Mähne eines preußischen Löwen, ein preußisches Kinderfräulein, Karyatiden, die den Erdball auf ihren Schultern trugen, das Knistern des Zentralheizungsrohrs hinter der Tapete in der dunklen Ecke, in die man zur Strafe gestellt wurde mit dem Gesicht gegen die Wand, der ekelhafte Seifenlaugengeruch in der Wäscherei, ein Murmelspiel in einer Grünanlage in Charlottenburg. [...] Die Ledersitze im Buick des Großpapas, die Ostseeküste, eine von purem Nichts umgebene Sanddüne, *the sunlight and how it fell...* ." (RS 221)

Durch die lange, unverbundene Reihung werden die einzelnen Erinnerungen als unzusammenhängende Bruchstücke eines Erlebnisganzen präsentiert, das als solches jedoch nicht mehr existiert.

Betrachtet man daneben nun den Prätext, der wiederum aus jenem ersten Kapitel von *Verlorener Einsatz* besteht, ergibt sich folgendes Bild der intertextuellen Bezugnahme: Die Erinnerungsbruchstücke erscheinen im Hamburger-Text nicht wie bei Sebald in einer fortlaufenden Reihung, sondern sind über das ganze erste Kapitel, das 28 Seiten umfaßt, verstreut. So steht beispielsweise das erwähnte knisternde Zentralheizungsrohr im Zusammenhang mit einer kurzen Erzählung über die rigiden Erziehungsmaßnahmen, unter denen Hamburger und seine Geschwister zeitweise zu leiden hatten,[363] „die Ledersitze im Buick des Großpapas" (RS 221) sind hingegen einer Episode entnommen, in der Hamburger von den seltenen intimen Gesprächen mit seiner Mutter erzählt, zu denen er meist nur auf Ausflugsfahrten in ebendiesem Buick Gelegenheit fand.[364]

Sebald bricht also Einzelstücke aus dem Zusammenhang einer Texttotalität heraus und ordnet sie neu an. Dabei setzt er die Hamburgersche Selbstironie[365] außer Kraft, denn die Bruchstücke werden in den melancholisch-düsteren Klageton, der in *Die Ringe des Saturn* vorherrscht, überführt, auf diesem Wege vom Erzähler angeeignet und als Fremdmaterial in den eigenen Text integriert. Gleichzeitig ist festzustellen, daß Sebald das Element des Fragmentarischen, Bruchstückhaften der Erinnerung in den Vordergrund seiner Anordnung stellt. Diese Betonung des Fragmentarischen bedeutet eine Verstärkung und Verdichtung der Prätextstruktur[366] auf engerem Raum, und somit bildet der Sebald-Text ein strukturelles Modell seines Prätextes

---

[362] Die entsprechende Textstelle findet sich bei Michael Hamburger: *Verlorener Einsatz* (1987), S. 25.

[363] Michael Hamburger: *Verlorener Einsatz* (1987), S. 12.

[364] Ebd.

[365] Siehe dazu Matthias Müller-Wieferig: Jenseits der Gegensätze (1991), S. 13.

[366] Man könnte hier im Sinne von Broich und Pfister von einer strukturellen Intertextualität sprechen, einer Textbeziehung also, die die Struktur des Prätextes ganz oder in Teilen reproduziert (Ulrich Broich/Manfred Pfister: Intertextualität (1985), S. 28 und 105f.)

nach, denn auch die autobiographischen Erinnerungen Hamburgers weisen Merkmale des Fragmentarischen auf: Der Autor berichtet die verbliebenen Eindrücke seiner Kindheit nicht in einer chronologisch fortschreitenden Weise, sondern die Wirkung des Bruchstückhaften entsteht durch die sprunghafte Aneinanderreihung kurzer Episoden zu verschiedenen Themen der Kindheit, so z.B. über die düstere Wohnung der Familie in Berlin, über einen Sommer auf dem Land bei den Großeltern oder über den Vater und seine Tätigkeit als Kinderarzt an der Berliner Charité. Die einzelnen Episoden wiederum erscheinen in sich assoziativ erzählt. Dieses Erzählverfahren Hamburgers kann insgesamt an jenes Konzept der sogenannten „Neuen Autobiographie" erinnern, wie es Alain Robbe-Grillet in Verbindung mit seiner Theorie des „Nouveau Roman" formuliert hat.[367]

Sein Verfahren des erinnernden Schreibens reflektiert Hamburger im übrigen auch selbst am Ende des ersten Kapitels ausführlich und stellt dabei sein Vorgehen trotz der Brüchigkeit seiner Erinnerungen als Erkenntnisinstrument der Wahl dar:

> Wenn nun mein wahres Leben gar nicht in diesen blassen Daten oder in einem isolierten Faktum liegt, sondern mit alledem verwoben ist, verschlungen durch sie hindurchgeht. [...] Der Chronist hat nichts zu schaffen mit solchem Material, auch wenn er weiß, daß es aus ihm gemacht hat, was er jetzt ist, auch wenn er weiß, daß die prägendsten Erfahrungen ihm entgangen sein können, weil sie zusammenhanglos dastehen, ohne Bezugspunkte in Zeit und Raum. Er überläßt solchen Stoff den Dichtern, die, wenn sie über ihr Leben berichten, nicht von Daten, Ereignissen, durchlaufenen Wegen sprechen, sondern vom ,Sonnenlicht und wie es fiel.'

The sunlight and how it fell[368] – dieses Satzfragment ist, wir erinnern uns, auch Bestandteil der Sebaldschen Erinnerungsreihe. Betrachtet man es hier im Zusammenhang des Prätextes, steht es für jene Form der Erinnerung, die sich von der historischen Orientierung an Daten und Fakten abwendet und ihre Wirklichkeit und Wahr-

---

[367] Es sind vor allem folgende Überlegungen Robbe-Grillets, die die Verknüpfung von Hamburgers Schreiben mit der Konzeption des „Nouveau Roman" nahelegen: Die traditionelle Autobiographie sieht Robbe-Grillet vor allem als Unternehmen, in dem ein schreibendes Individuum versucht, seinem Leben in Form von niedergeschriebenen Memoiren Konsistenz und Dichte zu verleihen und damit eine Ordnung und Wahrheit, die dieses Leben in Wirklichkeit nie besaß. Im Gegensatz dazu erzählt Robbe-Grillet in seiner „Neuen Autobiographie" „Dinge, die Bruchstücke meiner Existenz sind. Sie sind unstet, ungewiß und widersprüchlich. [...] Die Neue Autobiographie, von der ich spreche, wäre also genau der Versuch, diesen Fragmenten ihr Einzeldasein, ihre Beweglichkeit [...] zu bewahren. Das bedeutet, daß die Fragmente in Bewegung sind und daß sie ununterbrochen versuchen, sich zu etwas wie einer Wahrheit zusammenzuballen. Diese ist aber eine zerbrechliche Wahrheit, die sogleich wieder auseinanderfällt und die von einer anderen Wahrheit unterminiert wird und diese wieder von einer anderen und so fort." (Alain Robbe-Grillet: Neuer Roman und Autobiographie (1987), S. 23-26.) Michael Hamburger ist zwar, wie aus seinem Text hervorgeht, auf der Suche nach einem Sinn und Zusammenhang seiner Erinnerungsfragmente, gleichwohl zwingt er sie im ersten Kapitel von *Verlorener Einsatz* nicht in einen solchen, sondern läßt die einzelnen Teile für sich als „Wirklichkeiten, gegen die man stößt" (Alain Robbe-Grillet: Neuer Roman und Autobiographie (1987), S. 26) im Sinne Lacans und Robbe-Grillets bestehen.
[368] Dieser Satz stammt aus Michael Hamburgers Gedicht *The Moment* aus dem Jahr 1960. (Michael Hamburger: *Verlorener Einsatz* (1987), S. 28.)

heit in beiläufigen, übriggebliebenen, aber dennoch einprägsamen Erinnerungsdetails sucht. Indem Sebald dieses Zitat in seinen Text übernimmt, rückt er sich in die Nähe dieser Erinnerungskultur und postuliert damit erneut eine Art von Geschichtsschreibung, die sowohl für die Lebens- als auch die politische Geschichte gilt und die, wie es schon bei Stendhal der Fall war, letztlich aus den suggestiven Einzelheiten besteht, die in der Erinnerung des Individuums noch vorhanden sind. Der Ort solcher suggestiven Geschichtsschreibung ist jedoch nicht die herkömmliche Historiographie, sondern die individuelle Erinnerung und ihre Manifestation in der Literatur: „[...] weil das Gerippe der Biographie tot und bedeutungslos ist, erbringt man den verlorenen Einsatz, der darin besteht, Gedichte zu schreiben. [...] Wenn also mein realer und wesentlicher Lebensweg überhaupt irgendwo festgehalten wird, dann findet man ihn in meinen Gedichten."[369]

Es existiert jedoch noch eine zweite Folgeerscheinung des Bruchs durch das Exil, die bei Sebald Gegenstand der biographischen Erzählung wird und die im folgenden als der dritte Gestaltungsaspekt der Hamburger-Biographie beschrieben werden soll. Die Zerstörung durch das Exil bewirkt nicht nur die Fragmentierung der Erinnerung, sondern auch eine besondere Erscheinungsweise und -qualität ihrer Bruchstücke, nämlich ihre Surrealität, Traumhaftigkeit und Zusammenhanglosigkeit. Bei Sebald wird diese Erscheinungsweise thematisiert, wenn er von den späteren, oft quälend verlaufenden Besuchen Hamburgers in seiner Heimatstadt Berlin berichtet:[370]

Schaue ich heute, schreibt Michael, zurück auf Berlin, dann sehe ich bloß einen schwarzblauen Hintergrund und darauf einen grauen Fleck, eine Griffelzeichnung, undeutliche Ziffern und Buchstaben, ein scharfes Eß, ein Zet, ein Vogelvau [...]. Möglicherweise ist diese blinde Stelle auch ein Nachbild der Ruinenlandschaft, in der ich 1947 herumgegangen bin, als ich erstmals in meine Heimatstadt zurückkehrte, um nach Spuren zu suchen aus der mir abhanden gekommenen Zeit. Ein paar Tage wanderte ich damals in einem ans Somnambule grenzenden Zustand an freistehenden Fassaden, Brandmauern und Trümmerfeldern vorbei durch die kein Ende nehmenden Straßenzüge von Charlottenburg. (RS 221f.)

Auch die Details dieser Passage sind wieder dem ersten Kapitel der Erinnerungen Hamburgers entnommen:

Als ich die Stadt nach dem Krieg wiedersah, ließ ich mich auf meinen Wegen von etwas viel weniger Bewußtem als Ortskenntnis leiten, von einem quasi

---

[369] Michael Hamburger: *Verlorener Einsatz* (1987), S. 284.

[370] Diese Besuche Hamburgers in der Stadt seiner Kindheit haben den Autor nachhaltig beschäftigt, immer wieder tauchen sowohl in der Autobiographie als auch und vor allem in Hamburgers Lyrik Textstellen und Bilder auf, die sich mit den bei diesen späteren Besuchen gesammelten Eindrücken beschäftigen, sie in ihrer Irrealität zu fassen und zu ordnen versuchen. So schreibt Hamburger beispielsweise in *Verlorener Einsatz* auf S. 174f.: „Berlin besitzt für mich überwältigende und furchtbare Assoziationen, und ich würde der Stadt lieber fernbleiben. Ich fühle mich so schon oft genug morbid, ohne in das Kinderzimmer meiner Neurosen zurückzukehren." Näheres dazu ist nachzulesen bei Walter Eckel: Von Berlin nach Suffolk (1991), S. 35-59.

schlafwandlerischem Zustand, der mich ein paar Plätze und markante Punkte wiederfinden ließ, die mein Wachbewußtsein völlig vergessen hatte. [...] fand ich die Bezugspunkte meiner Träume und Alpträume wieder – die kahlen fensterlosen Wände der Mietskasernen, die in Berlin ‚Feuermauern' heißen, die wuchtigen Fassaden aus dem späten 19. Jahrhundert [...].[371]

Der somnambule Zustand, in dem sich hier die Erinnerung Hamburgers ereignet, verleiht den einzelnen Bestandteilen dieser Erinnerung ihren surreale Charakter, sie zeigen sich als „photographisch genaue Details, in einem surrealistischen Vakuum aufgehängt [...] bleiben sie unverlierbar und unauffindbar."[372] Sebald gibt diesem unwirklichen Element des Prätextes in seinem eigenen Text großzügigen Raum, und er tut dies, wie im folgenden zu zeigen sein wird, aus einem bestimmten Grund. Wie bisher deutlich geworden sein dürfte, leisten Sebalds intertextuelle Bezugnahmen auf die Hamburger-Biographie vor allem eine Verstärkung und Verdichtung des im Prätext angelegten bruchstückhaften, fragmentarischen Elements. Diese angenommene Bruchstückhaftigkeit und die surreale Erscheinungsweise ihrer Bestandteile führen bei Sebald zu einem bestimmten Vorstellungsmodell von Vergangenheit, nämlich zu der Vorstellung von der Vergangenheit als einem Rätsel, das sich aus den surrealen Erinnerungsbruchstücken konstituiert. All seine Erinnerungen, läßt Sebald Hamburger schreiben, seien ihm vorgekommen

> wie die Elemente eines Rebus, das ich nur richtig auflösen müßte, um die unerhörten [...] Ereignisse ungeschehen zu machen. Es war, als läge es jetzt nur an mir, als könne durch eine geringfügige Geistesanstrengung die ganze Geschichte rückgängig gemacht werden. [...] Es bedürfte bloß eines Augenblicks höchster Konzentration, der silbenweisen Zusammensetzung des in dem Rätsel verborgenen Schlüsselworts, und alles wäre wieder, wie es vordem gewesen war. (RS 222f.)[373]

Die Formulierung „die ganze Geschichte", die durch das Lösen dieses Rätsels möglicherweise rückgängig gemacht werden könnte, impliziert, daß es nicht nur die persönliche Geschichte ist, die hier ungeschehen gemacht werden soll. Vielmehr erscheinen in dieser Formulierung die Sinnzonen der individuellen und der politischen Geschichte parallelisiert und ineinander aufgehend. Das Rätsel, als das die Vergangenheit hier benannt wird, ist als ein Ergebnis des historisch bedingten Zerstörungsaktes zu betrachten. Es ist die Zerstörungserfahrung, die der Vergangenheit Rätselstruktur verleiht.

Anhand dieser Sätze postuliert Sebald jedoch auch wieder eine eigene Auffassung, denn auch er betrachtet die Vergangenheit und die Geschichte ganz offensichtlich als ein Rätsel, wenn er immer wieder in seinem Werk, und hier schließt sich ein

---

[371] Michael Hamburger: *Verlorener Einsatz* (1987), S. 14.

[372] Ebd., S. 27.

[373] Ob Sebald diese Textstelle zitiert oder erfunden hat, konnte nicht letztgültig geklärt werden. In Hamburgers Erinnerungen war sie nicht auffindbar und auch eine Anfrage der Verfasserin bei Michael Hamburger selbst brachte diesbezüglich keine weiterführenden Ergebnisse. Es könnte also angenommen werden, daß es sich bei diesem scheinbaren Zitat um Scheinintertextualität handelt.

Kreis, fragt: „Wer weiß, wie es vor Zeiten wirklich gewesen ist?" und auch seine Figuren, wie eben beispielsweise Stendhal, nach diesem „Wie" fragen läßt bzw. diese ihre Frage zitiert (SG 9). Geschichtsschreibung bedeutet also auch, und dies nicht nur im Falle der intertextuellen Biographie Hamburgers, die Beschreibung und Ausarbeitung der Rätselhaftigkeit der Vergangenheit.[374] Die Prätexte im Sebald-Text funktionieren dabei als Repräsentanten der Bestandteile dieses Rätsels.

Sebald führt für dieses Rätsel jedoch keine Lösung vor, zumindest keine im Sinne Hamburgers, denn weder bricht er den surrealen Charakter der Erinnerungen auf, noch rekonstruiert er aus den Erinnerungsfragmenten ein Ganzes, das als Ganzes im Sinne eines heilen, wiederhergestellten Urzustandes, wie ihn Hamburger sucht, gelten könnte. Er verarbeitet jedoch im Zuge seiner Poetik der Bricolage die Bruchstücke dergestalt, daß er sie in das Ganze seines literarischen Kunstwerkes integriert und dieses Ganze aber, das *Die Ringe des Saturn* darstellen, gleichzeitig sein Bestehen aus Fund- und Bruchstücken betont und kommuniziert. Die Wirklichkeit der individuellen Geschichte, die bei Sebald zur Wirklichkeit der Historie wird, verbirgt sich in diesen Bruchstücken, an ihren Rändern und in ihrer Konstellation zueinander. Dies wird als die Ebene der Erkenntnis über Geschichte etabliert und der melancholische, von frühem Leid bedrückte Schriftsteller als der Träger dieser Erkenntnis.

> Vielleicht verliert ein jeder von uns den Überblick genau in dem Maß, in dem er fortbaut am eigenen Werk, und vielleicht neigen wir aus diesem Grund dazu, die zunehmende Komplexität unserer Geisteskonstruktionen zu verwechseln mit einem Fortschritt an Erkenntnis, während wir zugleich ahnen, daß wir die Unwägbarkeiten, die in Wahrheit unsere Laufbahn bestimmen, nie werden begreifen können. (RS 227)

Mit seiner Konstruktion eines Bruchstücke präsentierenden, intertextuellen Ganzen geht Sebald in diesem Fall über die Konzeption seines Prätextes, der wie gesagt als ein Exemplar der Neuen Autobiographie Robbe-Grillets beschrieben werden kann, hinaus. Diese Konzeption soll hier sicherlich nicht zur Meßlatte für Sebalds Prosa gemacht werden, ist aber für die Analyse der Hamburger-Biographie insofern interessant, als Sebald einen Mittelweg beschreitet zwischen den gegensätzlichen Eigenschaften, die Robbe-Grillet Texten vom Typ der traditionellen Autobiographie einerseits und der Neuen Autobiographie andererseits zuordnet. So läßt Sebald die Bruchstücke (im Sinne der Neuen Autobiographie) des Lebens und der Erinnerung wohl als die Speicherorte von Wirklichkeit gelten, aber das Gesamtkunstwerk, in das er sie integriert, ist gleichzeitig bestimmt durch eine Zielrichtung, die die Neue Autobiographie als eine Verfälschung von Wirklichkeit ablehnen würde, denn die Gesamtheit von *Die Ringe des Saturn* enthält und postuliert „Wahrheit", „Dichte" und „Konsistenz"[375] in einem Geschichtsmodell, das die gesamte Geschichte der

---

[374] Die Lebenswelt und die Vergangenheit als ein allegorisches Rätsel zu betrachten kann zudem als eine typische Auffassung des melancholischen Charakters gelten. Siehe dazu Christian J. Emden: Stückwerk (1999), S. 73.

[375] Alain Robbe-Grillet: Neuer Roman und Autobiographie (1987), S. 23f.

Menschheit durch das erzählende Nebeneinanderlegen von Fragmenten unterschiedlichster Provenienz als einen einzigen Akt der Zerstörung darstellt. Sebald begründet diese Suche nach der Wahrheit der Geschichte in *Luftkrieg und Literatur* sehr grundsätzlich: „Das Ideal des Wahren [...] erweist sich angesichts der totalen Zerstörung als der einzige legitime Grund für die Fortsetzung der literarischen Arbeit. Umgekehrt ist die Herstellung von ästhetischen oder pseudoästhetischen Effekten aus den Trümmern einer vernichteten Welt ein Verfahren, mit dem sich die Literatur ihrer Berechtigung entzieht."[376]

Betrachtet man nun die Beispiele für die intertextuell erzählten Biographien abschließend im Überblick, zeigen sich auf die Frage nach den Funktionen der Textbeziehungen für die Geschichtsdarstellung folgende Ergebnisse:

Bei der intertextuell erzählten Biographie handelt es sich um eine spezifische Form der Sebaldschen Geschichtserzählung, in welcher der Autor Geschichte anhand der Erfahrung von Individuen thematisiert, welche die Eigenschaft teilen, Dichter oder Schriftsteller zu sein. Lebens- und Geschichtserinnerungen gehen in diesen Dichterbiographien Sebalds ineinander auf bzw. ineinander über,[377] weil die Dichterfiguren die historischen Ereignisse, um die es geht, entweder mehr oder weniger direkt miterlebt haben oder von ebensolchen in Mitleidenschaft gezogen worden sind und weil Sebald gerade jene Ausschnitte aus den Lebensgeschichten selektiert, die diese Geschichtserinnerung enthalten.

In diesem Akt der Selektion greift er auf jene literarischen und autobiographischen Text- und auch auf Bildzeugnisse zurück, in denen er diese Geschichtserinnerung aufgehoben sieht, und montiert sie in seine Texte hinein, wobei diese Montage größtenteils auf der Reduktions- und auf der Vollstufe der Markierungsdeutlichkeit geschieht. Die dabei referierten literarischen bzw. autobiographischen Prätexte bilden im Rahmen der intertextuell erzählten Biographien das Herzstück der von Sebald unternommenen Geschichtserzählung und Geschichtsschreibung. Der Autor setzt diese subjektiven Zeugnisse immer wieder der an Fakten und Objektivitätsbestreben orientierten wissenschaftlichen Geschichtsschreibung entgegen und bürstet diese damit im Sinne Walter Benjamins „gegen den Strich."[378] Er setzt unter Verwendung von Intertextualität das Prinzip Vergegenwärtigung gegen das Prinzip

---

[376] W.G. Sebald: Luftkrieg und Literatur (1999), S. 64.

[377] Vor allem in *Die Ringe des Saturn* hat Sebald die Aufmerksamkeit programmatisch auf die Berührungspunkte zwischen den einzelnen Sinnzonen der Geschichte gelegt. Dies wird aus dem letzten Interview deutlich, das er kurz vor seinem Tod der Süddeutschen Zeitung gegeben hat: „Man kann [...] in konzentrischen Kreisen immer weiter nach außen gehen, und die äußeren Kreise determinieren immer die inneren. Das heißt: man kann sich Gedanken machen über den eigenen psychischen Haushalt, wie dieser determiniert wurde von der eigenen Familiengeschichte, diese von der Geschichte der kleinbürgerlichen Klasse in Deutschland, wie das wieder umrissen wurde von den ökonomischen Bedingungen dieser Jahre, wie die ökonomischen Bedingungen sich herausentwickelt haben aus der Geschichte der Industrialisierung in Deutschland und Europa. – und so fort bis in den Kreis, wo die Naturgeschichte und die Geschichte der menschlichen Species ineinander changieren." (Uwe Pralle: Mit einem kleinen Strandspaten Abschied von Deutschland nehmen (2001).)

[378] Walter Benjamin: Über den Begriff der Geschichte (1978), S. 697f.

Rekonstruktion, „die volle Kraft der Subjektivität gegen wissenschaftliche Objektivität",[379] deren Brauchbarkeit für die Wahrheitsfindung in der Geschichte er offenbar für sehr begrenzt hält. Denn nur das Prinzip der Vergegenwärtigung lasse Raum für „das Plötzliche, das Schreckliche der Geschichte."[380] Das subjektive Geschichtserleben des Individuums, in dem dieses Plötzliche und Schreckliche Raum findet, ist für Sebald der Ausgangs- und Mittelpunkt seiner Geschichtsschreibung.[381]

Die Geschichte, über die gesprochen wird, erscheint in seiner Darstellung als eine Macht, beinahe als eine Maschinerie, die von Herrscherfiguren oder herrschenden Instanzen (z.B. Napoleon, Leopold II. oder dem nationalsozialistischen Regime) gelenkt und bestimmt wird. In den solchermaßen gesteuerten Mühlen der Geschichte werden jene Menschen, die das Heer der Namenlosen und der Unmächtigen bilden, und als dessen Sprecher die Dichterfiguren bei Sebald oft auch auftreten, in hellen Scharen benutzt und verbraucht, ja manchmal geradezu „verschrottet" (RS 125). Das Individuum erscheint in dieser Geschichtsvorstellung auf der Gegen- bzw. Nachtseite der historischen Macht. Doch für genau dieses Individuum im Angesicht der Geschichte, für seine Gefühle, Konflikte und Leiden interessiert sich Sebald in seinen Biographien. Da aber die Figuren durch ihr Geschichtserleben versehrt erscheinen, sind das, was Sebald noch als beschreib- und behandelbar vorfindet, vor allem die der Zerstörung entgangenen Reste, die er im Zuge seiner Bricolage-Poetik zu einem neuen Ganzen zusammensetzt: Reste von Zerstörung sowohl auf der materiellen als auch auf der psychischen Ebene und ebenso auf der Ebene der Zerstörung von Identität.

In Sebalds intertextueller Geschichtsschreibung übernehmen die Bezüge auf die literarischen und autobiographischen Texte der Referenzautoren nun im wesentli-

---

[379] Rolf Schörken: Begegnungen mit Geschichte (1995), S. 11f.: „Der Begriff der Rekonstruktion steht für die Arbeit des wissenschaftlichen Forschers. Er bezieht sich auf dessen Hauptaufgabe, also auf die möglichst irrtumsfreie Erforschung der Vergangenheit, so wie sie wirklich geschehen ist, auf dem Wege der kritischen Methodenhandhabung und mit dem Ziel der Einlagerung von Einzelerkenntnissen in übergreifende Zusammenhänge. Der Begriff Vergegenwärtigung benennt einen anderen Schwerpunkt historischer Bemühung: Das Vergangene muß eine Art neuer Gegenwart erhalten, zu neuem Leben erweckt werden."

[380] Ebd., S. 90.

[381] In seinem letzten Interview hat sich Sebald auch zu diesem Aspekt des Subjektiven und Individuellen in seiner essayistischen Prosa noch einmal ausführlicher geäußert: „Das Wissenschaftsideal, mit dem wir alle aufgewachsen sind, ist ja eine sehr abstrakte Sache gewesen [...] Alles Subjektive mußte aus der Wissenschaft heraus, und die Wissenschaft in dieser Abstraktionsform ist natürlich so etwas wie eine sich immer weiter fortwälzende Akkumulation von Fach- und Sachwissen. Nun ist diese Form der Materialsammlung natürlich nicht vollkommen unnütz, aber ich glaube, sie wird für uns produktiv erst in dem Augenblick, in dem wir unsere subjektive Erfahrung hineindenken in das von uns erforschte Umfeld. Anders geht es nicht. Und das waren ja auch Gedanken, die Adorno sehr einschneidend verfolgt hat. Einerseits forderte er so etwas wie einen materialistischen Diskurs, den der deutsche Idealismus und seine Nachgeborenen aber nicht hochkommen ließen; und andererseits die Interpolation einer radikal subjektiven Erfahrung in diesen Diskurs: der eigenen Psychologie, der eigenen Trauer, der eigenen Hoffnungen, der eigenen Lust und so weiter." (Uwe Pralle: Mit einem kleinen Strandspaten Abschied von Deutschland nehmen (2001).)

chen folgende vier Funktionen: Erstens bilden sie im Geschichtserzählen Sebalds die Quellen und den Ort der individuellen Erfahrungswirklichkeit und verleihen ihm dadurch Authentizität. Diese Authentizität bewegt sich jedoch wie immer bei Sebald, und dies nicht zuletzt durch die intertextuelle Praxis der Verwischung von Eigen- und Fremdtext, im Spannungsfeld von Fakten und Fiktion.[382] Damit sind die Textbeziehungen zweitens auch das Transportmedium der postulierten Wahrheit der Geschichte; diese ist eine traurige und düstere, weil das Ergebnis von Zerstörungen aller Art. Drittens fungieren die Autoren, auf deren Texte Bezug genommen wird, im Akt der Entgegensetzung gegen die objektive, an Fakten orientierte Geschichtsschreibung als Zeugen von Sebalds Anklage gegen die Zerstörung jeder Art, die im Namen von Macht und Herrschaft in der Geschichte geschieht. Viertens etabliert Sebald über die Bezüge auf die genannten Autoren einen bestimmten Menschentypus als Träger der Geschichtserkenntnis. Die zitierten Autoren der Textbezüge weisen, was ihre geistige Konstitution betrifft, die gleichen Merkmale auf: Sie sind, abgesehen von der Tatsache, daß sie Schriftsteller sind, auch und vor allem Melancholiker, die sich durch die frühe Erfahrung von Zerstörung oder Leid (zumindest bei Conrad und Hamburger wird diese frühe Prägung in der Kindheit zum Gegenstand ausführlicher Erzählung) den Blick für „das Andere der Geschichte",[383] nämlich ihre Nachtseite, bewahrt haben.

Durch dieses Nebeneinanderlegen, das Ansammeln und Präsentieren von Textzeugnissen aus verschiedenen Epochen und unterschiedlichen historischen Zusammenhängen, entsteht ein Teil des schon in Teil B erwähnten Netzes von Geistesverwandten, in das sich Sebald, der sich auch wiederholt als Melancholiker bezeichnet,[384] selbst einschreibt. Es scheint sich durch diese Geistesverwandschaft unter den zitierten Prätextautoren zunächst wieder, vgl. hierzu das vorangegangene Teilkapitel, eine große Stimmenvielfalt zu ergeben. Bei näherer Betrachtung ist eine Benennung dieser Stimmenvielfalt als Vielstimmigkeit oder Polyphonie im Bachtinschen Sinne jedoch wieder nur noch mit Einschränkung sinnvoll, denn die Stimmen der Geistesverwandten, die Sebald als solche inszeniert und deren Texte er sich bedient, konterkarieren seine Sicht auf Welt und Geschichte in keinem Fall und widersprechen ihr auch nicht, sondern bestätigen und verbürgen sie ausnahmslos. Zutreffender wäre im Zusammenhang mit den intertextuell erzählten Biographien die Benennung der Vielstimmigkeit als eine Selbstvervielfältigung des Erzählers über das Mittel der Textbeziehungen.[385]

---

[382] Von diesem Spannungsfeld ist auffälligerweise in beinahe allen Rezensionen zu Sebalds Werk die Rede, vor allem wenn es um *Schwindel.Gefühle* und *Die Ausgewanderten* geht, siehe dazu beispielsweise Martin Meyer: Memoria (1990), Andreas Isenschmid: Melencolia (1990), Jörg Drews: Wie eines jener bösen, deutschen Märchen (1992), Heinrich Detering: Große Literatur für kleine Zeiten (1992) oder Beatrice v. Matt: Die ausgelagerten Paradiese (1995).

[383] Klaus R. Scherpe: „Kolossalgemälde für Kurzsichtige" (1990), S. 227.

[384] So beispielsweise im Interview mit Marco Poltronieri: Wie kriegen die Deutschen das auf die Reihe? (1997), S. 142.

[385] Vgl. die Verwendung des Begriffs der Selbstähnlichkeit bei Wrobel (Dieter Wrobel: Postmodernes Chaos (1997), S. 205f. und 320.) Zudem ist hier Kochhar-Lindgren zu widerspre-

I.2.4. Die Variation der intertextuell erzählten Biographie in *Die Ausgewanderten*

Die oben beschriebene Erzählkonzeption wird auch dort inszeniert, wo Sebald nicht auf dem Wege der Intertextualität über Biographien erzählt, sondern statt auf Prätexte auf mündliche Zeugnisse oder Zeugnisse, die er als solche ausgibt, zurückgreift.[386] Der Erzählband *Die Ausgewanderten* berichtet auf diese Art und Weise, die der Verknüpfung von Intertextualität und Geschichte eng verwandt ist, von vier Biographien. Dabei integriert Sebald die Tradition und Praxis mündlicher Überlieferung in das Geschichtskonzept des individuellen Leidens und ersetzt die namhaften Künstler in den Biographien durch Figuren, die den Lebensweg des Erzählers (der in diesem Falle auch der Autor ist) gekreuzt haben.

Die vier Biographien in *Die Ausgewanderten* sind Geschichten von Menschen, die ihre Heimat verlassen und in der Ferne bzw. im Exil versucht haben, ein neues Leben zu beginnen. Bei drei dieser vier Menschen handelt es sich um Figuren, die wieder von einem bestimmten Ereignis bzw. einem Abschnitt der jüngeren deutschen Geschichte versehrt erscheinen: sie sind jüdischer Abstammung und teilen das Schicksal, Überlebende des Holocaust zu sein. Da ist der alte Dr. Henry Selwyn, der in einem verfallenen Gutshaus lebt, Tag für Tag die Grashalme seines Gartens zählt und sich vor Schwermut angesichts seines von ihm als gescheitert empfundenen Lebens und vor Heimweh nach Grodno, dem litauischen Ort seiner Jugend, verzehrt, aus dem er mit den Eltern im Alter von sieben Jahren auswandern mußte. Da ist der jüdischstämmige Volksschullehrer des Erzählers, der vor den Nationalsozialisten nach Frankreich floh und dessen stille Verzweiflung und Untröstlichkeit, wie der Erzähler später herausfindet, darin begründet liegt, daß er unter dem Hitler-Regime Berufsverbot erhalten hat und seine Verlobte Helen Hollaender nicht vor der Deportation nach Theresienstadt retten konnte. Der dritte Ausgewanderte ist der Maler Max Aurach, der in Manchester in einem düsteren Hinterhofatelier wie besessen an seinen gespenstischen Porträtbildern arbeitet. Er wurde als Kind von seinen Eltern, die ihn vor den Nationalsozialisten in Sicherheit bringen wollten, ganz allein in einem Flugzeug nach England geschickt. Die Eltern selbst hat Aurach jedoch nie wiedergesehen, auch sie fielen der Judenverfolgung zum Opfer: „Es erscheint mir jedoch heute", bekennt er dem Erzähler, „als sei mein Leben bis in seine äußersten Verzweigungen hinein bestimmt gewesen von der Verschleppung meiner Eltern [...]" (RS 285).

Die Erzählungen über diese Menschen, die der Autor Sebald in dieser oder ähnlicher Gestalt selbst kennengelernt hat,[387] sind im wesentlichen Erzählungen über die

---

chen, der von einem „chorus of different voices" ausgeht (Gray Kochhar-Lindgren: Charcoal (2002), S. 371.)

[386] Dies ist auch die Grundkonzeption des Romans *Austerlitz*, in dem der Erzähler gleichfalls über weite Strecken wiedergibt, was ihm die Figur Jaques Austerlitz erzählt und in dem er sich auf diese Weise zu dessen Medium macht.

[387] Marco Poltronieri: Wie kriegen die Deutschen das auf die Reihe? (1997), S. 144. Interessant ist in diesem Falle jedoch die Tatsache, daß zumindest die Gestalt des Malers Max Aurach nachweislich aus zwei verschiedenen Lebensläufen montiert ist. So hat Sebald gesagt, „daß sie so-

Recherchen nach dem Leben dieser Figuren, das der Erzähler aufzudecken und auszuloten versucht. Er sucht dabei vor allem nach dem Grund für die Schwermut und den Schmerz, den alle Protagonisten mit sich herumzutragen scheinen, und für ihre daraus resultierenden, teilweise absonderlichen Lebensgewohnheiten. Er findet diesen Grund im Verlauf seiner Recherche zum einen in den Begleiterscheinungen des Lebens im Exil wieder, wie z.B. im Heimweh und im Gefühl des Entwurzeltseins, zum anderen aber auch in den Ereignissen des Dritten Reiches. Diese Kriegserlebnisse sind für *Die Ausgewanderten* jedoch so inkommensurabel, daß sie sich der Erzählbarkeit verweigern. So sagt z.B. Henry Selwyn:

> Die Jahre des zweiten Kriegs und die nachfolgenden Jahrzehnte waren für mich eine blinde und böse Zeit, über die ich, selbst, wenn ich wollte, nichts zu erzählen vermöchte. Als ich 1960 meine Praxis und meine Patienten aufgeben mußte, löste ich meine letzten Kontakte mit der sogenannten wirklichen Welt. Seither habe ich in den Pflanzen und Tieren fast meine einzige Ansprache. (A 35)

Ähnliche Symptome weist auch Paul Bereyter auf, der sich über das, was mit seiner Verlobten Helen Hollaender geschehen ist, „beharrlich ausgeschwiegen" (A 73) hat. Max Aurach wiederum antwortet lange nur ungern und ausweichend auf die Nachfragen des Erzählers (A 246). Sein Vater hat einen Aufenthalt im KZ hinter sich, über den er ebenfalls nicht spricht, und Aurach umschreibt die Kommunikation in seiner Familie zur Zeit des Hitler-Regimes mit einer Anspielung auf Wittgenstein: „Krampfhaft haben wir uns alle bemüht, den Anschein der Normalität aufrechtzuerhalten [...] und worüber wir nicht reden konnten, schwiegen wir eben. So hat man sich auch in der Verwandtschaft weitgehend ausgeschwiegen über die Gründe, aus denen sich meine Großmutter Lily Lanzberg das Leben genommen hat" (A 273). Der Erzähler respektiert bei alldem die Grenze der Nicht-Erzählbarkeit,[388] unternimmt nichts, um über sie hinauszugehen und läßt die Andeutungen der Protagonisten für sich stehen. In der Solidarität mit seinen Protagonisten spart er damit das Schrecklichste aus, so daß man hier von einer Poetik der Auslassung des Unglücks der Geschichte sprechen könnte. Was hier thematisiert wird, sind die Spätfolgen der Ereignisse, nicht wie bei den intertextuellen Biographien, die Ereignisse selbst.[389]

---

wohl auf seinem eigenen Vermieter in Manchester in den sechziger Jahren beruht als auch auf einem sehr bekannten Maler, in dem manche Frank Auerbach erkannt haben wollen." (Jonathan Coe: Takt (1997), S. 252.) In der Tat ist eine Identität der Figur Aurachs mit Auerbach nahezu zweifelsfrei festzustellen, wenn man einen Blick auf Auerbachs Gemälde bzw. in einen der Kataloge zu seinen Ausstellungen wirft. (Arts Council of Great Britain (Hg.): Frank Auerbach (1978), S. 70). Das Porträt, das sich auf Seite 70 unter dem Titel *Head of Brigid* findet, scheint sogar derselben Serie zu entstammen wie jenes Porträt, das Sebald in *Die Ausgewanderten* auf S. 240 im Text abbildet. Auch seine an dieser Stelle ausführliche Beschreibung der Maltechnik Aurachs scheint auf Auerbachs Bilder zu passen.

[388] Dazu auch Eva Juhl: Die Wahrheit über das Unglück (1995), S. 647.

[389] Eine interessante Beobachtung zur Zeitstruktur des Erzählens in Zusammenhang mit den in *Die Ausgewanderten* beschriebenen Zerstörungen bietet Ernestine Schlant, die von einer „dichten Zeit" spricht, „eine[r] Zeit, in der sich Vergangenheit und Gegenwart immer wieder kreuzen, vermischen und überlagern. Diese Vermischung zerstört das zeitliche Nacheinander und erzeugt

Die auf diese Weise gestalteten Biographien in *Die Ausgewanderten* werden zwar ebenfalls immer wieder mit intertextuellen Elementen angereichert (so wird beispielsweise ein Lebensabschnitt des Lehrers Paul Bereyter anhand eines im Verlauf der Recherchen aufgefundenen Fotoalbums berichtet, das auch in Auszügen abgebildet wird), die zentrale Verfahrensweise in diesen Erzählungen, in denen das Lebensbild vor dem inneren Auge des Rezipienten stückweise entsteht, ist jedoch diejenige der Befragung der Protagonisten durch den Erzähler und die erzählerische Wiedergabe ihrer Antworten und Berichte, die große Teile des Sebald-Textes einnehmen. Dieses Vorgehen erinnert an die in der Geschichtswissenschaft inzwischen gängige Praxis der sogenannten „Oral history".[390] Statt Textzeugnisse einzumontieren, wie es bei den intertextuell erzählten Biographien der Fall war, kommen *Die Ausgewanderten* in den Erzählungen über ihr Leben, ihre Erinnerung über weite Strecken selbst zu Wort oder aber Menschen bzw. Figuren, die die Protagonisten gekannt haben, erzählen über sie.[391] Dabei ist festzustellen, daß der Duktus, in dem in *Die Ausgewanderten* erzählt wird, häufig derjenige der Mündlichkeit ist,[392] zumal dieser Kunstgriff der literarischen Fingierung von Mündlichkeit imstande ist, einen gesteigerten Realismus und den Eindruck der Authentizität zu erzeugen und die Illusion einer „Sprache der Nähe"[393] herzustellen.

Sebald greift im Falle von *Die Ausgewanderten* also im Unterschied zu den intertextuell erzählten Biographien nicht auf vertextete, sondern auf erzählte Erinnerung zurück bzw. auf eine Erinnerung, die er als solche vorführt. Beide Typen der biographischen Erzählung gleichen sich jedoch in der Praxis des Zitats und des Rückgriffs auf authentische oder als authentisch ausgegebene, im Einzelfall auch fiktiv angereicherte Fremderfahrung. Diese beiden Typen erweisen sich als zwei Seiten derselben Erzählkonzeption, die darin besteht, über die Geschichte und die Verheerungen, die sie anrichtet, nicht rein fiktional oder romanesk zu schreiben, sondern im Rückgriff auf Fremdmaterial und daran anschließend in essayistisch an-

---

den Eindruck eines ausweglosen Labyrinths [...]." (Ernestine Schlant: Die Sprache des Schweigens (2001), S. 279.)

[390] Der Begriff der „Oral History" sei hier verstanden im Sinne Herwart Vorländers als Bezeichnung für eine Forschungstechnik, die sich im allgemeinen mit mündlich erfragter bzw. mündlich weitergegebener Erinnerung von Zeitzeugen eines Ereignisses oder auch einer Epoche beschäftigt. Dabei geht es nicht in allen, aber in vielen Fällen nicht nur um gestaltete, sondern vor allem um erlebte und erlittene Geschichte, um den Menschen als Opfer und Objekt der Historie. Dabei ist die Oral History durchaus auch als Korrektiv und Gegenentwurf zur traditionellen Herrschaftsgeschichte zu verstehen. (Herwart Vorländer: Oral History (1990), S. 5-12.)

[391] Diese Anlehnung an die Oral History erscheint jedoch nicht ausschließlich in *Die Ausgewanderten*. Auch in *Die Ringe des Saturn* findet sich eine Episode, in der Sebald die Figur der Mrs. Ashbury, die mit ihrer Familie vor den Verhältnissen des irischen Bürgerkrieges nach England geflohen ist und auf einem alten Gut mit ihren drei Töchtern ein abseitiges, absonderliches Leben führt, von Brandschatzungen in ebendiesem Krieg und von den Folgen für die Betroffenen erzählen läßt (RS 267-274). Das gleiche Verfahren ist auch wiederum konstitutiv für die Entwicklung der Recherchegeschichte im Roman *Austerlitz*.

[392] Iris Denneler: Formel und Gedächtnis (2000), S. 164f.

[393] Paul Goetsch: Fingierte Mündlichkeit in der Erzählkunst entwickelter Schriftkulturen (1985), S. 217.

mutender Prosa,[394] im Spiel mit Faktischem, Dokumentarischem und Fiktivem. Auch auf diesem Wege nähert sich Sebald also der von ihm als solche aufgefaßten traurigen, düsteren Wahrheit der Geschichte.

Diese beiden Seiten des Erzählkonzepts arbeiten nun, je nachdem, ob sie vertextetes oder als mündlich inszeniertes Fremdmaterial verwenden, mit zwei unterschiedlichen Modi bzw. Formen der Erinnerung, die Jan Assmann in seiner berühmten Studie im Rückgriff auf Konzeptionen von Aby Warburg und Maurice Halbwachs als das „kulturelle Gedächtnis" und das „kommunikative Gedächtnis" auf den Begriff gebracht hat.[395] Zum einen operiert Sebald in seinen intertextuell erzählten Biographien mit dem kulturellen Gedächtnis insofern, als er aus dessen „Totalhorizont angesammelter Texte, Bilder, Handlungsmuster"[396] Material entnimmt und es für seine Zwecke aktualisiert. Zum anderen arbeitet er auch, wie am Beispiel der Erzählungen über *Die Ausgewanderten* zu sehen ist, mit Inhalten, die dem kommunikativen Gedächtnis zuzuordnen sind, weil sie aus dem Bereich der Alltagskommunikation, dem Gegenstandsbereich der Oral History stammen.[397] Sebald leistet eine Literarisierung dieses kommunikativen Gedächtnisses über den Holocaust bzw. dessen Folgen im Leben und in der Psyche der von diesem Abschnitt der deutschen Geschichte in Mitleidenschaft gezogenen Menschen. In diesem Akt der Literarisierung unternimmt er den Versuch, die Erzählungen, die er aus dem Material dieses kommunikativen Gedächtnismodus geformt hat, in das kulturelle Gedächtnis zu überführen, ihnen also Formung zu geben. Dieser Versuch ist insofern als geglückt zu bewerten, als *Die Ausgewanderten* ihm den Durchbruch als literarischer Autor verschafft haben und dieses Buch in der neueren deutschen Literatur über die Zeit des Dritten Reichs inzwischen durchaus den Rang eines kanonischen Werkes beanspruchen darf.[398]

Jedoch ist nicht nur die Tatsache von Bedeutung, daß Sebald diese literarische Überführung unternimmt, sondern auch der Zeitpunkt dieser Unternehmung, denn

---

[394] „Ich habe einen Horror vor allen billigen Formen der Fiktionalisierung", sagte Sebald dazu im Interview mit Sigrid Löffler, und: „Mein Medium ist die Prosa, nicht der Roman." (Sigrid Löffler: „Wildes Denken" (1997), S. 137.)

[395] Jan Assmann: Das kulturelle Gedächtnis (1992), S. 48-56, dazu auch J. Assmann: Kollektives Gedächtnis und kulturelle Identität. Als das kommunikative Gedächtnis definiert Assmann „die lebendige Erinnerung in organischen Gedächtnissen, Erfahrungen und Hörensagen", als „informell und wenig geformt". Das kulturelle Gedächtnis hingegen besteht in „festen Objektivationen und traditioneller symbolischer Kodierung/Inszenierung in Wort, Bild, Tanz usw." und zeichnet sich durch einen „hohen Grad an Geformtheit aus". (Jan Assmann: Das kulturelle Gedächtnis (1992), S. 56.)

[396] Jan Assmann: Kollektives Gedächtnis und kulturelle Identität (1988), S. 13.

[397] Ebd. S. 10. Vgl. hierzu auch eine Aussage W.G. Sebalds im Interview mit Volker Hage: „Das alles liegt im Bereich unserer lebendigen Erinnerungen, es gibt noch Personen, die dabeiwaren. Eine Form von *Oral History* wäre wahrscheinlich der beste Zugang zu diesem Thema: daß man also die Leute befragt und daß man versucht, die erinnerten Einzelheiten zu rekonstruieren." (Volker Hage: Gespräch mit W.G. Sebald (2003), S. 49f.)

[398] Diese Kanonisierung läßt sich vor allem an der Aufnahme von *Die Ausgewanderten* in Kindlers Literaturlexikon ablesen.

130

sie geschieht an einer „Epochenschwelle der kollektiven Erinnerung,"[399] die unter anderem davon bestimmt ist, daß „eine Generation von Zeitzeugen der schwersten Verbrechen und Katastrophen in den Annalen der Menschheitsgeschichte"[400] nun auszusterben beginnt. Eine solche Epochenschwelle findet sich nach Assmann immer nach einer Zeitspanne von 40 Jahren, „wenn die lebendige Erinnerung vom Untergang bedroht und die Formen kultureller Erinnerung zum Problem werden."[401] Als besonderes Problem zeigt sich der Übergang des Holocaust vom kommunikativen ins kulturelle Gedächtnis offenbar auch auf dem Gebiet der Literatur:

> Zu vermuten ist dabei, daß die Literatur über die Vernichtung der Juden unter der paradoxalen Anforderung steht, Authentizität garantieren und gleichzeitig die Inkommensurabilität des Geschehens ständig präsent halten zu müssen. Kommunikation über die Geschehnisse der Judenverfolgung sind in dieser Widersprüchlichkeit ein Exemplum für die Inkommunikabilität der Welt und darum für die Literaturwissenschaft so interessant.[402]

Sebald ist ein Schriftsteller, dessen wichtigstes Anliegen es ist, genau für diese Inkommensurabilität des Schreckens der Geschichte, ob es sich nun um den Holocaust oder ein anderes historisches Ereignis handelt, eine Form zu finden, obgleich natürlich klar ist, daß die Holocaustdarstellung einen Schriftsteller mit diesem Anliegen vor besondere Herausforderungen stellt. Sebald experimentiert angesichts dieser Herausforderung mit Formen und Verfahren der Intertextualität und der Oral History. Er erweist sich dabei jedoch immer von dem Ziel geleitet, der authentischen Erfahrung und Erinnerung des erlebenden und/oder erleidenden Individuums[403] Gehör zu verschaffen,[404] mit der Bereitschaft, hinter diese Erfahrung zurückzutreten, zwischen den Parametern Subjektivität, Objektivität und Authentizität ihr Bewahrer, ihr Anordner und ihr Überlieferungsmedium zu sein. Dadurch beschreibt Sebald zum einen zwar erneut die zerstörerischen Kräfte der Geschichte, arbeitet ihnen durch den beschriebenen Akt der Bewahrung jedoch gleichzeitig entgegen und findet somit eine Form des Widerstandes gegen die Vernichtung.

---

[399] Jan Assmann: Das kulturelle Gedächtnis (1992), S.11. Vgl. dazu auch Iris Denneler: Das Gedächtnis der Namen (2001), S. 144. Auch Denneler arbeitet mit dem Ansatz von Jan Assmann, fragt jedoch danach, „was für ein kulturelles Gedächtnis *Die Ausgewanderten* rekonstruieren" und geht nicht auf die Situation des Übergangs vom kommunikativen ins kulturelle Gedächtnis ein.

[400] Jan Assmann: Das Kulturelle Gedächtnis (1992), S. 11.

[401] Ebd.

[402] Gerhard Lauer: Erinnerungsverhandlungen (1999), S. 220.

[403] Siehe hierzu auch Sebalds Aussage im Interview mit Sven Boedecker: „Der Umstand, daß das Thema [Die Geschichte der Juden in Deutschland, Anm. d. Verf.] stets in diesen großen Kategorien abgehandelt wurde, hat mir zudem Mißbehagen bereitet. Es ging immer um die Massen, die da durch die Gaskammern geschleust wurden. Das waren aber nicht anonyme Millionen, sondern immer einzelne Menschen, die tatsächlich auf der anderen Seite des Flurgangs gelebt haben." (Sven Boedecker: Menschen auf der anderen Seite (1993).)

[404] Auch die Geschichtsschreibung hat inzwischen damit begonnen, die Stimmen der Opfer als integrierenden Bestandteil der Darstellung zu berücksichtigen, z.B. bei Saul Friedländer: Das Dritte Reich und die Juden (1998) oder Wolfgang Benz: Die Juden in Deutschland 1933-1945 (1988). Siehe dazu auch Ernestine Schlant: Die Sprache des Schweigens (2001), S. 296-301.

II. EINZELTEXTREFERENZEN IN DER GESCHICHTSDARSTELLUNG

II.1. Matthias Grünewald und Sir Thomas Browne: Prätextbezüge als Mittel der Versinnlichung und Verräumlichung historischer Zeit

Die Zeit fällt bei der Lektüre der Sebald-Texte als ein Thema auf, das in allen Büchern einen gewissen Raum einnimmt.[405] Textstellen, die eine Versinnlichung und Verräumlichung des Phänomens Zeit auch im Kontext von Geschichte unternehmen, sind häufig zu finden. So ist beispielsweise von der Stadt St. Petersburg als einem im „Entstehen schon eingesunkenen Bauwerk" (NN 41) die Rede. Für den Maler Max Aurach ist die Zeit „nichts als das Rumoren der Seele" (A 270), und der Erzähler in *Die Ringe des Saturn* beschreibt das Schloß Somerleyton, das er auf seiner Fußreise durch Norfolk besucht, als einen Ort, an dem er die Zeiten in geologischer Schichtung vorfindet: „In welchem Jahrzehnt oder Jahrhundert man ist, läßt sich nicht ohne weiteres sagen, denn viele Zeiten haben sich hier überlagert und bestehen nebeneinander fort" (RS 49). Ähnliches geschieht auch beim Besuch desselben Erzählers auf der Insel Orford, einem gottverlassenen Ort vor der englischen Küste, auf dem sich geheimnisvolle Versuchsanlagen befinden, auf der er sich als „erster Mensch" und „nachgeborener Fremder" zugleich empfindet (RS 294) und sich unter den „Überresten unserer eigenen, in einer zukünftigen Katastrophe zugrundegegangenen Zivilisation" (RS 195) wähnt.

Im folgenden werde ich nun zwei Beispiele von Textbeziehungen näher betrachten, in denen sich eine solche Verräumlichung[406] und Versinnlichung des Phänomens Zeit mit dem Verfahren der intertextuellen bzw. intermedialen Bezugnahme verbindet und in denen sich ein intertextuell erzeugtes Zusammenspiel der Zeitmodi[407] Vergangenheit, Gegenwart und Zukunft zeigt.

Der erste dieser beiden Bezüge findet sich in der dichterischen Ekphrasis der Gemälde von Matthias Grünewald, die Sebald im ersten Langgedicht von *Nach der Natur* vornimmt. Um die Bedeutung dieser Ekphrasis, die sich mit dem Phänomen historischer Zeit auseinandersetzt, angemessen ausloten zu können, ist es notwendig, etwas auszuholen und das Umfeld der entsprechenden Textstelle und auch den intertextuellen Weg zu beschreiben, den der lyrische Sprecher dabei geht. Denn der Verlauf, den der Sebald-Text nimmt, wenn er sich auf jene Textstellen zubewegt, in denen die Versinnlichung und Verräumlichung der Zeit stattfindet, ist verbunden mit

---

[405] Hier ist einer Feststellung Coetzees deutlich zu widersprechen, der schreibt: „In den früheren Büchern spielt das Thema Zeit keine größere Rolle, vielleicht weil sich Sebald nicht sicher ist, daß sein Medium das Gewicht von zu viel Philosophieren verträgt. [...] Doch in *Austerlitz*, Sebalds ehrgeizigstem Buch, findet eine umfassende Auseinandersetzung mit der Zeit statt" (J.M. Coetzee: Erbe einer düsteren Geschichte (2003), S. 130.)

[406] Jan Assmann beschreibt die Verräumlichung der Zeit sogar als das ursprünglichste Medium der Mnemotechnik, auf dem auch die abendländische Gedächtniskunst zentral beruhe. (Jan Assmann: Das kulturelle Gedächtnis (1992), S. 59.)

[407] Begriffsentlehnung von Assen Ignatow: Anthropologische Geschichtsphilosophie (1993), S. 182.

dem Versuch der Annäherung an die rätselhafte Person des Malers Matthias Grünewald, dessen Identität der Kunstwissenschaft Rätsel aufgab und noch aufgibt.[408]

Der Sprecher des Gedichts versucht sich zunächst also der Person Grünewalds
anzunähern, indem er dessen Altarbilder in der Pfarrkirche von Lindenhardt beschreibt und besonders die Figur des darauf abgebildeten heiligen Georg. Sehr
schnell kommt der Sprecher dabei auf das biographische Rätsel um Grünewald zu
sprechen, das in der Vermutung besteht, daß sich hinter seinem Namen nicht eine,
sondern zwei Personen verbergen: „Und in der Tat geht die Figur des Mathis Nithart
/ in den Dokumenten der Zeit in einem Maß / in die Grünewalds über, daß man
meint, / der eine habe wirklich das Leben / und zuletzt gar den Tod / des anderen
ausgemacht" (NN 17).

Später, im zweiten Teil des ersten Langgedichts versucht sich der Sprecher auf
dem Wege der Wissenschaft über Quellentexte dem Maler zu nähern, doch: „Wenig
ist bekannt über das Leben / des Matthaeus Grünewald von Aschaffenburg" (NN
10). Der Sprecher zitiert und trägt im Gedicht zusammen, was verschiedene Kunst-
wissenschaftler, z.B. Grünewalds erster Biograph Joachim von Sandrart[409] oder der
Kunsthistoriker Zülch, dessen Buch über Grünewald sich jedoch in anrüchiger Nähe
zum Gedankengut des Nationalsozialismus befindet,[410] über den Maler zu wissen
glauben. Diese Fremdtexte werden dabei auf der Vollstufe zitiert, mit jener in Teil B
bereits beschriebenen Markierungsform, die die Grenze zwischen Fremd- und Eigentext größtenteils als transparent erscheinen läßt. Hierdurch und durch die Verwendung eines wissenschaftlich anmutenden, Argumente vorbringenden und Fakten
abwägenden Duktus werden die Distanz und gleichzeitig der Vorbehalt den getrof-
fenen Aussagen gegenüber gewahrt, wenn es beispielsweise über Anna, die Verlobte
des Malers, heißt: „Grünewald wird das, wie es heißt, in seiner Schönheit auffällige
Kind bemerkt haben" (NN 13), oder wenn der Bericht Sandrarts durchgehend mit
Formulierungen wie „vielmehr scheint es" oder „schreibt er" durchsetzt und in indirekter Rede wiedergegeben wird. Diese Zitierweise verdeutlicht nachdrücklich, daß
es sich nicht um Aussagen des lyrischen Sprechers handelt, sondern um Aussagen
Dritter. Die versuchte Annäherung des Sprechers an die Person Grünewalds über

---

[408] Siehe hierzu z.B. Hans Heinrich Naumann: Das Grünewaldproblem und das neuentdeckte
Selbstbildnis des 20jährigen Mathis Neithard aus dem Jahre 1475 (1930). Ein Beispiel für die ge-
genwärtige Auseinandersetzung mit dem Maler ist eine bayerische Landesausstellung mit dem Titel
„Das Rätsel Grünewald", die im Winter 2002/2003 im Schloß Aschaffenburg stattfand.

[409] Joachim von Sandrarts Biographie von 1675 ist es zu verdanken, daß Grünewald überhaupt wieder als Person in die Kunstgeschichte zurückgekehrt ist. Doch auch Sandrart betont, daß
über Grünewald nicht viel bekannt ist und daß er „nicht einen Menschen bey Leben weiß, der von
seinem Thun nur eine geringe Schrift oder mündliche Nachricht geben könnte." (Joachim v. Sandrart: Teutsche Academie (1994), S. 236f.)

Wie ein Vergleich des Sebald-Textes mit der Biographie Sandrarts ergeben hat, schreibt Sebald auf den Seiten 10 und 11 von *Nach der Natur* eine lyrische Paraphrase von dessen gesamten
Bericht über Grünewald, wobei auch der Gedankengang in der Reihenfolge Sandrarts wiedergegeben wird. Ebenso finden sich alle durch die altertümliche Schreibweise als solche markierte Zitate
bei Sandrart in diesem Wortlaut wieder.

[410] Walther Karl Zülch: Der historische Grünewald (1938).

den Weg der wissenschaftlichen Texte und Biographien, über die (zweifelhafte) Chronologie und die Stationen seines Lebens, fördert im Gedicht zwar einige informative Fakten und Bruchstücke zutage, trotzdem aber bleibt die Person des Malers ein Rätsel, eine verwischte Gestalt. Die Annäherung an ihn und sein Wirken bleibt partiell und fragwürdig. Damit aber wird eine bestimmte Gruppe von Prätexten, und zwar jene Gruppe der kunstwissenschaftlichen Texte, als Instrument der Erkenntnis über den Maler als nicht oder nur bedingt brauchbar vorgeführt.

Der Duktus des Textes ändert sich jedoch, als der lyrische Sprecher in den Teilen V und VI des Gedichts zur Ekphrasis des berühmten Isenheimer Altars und des sogenannten „Basler Kreuzigungsbildes" (NN 26), gemeint ist das Gemälde *Die Kreuzigung Christi*, übergeht: Die Bilder werden dem Leser jetzt in einer Beschreibung präsentiert, die auf die vermittelnde Instanz eines Biographen oder Kunsthistorikers verzichtet. Der Sprecher liest und interpretiert die Bilder unmittelbar und zieht daraus Erkenntnisse, die er absolut setzt. Damit entfallen die argumentativwissenschaftliche Sprechweise und ebenso die Distanz und die Vorbehalte dem Gegenstand gegenüber: So spricht das Ich angesichts der Gemälde z.B. über einen Grünewald, der „zu einer extremistischen Auffassung / der Welt geneigt haben muß" oder der „die Erlösung / des Lebens als eine vom Leben verstanden haben wird" (NN 22). Dieselbe zwingende Gewißheit suggerieren auch Formulierungen wie „dieses ist ihm, dem Maler die Schöpfung, / Bild unserer irren Anwesenheit / auf der Oberfläche der Erde / einer in abschüssigen Bahnen verlaufenden Regeneration" (NN 23). Als Grund für diese apokalyptische Weltbetrachtung sieht Sebald neben Grünewalds melancholischer Disposition und seiner Zeugenschaft bezüglich der Greuel der Reformationskriege[411] auch dessen Auffassung der Natur, die

> kein Gleichgewicht kennt,
> sondern blind ein wüstes Experiment macht ums andere
> und wie ein unsinniger Bastler[412] schon
> ausschlachtet, was ihr grad erst gelang.
> Ausprobieren, wie weit sie noch gehen kann,
> ist ihr einziges Ziel [...]. (NN 24f.)

Wie sich zeigt, gelingt dem Sprecher jetzt durch die Betrachtung und Analyse der Gemälde Grünewalds das, was er mit den zuvor genannten wissenschaftlichen Prätexten vergeblich versuchte: eine Verbindung herzustellen zu Grünewald, eine Anknüpfung an seine Seelen- und Gedankenwelt. Die unmittelbare, subjektive Kunstbetrachtung wird somit als das eigentliche Erkenntnisinstrument zur Annäherung an den Künstler etabliert und in Opposition zu jenen Prätexten gesetzt, die ebendiese Annäherung über die Erstellung einer Chronologie aus Daten und Fakten versuchten. In diesem Erkenntniszusammenhang wird nun auch die Vorstellung von der im Kunstwerk verräumlichten und versinnlichten Zeit formuliert und gestaltet. Dies ge-

---

[411] Thomas Eicher: Zeitdiagnose und Utopie in zitierten Bildern (1994), S. 128.

[412] Hier scheint der Begriff des Bastlers zunächst eine Anspielung auf das allgegenwärtige Verfahren der Bricolage zu sein. Die Personifikation der Natur als Bastlerin hat hier jedoch einen eher zerstörerischen Impetus und meint offenbar nicht den Bastler im Sinne Lévi-Strauss', der aus vorgefundenen Resten etwas Neues schafft.

schiet im Sebald-Text anhand zweier Gemälde, die zu den genannten Altarbildern Grünewalds gehören.

Erstens bezieht sich der lyrische Sprecher auf die „Berglandschaft der Beweinung" (NN 27) Christi, die untere Bildtafel des berühmten Isenheimer Altars, die sogenannte Predella. Das Bild erscheint im Text nur in Form der Ekphrasis, nicht in Form einer Abbildung bzw. Reproduktion, trotzdem ist ein Blick auf das betreffende Gemälde hilfreich, um die Selektion der Bildelemente, die sich in Sebalds Bezugnahme beobachten läßt, zu verdeutlichen. Auf der Bildtafel sind drei Figuren zu sehen, die den toten Christus neben seinem Grab beweinen, wobei die in gespenstisch fahlen Farben gemalte Christusfigur sich, ebenso wie die Trauernden, durch jenen für Grünewald typischen „fast pietätlosen Realismus in der Darstellung von Schmerz und Leid"[413] charakterisieren lassen. Bei den Figuren handelt es sich um Maria, den Evangelisten Johannes und „bleich und häßlich, extrovertiert, laut klagend, die große Sünderin"[414] Maria Magdalena. Ins Auge fallen außerdem das in Rot gehaltene Grab mit der daneben auf dem Boden liegenden Dornenkrone und die in fahlem, eisigem Blaugrün gemalte, bergige, karge Hintergrundlandschaft, durch die sich ein schwarzblauer Fluß windet.

Der lyrische Sprecher läßt in seiner Beschreibung der Predella die Figuren jedoch völlig außer acht und konzentriert sich stattdessen auf die düstere, undeutlich gemalte Hintergrundlandschaft:

> Sie entfalten sich als die Rückseite
> des Spektrums in einer anderen Beschaffenheit
> der Luft, deren sauerstofflose Leere
> uns in der Atemnot der Figuren
> des Isenheimer Zentralstücks schon den Tod
> durch Erstickung verheißt, wonach kommt
> die Berglandschaft der Beweinung,
> in der Grünewald mit pathetischem Blick
> auf die Zukunft einen wildfremden
> Planeten vorgebildet hat, kalkfarben
> hinter dem schwarzblauen Strom.
> Hier ist gemalt in schlimmer Erodiertheit
> und Öde das Erbteil der Zerschleißung,
> die zuletzt noch die Steine zerfrißt. (NN 27f.)

Sebald stilisiert Grünewald in dieser Textpassage zum Visionär, der eine Landschaft der Zukunft zu sehen imstande ist, und diese Zukunft ist, dem Gemälde Grünewalds nach, eine karge, öde, erodierte. Beim Betrachten dieser Landschaft folgt der Sprecher affirmativ dem Blick des Malers, oder, wie Hans Belting formuliert, er sieht „die Welt in einem anderen Blick [...], dem wir aber zutrauen, auch unser eigener Blick sein zu können."[415] Es ist hier von einer Zukunft die Rede, die sowohl der Ma-

---

[413] Thomas Eicher: Zeitdiagnose und Utopie in zitierten Bildern (1994), S. 139.
[414] Eberhard Ruhmer: Der Isenheimer Altar (1979), S. 55.
[415] Hans Belting: Bild-Anthropologie (2001), S. 224.

ler als offenbar auch der Sprecher noch vor sich sehen.[416] Damit fallen die drei Zeitmodi der biblischen Vergangenheit, der Gegenwart des Sprechers und der Zukunft in diesem Gemälde zusammen, erscheinen im Kunstwerk verräumlicht und versinnlicht.

Das zweite Bild, das Sebald im Zuge der intermedialen Verräumlichung und Versinnlichung der Zeit referiert, ist erneut das sogenannte „Basler Kreuzigungsbild" (NN 26). Auch in diesem Fall soll das betreffende Gemälde einer kurzen Betrachtung unterzogen werden: In der Mitte des Bildes befindet sich als beherrschendes Motiv der von Geißelwunden übersäte Christus am Kreuz. Am unteren Ende des Kreuzes, Grünewald hält sich hier genau an die Vorgaben des Johannesevangeliums[417], stehen, klagend und weinend, Maria und ihre Schwester Maria Magdalena und außerdem der Soldat mit der Lanze in der linken und dem Essigschwamm in der rechten Hand. Der Bildhintergrund besteht in einem schwarzblauen Himmel, vor dem sich der in fahlen Farben gemalte Christus beinahe gespenstisch abhebt. Dahinter, etwa in der Bildmitte, durchzieht eine ferne, in Braun und Grün gemalte Landschaft mit gleichwohl düsterem Charakter das Bild.

Der lyrische Sprecher des Langgedichts läßt nun in seiner Ekphrasis, genau wie im Falle der Predella des Isenheimer Altars, die Figuren und ihre Charakteristika außen vor und konzentriert sich wieder ausschließlich auf den Bildhintergrund. Er beschreibt eine

> so weit in die Tiefe hineingehende Landschaft,
> daß unser Auge nicht ausreicht, sie zu ergründen.
> Ein Stück brauner verbrannter Erde,
> deren Umriß wie der Kopf eines Walfisches
> oder Leviathans mit offenem Maul
> die fahlgrünen Wiesenplane, Senken
> und sumpfig schimmernde Breite
> des Wassers verschlingt.
> Darüber,
> verbannt hinter dem Stufe um Stufe
> düstrer und dunkler werdenden Horizont,
> steigen die Hügel auf der Vorgeschichte
> der Passion,
> [...] derart verkleinert, daß aus der Flucht
> des Raumes spürbar wird
> die sich überstürzende Zeit. (NN 26)

---

[416] Die Sebaldsche Beschreibung der Landschaft Grünewalds als die eines fernen, zukünftigen Planeten erscheint nicht unbedingt originell. In der Forschungsliteratur tauchen ebenfalls bereits solche Beschreibungen auf, so bezeichnet auch Ruhmer den Hintergrund der Zentraltafel des Isenheimer Altars als eine „düstere Mondlandschaft". (Eberhard Ruhmer: Der Isenheimer Altar (1979), S. 55.)

[417] Der Text des Johannesevangeliums lautet: „Bei dem Kreuz standen seine Mutter und die Schwester seiner Mutter, Maria, die Frau des Klopas, und Maria von Magdala. Als Jesus seine Mutter sah und bei ihr den Jünger, den Jesus liebte, sagte er zu seiner Mutter: Frau, siehe, dein Sohn!" (Joh. 19, 25-27).

Im geschilderten Verhältnis von Bildvorder- und Bildhintergrund erhält die Versinnlichung und Verräumlichung von Zeit im künstlerischen Bildwerk eine zusätzliche, dynamisierte Komponente durch die vom Betrachter als „sich überstürzend" (NN 26) empfundene Zeit. Der lyrische Sprecher reagiert hier auf eine Besonderheit des Gemäldes, die sich mit den Worten Heike Hagedorns folgendermaßen umschreiben läßt: „Die Bildplanimetrie" erscheint „als Negation von Raum und Zeit, d.h. es entsteht ein Vorgang, der Nahes und Fernes abwechselnd und wechselseitig nach vorne und nach hinten drängt."[418]

Die durch die Betrachtung und Beschreibung des Kunstwerks versinnlichte, spürbar gemachte Zeit und die dem Vorgang des Sichüberstürzens innewohnende Dynamik erscheinen also einerseits im statischen Kunstwerk konserviert. Dieses statische Kunstwerk ist jedoch andererseits durch seine offenkundige Bannkraft und Wirkung, die es auf den Sprecher ausübt, imstande, diesen dynamischen Vorgang immer wieder aufs neue zu aktivieren. Es zieht den Blick des Sprechers in seinen Fluchtpunkt, in welchen die Zeiten gleichsam wie in ein schwarzes Loch hineinstürzen. Die biblische Vergangenheit wird zwar über das Bild Grünewalds zugänglich, bleibt aber doch rätselhaft und undurchschaubar durch ihren „düstrer und dunkler werdenden Horizont" (NN 26), für den das „Auge nicht ausreicht, sie zu ergründen" (NN 26).

Die Funktion der Bezugnahme auf die Grünewald-Bilder ist also ambivalent: Sie zeigt einerseits das Subjekt als ein Wesen, das sich gegen das Erlebnis der sich überstürzenden Zeit nicht wehren kann. Andererseits suggeriert die Dynamisierung der Zeit im Bild für das Subjekt auch die Möglichkeit des Entkommens aus der ihm zugewiesenen historischen Zeit bzw. Epoche. Die intermediale Versinnlichung und Verräumlichung der Zeit impliziert hier also die Macht und Machtlosigkeit gegenüber dieser Zeit gleichermaßen. Durch die auf der Fläche des Gemäldes visualisierte und erfahrbar gemachte Zeitschichtung tritt diese Zeit in Beziehung zur Dimension des Raumes, man könnte in diesem Falle auch von einer horizontalen Schichtung sprechen.[419]

Eine andere, vertikale Art der Verräumlichung historischer Zeit bzw. die Verschränkung derselben mit dem Raum erscheint in *Die Ringe des Saturn* durch die Bezugnahme auf den Essay *Hydriotaphia or Urn Buriall* des englischen Arztes und Schriftstellers Sir Thomas Browne,[420] in dem es um die „damals gerade in einem Feld in der Nähe des Wallfahrtsortes Walsingham in Norfolk aufgefundenen Urnengefäße" (RS 35) geht.

Sir Thomas Browne beginnt seinen Essay, der aus fünf Kapiteln besteht, mit einer ausgedehnten Betrachtung der Begräbnisrituale verschiedener Völker und Zei-

---

[418] Heike Hagedorn: Das Sprachgewebe der Bilder (1995), S. 81.

[419] Als horizontale Schichtung bezeichnet Ignatow z.B. auch die Zonen der Erdoberfläche, die mit Monumenten der jeweiligen Epochen bedeckt ist: „Was nacheinander gemacht wurde, liegt nebeneinander." (Assen Ignatow: Anthropologische Geschichtsphilosophie (1993), S. 208.) Auf Grünewalds Gemälde verhält es sich nach der von Sebald gegebenen Ekphrasis ebenso.

[420] Verwendete Ausgabe: Thomas Browne: *Hydriotaphia*. In: The Works of Sir Thomas Browne. Edited by Geoffrey Keynes. Bd.4. London: Faber and Gwyer 1929.

ten, wobei er die besagten Funde römischer Urnen in einem Acker in Norfolk zum Anlaß seiner Betrachtungen nimmt. Er untersucht und stellt dar, wie beispielsweise im antiken Griechenland, Arabien oder Palästina die Toten begraben wurden und geht dabei vor allem darauf ein, welche Völker die Leichenverbrennung, welche die Erdbestattung praktizierten, und wer wem dabei welche Monumente setzte. An die weitschweifige Darstellung dieser Sachverhalte, die vor allem im geistreichen und sprachlich pompösen Spiel mit der eigenen Gelehrsamkeit und dem Wissen der Zeit besteht,[421] schließt Browne dann die Betrachtung der bei Walsingham in Norfolk gefundenen Urnen an. Er beschreibt sie einerseits in ihrem Äußeren, andererseits nennt er detailliert die kostbaren bis obskuren Gegenstände, die man neben der Asche der Verstorbenen in den Urnen gefunden hat. Während Browne in diesen ersten Kapiteln seines Essays noch an der Dinglichkeit des Vorgefundenen interessiert ist, an Prozessen des Vergehens der Dinge wie des menschlichen Körpers, geht er in Kapitel vier zu einer differenzierteren Betrachtung des Dargestellten über. Browne ist in diesem Kapitel nicht mehr nur Erzähler und Beobachter der Begräbnisrituale, sondern der tiefreligiöse Arzt wird zum Kritiker der von ihm beschriebenen Vorgänge,[422] vor allem der Leichenverbrennung, die er als typisch heidnisches Ritual verurteilt, weil sie den Körper nicht für das Leben nach dem Tode bewahrt, von dem die christliche Religion ausgeht. Einerseits sieht er diese Riten im Innersten von einer zentralen menschlichen Hoffnung geprägt: „A great part of Antiquity contented their hopes of subsistency with a transmigration of their souls.“[423] Andererseits ist er sich jedoch sicher, daß „in vain do individuals hope for immortality“,[424] zumindest nicht, was das Andenken eines Menschen in der irdischen Sphäre betrifft.

Im fünften und letzten Kapitel des Essays, das in der Literaturwissenschaft als eines der größten stilistischen Leistungen englischer Prosa gilt,[425] münden Brownes bisherige Beobachtungen der Totenrituale schließlich in eine theologische Analyse. Browne erklärt – ganz im Geiste des Barock – die Eitelkeit des Menschen, der sich mit allen Mitteln das Andenken der Nachwelt zu sichern sucht, zum Feindbild, wertet sie ab. Diese Eitelkeit findet er vor allem in den monumentalisierenden Instinkten des Menschen wieder. Aber: "Oblivion is not to be hired: The greater part must be

---

[421] „Das Einleitungskapitel des Essays hat, abgesehen von den allgemeinen und feierlichen Eröffnungsreflexionen, nicht die Funktion einer Einleitung, die planvoll zum Hauptthema hinführt, sondern es spiegelt inhaltlich und strukturell den Prozeß der Einarbeitung in einen stofflichen Bereich, der soeben durch die Urnenfunde aktuell geworden war", schreibt Löffler. Diese These läßt sich vor allem durch die Tatsache stützen, daß sich in den besagten Kapiteln eine ausgiebige Verarbeitung von entsprechenden Quellen der Zeit nachweisen läßt, daß *Hydriotaphia* somit ein in einigen Passagen hochintertextuelles Stück Text ist. So hat Browne sich beispielsweise auf Johann Kirchmanns Buch *De Funeribus Romanorum* von 1625 bezogen, das er selbst besaß, oder auf *Danicorum Monumentorum Libri Sex* von Olaus Wormius. (Arno Löffler: Sir Thomas Browne als Virtuoso (1972), S. 86-102.)

[422] Vgl. Jonathan Post: Motives for Metaphor (1987), S. 126.

[423] Thomas Browne: *Hydriotaphia* (1929), S. 47.

[424] Ebd., S. 48.

[425] Vgl. Jonathan Post: Motives for Metaphor (1987), S. 127f.

content to be as though they had not been, to be found in the register of God, not in the record of man."[426]

Angesichts dieser Tatsache plädiert Browne für eine Existenz des Menschen in Anonymität und Privatheit und auch in der Obskurität, die eine solche Existenz mit sich bringen kann: „Privacy makes innocent."[427] Dies ist für ihn in Abkehr vom Streben nach irdischem Nachleben, welches er jedoch zugleich als Resultat der Angst vor der eigenen Auslöschung durchaus anerkennt, die ideale christliche Existenzform:

> Who knows whether the best of men be known? or whether there be not more remarkable persons forgot, than any that stand remembred in the known account of time? Whithout the favour of the everlasting register the first man had been as unknown as the last, and Methuselah's long life had been his only Chronicle. [...] Pious spirits who passed their dayes in raptures of futurity, made little more of this world, then the world was before it, while the lay obscure in the Chaos of preordination, and night of their fore-beings. [...] To subsist in lasting Monuments, to live in their productions, to exist in their names [...] was large satisfaction unto old expectations and made one part of their Elyziums. But all this is nothing in the Metaphysicks of true belief.[428]

In diesem Zusammenhang werden die bei Norfolk aufgefundenen Urnen zum Sinnbild dieses von Browne propagierten Lebens in Obskurität und Privatheit. Sie haben ebenfalls Jahrhunderte in der Erde überdauert, während „Pflugscharen und Kriege hinweggingen über sie (RS 36)." In *Hydriotaphia* ist ihr Auftauchen aus dieser Erde als eine Auferstehungsphantasie zu interpretieren, denn ebenso wie die Urnen, die aus ihrer Obskurität plötzlich zurück ans Tageslicht kommen, werden in Brownes Vorstellung jene durch den Rückzug in die Privatheit schuldlos gebliebenen Menschen bei Gott in der nächsten Welt auferstehen.[429]

Auf welche Weise integriert nun Sebald den Browne-Text in *Die Ringe des Saturn?* Welche Elemente selektiert er aus dem Prätext und wie ordnet er sie an?

Die erste Stelle, an der im Sebald-Text Sätze aus *Hydriotaphia* erscheinen, lautet folgendermaßen:

> Sogar die Zeit selber wird alt.[430] Nicht einmal diejenigen, die einen Platz gefunden haben unter den Bildern des Himmels, konnten auf immer ihren Ruhm

---

[426] Thomas Browne: *Hydriotaphia* (1929), S. 46.

[427] Ebd., S. 49.

[428] Ebd., S. 46 und 50.

[429] Der Essay scheint in diesem Zusammenhang eine versteckte Botschaft an Thomas LeGros, jenen Freund Thomas Brownes, zu enthalten, dem *Hydriotaphia* gewidmet ist. Während des puritanischen Interregnums unter Oliver Cromwell, in dem insbesondere anglikanische Geistliche unter harter Verfolgung zu leiden hatten, ist LeGros offenbar im Untergrund, also gleichfalls in einer Art Obskurität, tätig gewesen. So scheint LeGros beispielsweise einen anglikanischen Pfarrer und seine Familie bis zur Wiedereinsetzung der Monarchie 1660 über mehrere Jahre hinweg vor dem Hungertod bewahrt zu haben, und Browne hat ihn offenbar in diesen Aktivitäten unterstützt. (Jonathan Post: Motives for Metaphor (1987), S. 132f.)

[430] Thomas Browne: *Hydriotaphia* (1929), S. 47: „[...] and time grows old itself."

sich erhalten. Nimrod ist im Orion verloren, Osiris im Hundsstern.[431] Kaum
drei Eichen haben die größten Geschlechter überdauert.[432] (RS 34)

Sebald zitiert diese Sätze in einem ersten Schritt beinahe auf der Nullstufe der Markierungsdeutlichkeit, denn sie sind als Zitate nur zu erkennen, wenn der Rezipient
auch den Prätext kennt. Andererseits könnte man auch von einem Grenzfall der
Markierungsdeutlichkeit sprechen, der sich am Übergang von der Null- zur Reduktionsstufe befindet, denn die Sätze erscheinen im Textzusammenhang rätselhaft. Diese Rätselhaftigkeit hebt sie vom Rest des Textes ab und kann – zumal der vorausge-
hende Text schon von Browne-Zitaten gesättigt ist – als ein Indiz für Intertextualität
aufgefaßt werden. In diesen ersten Zitatzeilen, die aus unterschiedlichen Passagen
des *Hydriotaphia* stammen und hier neu zusammengestellt sind, bezieht sich Sebald
einerseits inhaltlich auf den oben bei Browne schon genannten Aspekt der Vergeb-
lichkeit des Versuchs und des gleichwohl nicht auslöschbaren Triebes der Menschen, sich unter ihresgleichen ein immerwährendes Andenken zu verschaffen. Andererseits formuliert er ihn auch wörtlich mit den Ausdrücken Brownes.

In einem zweiten Schritt, im Anschluß an diese Rätselsätze, nennt Sebald jedoch seinen Bezugstext, der auch der Bezugstext für die folgende Textpassage sein
wird, und markiert ihn auf der Potenzierungsstufe: „In solchen Kreisen drehen sich
die Gedanken Brownes, am unausgesetztesten vielleicht in seinem 1658 unter dem
Titel *Hydriotaphia* veröffentlichten Diskurs über die damals gerade in einem Feld in
der Nähe des Wallfahrtsortes Walsingham [...] aufgefundenen Urnengefäße" (RS
43f.). Diese Markierung impliziert die Möglichkeit des Appells an den Leser, sich
mit dem genannten Text zu befassen und die zuvor als Rätselsätze eingebauten
Textstellen durch eine eigene Lektüre von *Hydriotaphia* zu identifizieren.

Der dritte Schritt des Textbezuges besteht schließlich in einer sich über zwei-
einhalb Seiten erstreckenden Paraphrase von *Hydriotaphia*. Sebald folgt in dieser
Paraphrase der Anlage des Gedankenverlaufs, wie er sich bei Browne findet, und
zeichnet dessen Gedankengang modellhaft nach. So beschreibt der Erzähler zuerst
mit Beispielen Brownes dessen Darstellung der „Beisetzungsrituale mehrerer Völker
bis hin zu dem Punkt, wo die christliche Religion, die den sündigen Leib als Ganzes
bestattet, die Leichenfeuer endgültig ausgehen läßt" (RS 35). Der folgende Teil der
Paraphrase beschreibt Probleme der Feuerbestattung, wobei Sebald wieder wörtlich
aus *Hydriotaphia* zitiert, wenn er schreibt: „Ja, so setzte Browne noch hinzu, wenn
wirklich die dem Isaak aufgeladene Bürde gelangt hätte für einen Holocaust, dann
könnte jeder von uns den eigenen Scheiterhaufen auf der Schulter tragen" (RS
35f.).[433]

---

[431] Ebd., S. 48: „Nimrod is lost in Orion and Osyris in the Dogge-star."

[432] Ebd., S. 45: „Generations passe while some trees stand, and old Families last not three
oaks."

[433] Ebd., S. 30: „And if the burthen of Isaac were sufficient for an holocaust, a man may carry
his own pyre." Interessant ist, daß Sebald dieses Zitat offenbar auch benutzt, um erstmalig das Wort
'Holocaust' als Vorausdeutung im Text von *Die Ringe des Saturn* zu plazieren, ein Begriff, dessen
Thematik im Verlauf des Buches immer dichter wird und schließlich in die Zerstörungsstudie der
Judenvernichtung mündet.

Der sich daran anschließende Teil der Paraphrase enthält dann eine ausführliche Wiedergabe der im Browne-Text gleichfalls beschriebenen Grabbeigaben, die bei den Urnen gefunden wurden.

> Genau werden die in den Urnen enthaltenen Überreste der Verbrennung untersucht; die Asche, die losen Zähne, die von den blassen Wurzeln des Hundsgrases wie von einem Kranz umwundenen Bruchstücke der Gebeine, die für den elysäischen Fährmann bestimmten Münzen.[434] (RS 36)

Die Beschreibung dieser Grabbeigaben ist sehr ausführlich gestaltet:

> Allerlei Seltenheiten umfaßt der von ihm [Browne, Anm. d. Verf.] aufgestellte Katalog: Das Beschneidungsmesser Josuas, den Ring der Geliebten des Propertius, aus Achat geschliffene Grillen und Echsen, einen Schwarm goldener Bienen, blaue Opale, silberne Gürtelspangen und Schnallen, Kämme, Zangen und Nadeln aus Eisen und Horn [...]. (RS 36)

In dieser Beschreibung zeigt sich ein Merkmal von Sebalds Prosa, das Sigrid Korff als die „Treue zum Detail"[435] beschrieben hat: Die Faszination, die der Erzähler als der Sammler von Seltenheiten und Seltsamkeiten, der er ist (dazu siehe Kapitel C.I.1.) für diese von Browne aufgeführten Seltenheiten hegt. Es wird auf dieser Ebene ein Aspekt der Geistesverwandtschaft zwischen den Autoren Sebald und Browne erkennbar: Auch Thomas Browne ist als leidenschaftlicher Sammler von Raritäten bekannt. Er kannte die Bestände aller bedeutenden englischen und kontinentalen Naturalienkabinette und bat Freunde und Verwandte immer wieder, ihm von ihren Reisen Raritäten mitzubringen.[436] Bei den Sammlungen Brownes, wie überhaupt in den Raritätenkabinetten des 17. Jahrhunderts, ist jedoch häufig die Bewunderung des Naturwissenschaftlers nicht von der des Schaulustigen zu trennen.[437] Ein weiterer Aspekt der Geistesverwandtschaft ist darin zu sehen, daß sich Sebald ebenso als Saturnier versteht, wie Thomas Browne dies tat.[438]

Insgesamt ist zur Verweisform der Paraphrase hier außerdem festzustellen, daß sie sich in dieser Passage einmal mehr als probates Mittel der changierenden Verschmelzung von Fremd- und Eigentext erweist bzw. als Mittel, um Fremdtext sogar in wörtlichen Zitaten in den eigenen Text zu importieren und letzteren dennoch stilistisch wie aus einem Guß erscheinen zu lassen.

Wie zunächst deutlich geworden sein dürfte, geschieht die Versinnlichung und Verräumlichung historischer Zeit in diesem Fall nicht in einem gemalten Kunstwerk, wie im Falle des Grünewald-Bezuges, und auch von der im Kunstwerk dynamisierten Zeit kann hier nicht die Rede sein. Die Verräumlichung der Zeit ist hier eine archäologisch-geologische, intertextuell aufgerufen durch den Bezug auf Browne, und

---

[434] Thomas Browne: *Hydriotaphia* (1929), S. 38.

[435] So lautet auch der Titel des besagten Aufsatzes von Sigrid Korff, den sie über *Die Ausgewanderten* geschrieben hat.

[436] Arno Löffler: Sir Thomas Browne als Virtuoso (1972), S. 17-24.

[437] Ebd., S. 24.

[438] Mario Praz: Der Garten der Sinne (1988), S. 148.

sie ist Teil von Sebalds Projekt der „Archäologie einer Landschaft",[439] das er in *Die Ringe des Saturn* vor allem betreibt. Die historische Zeit erscheint geologisch ge-schichtet, und die Antike ist durch die archäologischen Relikte präsent, die, wie Aleida Assmann treffend bemerkt, „die wenige Fuß tief in der Erde verschollen sind und wie die Urnen von Norfolk bei einer Umgrabung so überraschend wie unvermit-telt aus ihrer prähistorischen Vorzeit in die Gegenwart einbrechen. Anders als die Bodenschätze liegen die Schätze vergangener Kulturen dicht unter der Oberfläche. Dabei wird die Zeit verräumlicht und der Raum verzeitlicht."[440]

Die Browne-Paraphrase Sebalds ist hier allerdings noch nicht zu Ende, sie be-sitzt noch einen weiteren Teil, der besonderer Aufmerksamkeit bedarf. Bisher wurde die Verräumlichung der geschichtlichen Zeit durch die Einmontage des Bezuges auf Browne erzielt. Der Schluß der Browne-Paraphrase leistet jedoch eine besondere Deutung des Prätextes, die im folgenden betrachtet und analysiert werden soll. Der Erzähler fordert in einer rhetorischen Frage, die sich in dramaturgisch exponierter Position am Kapitelende befindet,[441] den Rezipienten zur eigenen Deutung Brownes heraus. Die betreffende Stelle im Sebald-Text lautet folgendermaßen:

> Dergleichen von der Strömung der Zeit verschonte Dinge werden in der An-schauung Brownes zu Sinnbildern der in der Schrift verheißenen Unzerstör-barkeit der menschlichen Seele, an der der Leibarzt, so befestigt er sich weiß in seinem christlichen Glauben, insgeheim vielleicht zweifelt. Und weil der schwerste Stein der Melancholie die Angst ist vor dem aussichtslosen Ende unserer Natur,[442] sucht Browne unter dem, was der Vernichtung entging, nach Spuren der geheimnisvollen Fähigkeit zur Transmigration, die er an den Rau-pen und Faltern so oft studiert hat. Das purpurfarbene Fetzchen Seide aus der Urne des Patroklus, von dem er berichtet, was also bedeutet es wohl?[443] (RS 37)

An anderer Stelle war bereits die Rede von der Auferstehungsphantasie, die die Ur-nen in Brownes Essay darstellen, und es war auch die Rede davon, daß sie in diesem Text ein Sinnbild wären für die bei Gott stattfindende Auferstehung des Menschen

---

[439] Beatrice von Matt: Archäologie einer Landschaft (1992).

[440] Aleida Assmann: Späthumanismus im Zeitalter der Konfessionalisierung (2000), S. 156f.

[441] „Noch deutlicher als bisher gewinnt er den Kapitelenden besondere Wirkung ab – sie ha-ben die Form einer unvollendeten Antiklimax oder sind auf Fallhöhe hin geschrieben und dann ab-gebrochen", schreibt Markus R. Weber über *Die Ringe des Saturn*. (Markus R. Weber: W.G. Se-bald (2002), S. 8.) Viele Theorieansätze der Intertextualität stimmen im übrigen dahingehend über-ein, daß sie die Positionierung eines Verweises als entscheidend für seine Wirkung ansehen, wobei die meisten jedoch nach Markierung in Haupt- und Nebentext (Ulrich Broich/Manfred Pfister: In-tertextualität (1985), S. 31-46), Hyper- und Paratext (Gérard Genette: Palimpseste (1993), S. 9-18) unterscheiden. Jörg Helbig berücksichtigt jedoch noch differenzierter die Aspekte der Position, Dis-tribution und Exponiertheit. (Jörg Helbig: Intertextualität und Markierung (1996), S. 104-111.)

[442] Vgl. Thomas Browne: *Hydriotaphia* (1929), S. 42: „It is the heaviest stone that melan-choly can throw a man, to tell him he is at the end of his nature; or that there is no further state to come, unto which this seemes progressional, and otherwise made in vain."

[443] Vgl. ebd., S. 24: „But in the Homerical Urne of Patroclus, whatever was the solid Tegu-ment, we finde the immediate covering to be a purple peece of silk."

142

nach einem Leben in der von Browne propagierten unschuldigen Privatheit und da-mit auch in der Obskurität, die mit einer solchen Existenz einhergeht.

Sebald hingegen nimmt für den oben zitierten Schluß seiner Paraphrase eine Selektion von Elementen des Brownetexts vor, die eine neue Deutung ergibt, was die Sinnbildhaftigkeit dieser Urnen betrifft. In seinem Paraphrasetext läßt er die Religiosität Brownes, seine Überzeugung von der Existenz einer jenseitigen Welt und des Weiterlebens der menschlichen Seele darin, die aus dem Essay hervorgeht, au-ßen vor. Er betont statt dessen Brownes Zweifel an der christlichen Heilslehre, die er, der Erzähler, aus dem Essay ablesen zu können meint. Infolgedessen läßt er Browne nach etwas suchen, nach dem im Browne-Text selbst explizit nur die anti-ken, also heidnischen, Völker gesucht haben, nämlich nach den „Spuren der ge-heimnisvollen Fähigkeit zur Transmigration, die er [Browne, Anm. d. Verf.] an den Raupen und Faltern so oft studiert hat" (RS 37).[444] Diese Transmigration meint je-doch durch die Gleichsetzung des Begriffs mit dem Verhalten von Raupen, die sich in Falter verwandeln und damit gleichsam in eine neue Existenzform übergehen, ei-ne Verwandlung, die sich nicht auf eine jenseitige, sondern auf die diesseitige Welt bezieht.

Auch bei Sebald repräsentieren die Urnen von Norfolk mitsamt den Gegen-ständen, die sie enthalten, eine Auferstehungsphantasie. Hier folgt Sebald seinem Prätext. Der grundlegende Unterschied zwischen den Auferstehungsphantasien Se-balds und Brownes besteht jedoch darin, daß die Urnen bei Sebald nicht ein Sinnbild für die Auferstehung in einem von christlicher Heilsvorstellung geprägten Jenseits darstellen, sondern ein Bild für die Wiederkehr von Dingen und Toten durch einen archäologischen Zufallsfund sind, also für eine Wiederkehr in einer anderen Zeit des weltlichen Diesseits.[445] Sebald wendet sich demnach von der christlichen Theologie und Teleologie, die den geistigen Hintergrund von Brownes Essay bildete, ab und blendet sie in seiner Deutung aus. In diesem Zusammenhang läßt sich auch auf die

---

[444] Ebd., S. 47: „A great part of Antiquity contented their hopes of subsistency with a trans-migration of their souls."

[445] Eine Textstelle in *Die Ausgewanderten* veranschaulicht gleichfalls dieses Gedankenmodell von einer Auferstehung in der diesseitigen Welt, einer „Art Wiederkehr der Toten" (Hannes Vera-guth: W.G. Sebald und die alte Schule (2003), S. 39), die gleichzeitig eine Auferstehung der Dinge ist. In der Erzählung *Dr. Henry Selwyn* erzählt Sebald von der Freundschaft des Arztes zum Berg-führer Johannes Nägeli, der bei einer Bergtour in eine Gletscherspalte stürzte und auf immer ver-schwand. Eines Tages jedoch tauchen seine Überreste aus dem Gletscher wieder auf, und der Er-zähler beschreibt dieses Ereignis folgendermaßen: „Doch haben, wie mir in zunehmendem Maße auffällt, gewisse Dinge so eine Art, wiederzukehren, unverhofft und unvermutet, oft nach einer sehr langen Zeit der Abwesenheit. [...] Wie ich mich erinnere oder wie ich mir vielleicht jetzt nur einbil-de, kam mir damals zum erstenmal seit langem wieder Dr. Selwyn in den Sinn. Eine Dreiviertel-stunde später, ich war gerade im Begriff, eine in Zürich gekaufte Lausanner Zeitung, die ich durch-blättert hatte, beiseite zu legen [...], da fielen meine Augen auf einen Bericht, aus dem hervorging, daß die Überreste der Leiche des seit dem Sommer 1914 als vermißt geltenden Berner Bergführers Johannes Nägeli nach 72 Jahren vom Oberaargletscher wieder zutage gebracht worden waren. – So also kehren sie wieder die Toten. Manchmal nach mehr als sieben Jahrzehnten kommen sie heraus aus dem Eis und liegen am Rand der Moräne, ein Häufchen geschliffener Knochen und ein Paar genagelter Schuhe" (A 36f.).

Frage, was das purpurfarbene Fetzchen Seide in der Urne des Patroklus wohl bedeute, eine Antwort geben. Ausgehend von der Interpretation, daß die von den Raupen gesponnene Seide in *Die Ringe des Saturn* auch eine Metapher für die Dichtung selbst ist,[446] läßt sich die Entdeckung des Seidenstückchens in der Urne als Bild für Sebalds intertextuelle Praxis der Wiederentdeckung literarischer Texte lesen. Es impliziert somit ebenfalls eine Form der Auferstehung, und zwar Auferstehung der Seele eines Autors im Vorgang der Lektüre und deren Wiedergabe, da Sebald seine Prätexte als geistigen Fingerabdruck der jeweiligen Dichter auffaßt. Doch auch diese Form der Auferstehung ereignet sich im weltlichen Diesseits und ist somit säkularisiert.[447]

II.2. Zerstörung von Geschichte durch totalitäre Ideologie und die Disqualifizierung der Geschichtsphilosophie als Erkenntnisinstrument: Jorge Luis Borges' *Tlön, Uqbar, Orbis Tertius*

Wie im folgenden Kapitel zu zeigen sein wird, spielt in der intertextuellen Arbeit Sebalds auch der Umgang mit dem Bereich der Geschichtsphilosophie eine wichtige Rolle. Dem vorangegangenen Kapitel vergleichbar, ist auch in diesem Zusammenhang die Thematisierung historischer Zeit von Bedeutung, jedoch geht es hier nicht um eine Versinnlichung und Verräumlichung derselben, sondern um eine „Leugnung der Zeit" (RS 193). Worum es sich bei dieser Leugnung genau handelt, soll im folgenden anhand mehrere Bezugnahmen Sebalds auf die Erzählung *Tlön, Uqbar, Orbis Tertius* des argentinischen Autors Jorge Luis Borges dargestellt und interpretiert werden. Die Erzählung erscheint in *Die Ringe des Saturn* an drei Textstellen, wobei sich die Bedeutungszusammenhänge dieser intertextuellen Beziehung sukzessive aufbauen.

Im ersten Schritt der Bezugnahme führt der Sebald-Erzähler *Tlön, Uqbar, Orbis Tertius* fast beiläufig in seinen Text ein, während er bei einer Rast auf seiner Wanderung durch Suffolk an der Küste steht und „draußen auf dem Meer die Schwalben herumschießen" (RS 89) sieht:

> Schon früher, in der Kindheit, wenn ich [...] diesen Seglern zuschaute, habe ich mir vorgestellt, daß die Welt nur zusammengehalten wird von ihren durch den Luftraum gezogenen Bahnen. Viele Jahre später las ich dann in der 1940 in Salto Oriental in Argentinien verfaßten Schrift *Tlön, Uqbar, Orbis Tertius* von der Rettung eines ganzen Amphitheaters durch ein paar Vögel. (RS 89)

Der Erzähler nennt den Verfasser der Schrift nicht, obwohl es sich durch die ausführliche Nennung mit Erscheinungsort- und Jahr um einen Textverweis auf der

---

[446] Siehe dazu beispielsweise Beatrice von Matt: Archäologie einer Landschaft (1992), Andreas Isenschmid: Melancholische Merkwürdigkeiten (1995) und Patrick Bahners: Kaltes Herz (1995).

[447] Auch Wrobel bezeichnet *Die Ringe des Saturn* als eine „säkularisierte Wallfahrt." (Dieter Wrobel: Postmodernes Chaos (1997), S. 310f.)

Potenzierungsstufe handelt. Einem Rezipienten, dem die besagte Erzählung nicht bekannt oder geläufig ist (wie es bei der ersten Lektüre auch bei der Verfasserin der Fall war), mag der Titel *Tlön, Uqbar, Orbis Tertius* und auch die Nennung des Inhalts „von der Rettung eines ganzen Amphitheaters durch ein paar Vögel" (RS 89) ebenso rätselhaft erscheinen wie diese Schrift geheimnisvoll. Schließlich bleibt nicht nur der Verfasser ungenannt, sondern ebenso unerläutert bleibt, worin diese Rettung des Theaters durch die Vögel bestehen könnte.[448] Der Verweis enthält durch diese Rätselhaftigkeit jedoch gleichzeitig einen starken Appell an den Leser, nach der möglicherweise geheimnisvollen Schrift zu suchen, sie zu identifizieren, zu lesen und so die Anspielung auf die Vögel und das Theater aufzulösen.

Im zweiten Schritt der Bezugnahme ist die Evokation des Borges-Textes dann eine ungleich stärkere[449] und auch stärker markierte: Nun wird *Tlön, Uqbar, Orbis Tertius* nicht mehr nur in einer Erwähnung der Schrift wie im ersten Schritt, sondern in einer ausführlichen Paraphrase in den Sebaldtext integriert. Der Urheber Borges bleibt jedoch weiter ungenannt, ist nur als namenloser Verfasser präsent. Doch auch in dieser stärker markierten Form der Integration kann der Text nach wie vor kryptisch oder rätselhaft wirken, diesmal jedoch weniger durch den möglicherweise noch immer ominös anmutenden Titel als vielmehr durch den wiedergegebenen Inhalt der „argentinischen Schrift, die in der Hauptsache befaßt ist mit unseren Versuchen zur Erfindung von Welten zweiten oder gar dritten Grades" (RS 91). Die Paraphrase der Borges-Erzählung gibt deren Inhalt folgendermaßen wieder:

> Der Erzähler berichtet, wie er zusammen mit einem gewissen Bioy Casares[450] in einem Landhaus der Calle Gaona in Ramos Mejia an einem Abend des Jahres 1935 beim Nachtessen war und wie sie sich im Anschluß an dieses Nachtessen verloren hatten in einem weit ausschweifenden Gespräch über die Ausarbeitung eines Romans, der gegen offenkundige Tatsachen verstoßen und sich in verschiedene Widersprüche verwickeln sollte, die es wenigen Lesern – sehr wenigen Lesern – ermöglichen sollte, die in dem Erzählten verborgene, einesteils grauenvolle, andernteils gänzlich bedeutungslose Wirklichkeit zu erahnen. (RS 91f.)

Dieses Gespräch des Borges-Erzählers mit seinem Freund Casares kommt anschließend, so erzählt es Sebald, auf einen im Gang dieses Landhauses befindlichen Spiegel, „von dem eine Art Beunruhigung ausging" (RS 92). Dieser Spiegel gibt dem Gespräch der Protagonisten eine Wendung, die sie zur Entdeckung der *First Ency-*

---

[448] Die Rettung besteht in der Nutzung einer Sache: „Auf Tlön verdoppeln sich die Dinge; sie neigen ebenfalls dazu, undeutlich zu werden, [...] wenn die Leute sie vergessen. Ein klassisches Beispiel ist die Türschwelle, die andauerte, solange ein Bettler sie besuchte und die bei seinem Tode den Blicken entschwand. Zuweilen haben ein paar Vögel oder ein Pferd die Ruinen eines Amphitheaters gerettet." (Jorge Luis Borges: *Tlön, Uqbar, Orbis Tertius* (1981), S. 107.)

[449] In diesem Falle liegt eine dynamisierte Markierung vor: Die Kurve der Verweisstärke steigt vom ersten zum zweiten Bezug sprunghaft an, dennoch bleibt der Text durch die Titelnennung immer als Fremdtext identifizierbar. Dazu Ulrich Broich/Manfred Pfister: Intertextualität (1985), S. 44, sowie Jörg Helbig: Intertextualität und Markierung (1996), S. 105.

[450] Adolfo Bioy Casares war ein langjähriger Freund und Kollege Borges', mit dem er auch gemeinsame Werke verfaßt hat.

clopedia of Tlön führt.[451] Dies geschieht dergestalt, daß Casares in seinem Exemplar der Anglo-American Cyclopedia den Artikel zu Uqbar nachschlägt. Uqbar ist nach Auskünften dieses Lexikons eine Landschaft in Kleinasien, deren Epen und Legenden sich nicht auf die Wirklichkeit beziehen, sondern auf ein Phantasiereich namens Tlön:[452]

> Bioy Casares erinnerte demzufolge, einer der Häresiarchen von Uqbar habe erklärt, das Grauenerregende an den Spiegeln und im übrigen auch an dem Akt der Paarung bestünde darin, daß sie die Zahl der Menschen vervielfachen.[453] Ich fragte Bioy Casares, so der Verfasser, nach der Herkunft dieser mir denkwürdig erscheinenden Sentenz, und er sagte, die Anglo-American Cyclopaedia führe sie an in ihrem Artikel über Uqbar. Dieser Artikel aber, so stellt es sich im weiteren Verlauf der Erzählung heraus, ist in der besagten Enzyklopädie nicht aufzufinden beziehungsweise er findet sich einzig und allein in dem von Bioy Casares vor Jahren erstandenen Exemplar, dessen sechsundzwanzigster Band um vier Seiten mehr aufweist als alle anderen Exemplare [...]. Es bleibt somit ungeklärt, ob es Uqbar je gegeben hat oder ob es bei der Beschreibung dieses unbekannten Landes nicht ähnlich wie bei dem Enzyklopädistenprojekt Tlön, dem der Hauptteil der hier in Rede stehenden Schrift gewidmet ist, darum geht, über das rein Irreale im Laufe der Zeit zu einer neuen Wirklichkeit zu gelangen. [...] Eine verstreute Dynastie von Einsiedlern, die Dynastie der Erfinder, Enzyklopädisten und Lexikographen von Tlön hat das Antlitz der Erde verwandelt. Alle Sprachen, selbst Spanisch, Französisch und Englisch, werden vom Planeten verschwinden. Die Welt wird Tlön sein. (RS 93)

Vergleicht man nun diese Paraphrase, die die geplante Assimilierung der Realität durch die von einer Geheimgesellschaft entwickelte Tlön-Utopie beschreibt, mit ihrem Bezugstext, so fällt auf, daß Sebald aus *Tlön, Uqbar, Orbis Tertius* einmal mehr nur ganz bestimmte Elemente für seine Darstellungszwecke selektiert. Während der Hauptteil der Borges-Erzählung aus einer genauen Beschreibung der Philosophie, Geometrie und Literatur des fiktiven Planeten Tlön besteht, spart Sebald diesen Bereich in seiner Paraphrase vollständig aus. Statt dessen zitiert bzw. paraphrasiert er

---

[451] Diese Enzyklopädie enthält bei Borges die Beschreibung eines fiktiven, phantastischen Planeten „mit seinen Bauwerken und seinen Spielkarten, dem Schrecken seiner Mythologien und dem Gemurmel seiner Sprachen, mit seinen Kaisern und Meeren", erfunden und ausgearbeitet von einer Geheimgesellschaft unter der Führung eines hybriden Millionärs namens Buckley, der dem „nichtexistierenden Gott" beweisen wollte, „daß die Sterblichen fähig sind, eine Welt auszuhecken." (Jorge Luis Borges: *Tlön, Uqbar, Orbis Tertius* (1981*)*, S. 98 und 109.)

[452] Ebd., S. 93-95.

[453] Diese Bioy Casares in den Mund gelegte Sentenz über den Spiegel – im Original „Los espejos y la paternidad son abominables"– ist ein wörtliches Zitat aus der Erzählung *Der maskierte Färber Hakim von Merv* aus Borges' Erzählzyklus *Universalgeschichte der Niedertracht*. Die Formulierung erscheint dort im Zusammenhang mit der Erwähnung des 999. Himmels der Kosmogonie Hakims, eines häretischen Propheten des Islam. (Walter Bruno Berg: *Neue Welt und alter Buchstabe* (1992), S. 94.)

jene Passage des Prätextes, die von der durch das Tlönprojekt sich ereignenden Auslöschung der realen Welt durch eine erfundene handelt.[454]

Auf der Ebene der intertextuellen Gestaltung ist die Paraphrase gekennzeichnet durch die durchgehende indirekte Wiedergabe des Originalwortlautes Borges', unterbrochen durch die bekannten parenthetischen Einschübe.[455] An einer Stelle ist der Wortlaut allerdings deutlich dialektal eingefärbt durch das süddeutsch-allgäuerische Wort „Nachtessen" (RS 91), das durchaus dazu geeignet ist, eine gewisse vertrauliche Verbindung herzustellen zwischen dem Borges- und dem Sebald-Erzähler. Weiterhin ist hier festzuhalten, daß Sebald diesen Textbezug auf eine ähnliche Weise inszeniert wie auch den im vorangegangenen Kapitel beschriebenen Bezug auf Thomas Brownes *Hydriotaphia*: In beiden Fällen beginnt der Bezug mit Zitaten bzw. Anspielungen auf den Prätext, die rätselhaft wirken und einen Appell an den Leser enthalten, um im nächsten Schritt in eine weitschweifige Paraphrase überzugehen. Gemeinsam ist den beiden Textbezügen auch, daß sie auf das Ende des Kapitels, in dem sie stehen, zugespitzt erscheinen: die im vorangegangenen Abschnitt beschriebene Browne-Paraphrase ist ebenso stark auf das Ende des I. Kapitels der *Ringe des Saturn* hingearbeitet wie die Borges-Paraphrase auf das Ende des III. Kapitels, das sich bei Sebald folgendermaßen liest und das sich sogar mit Borges auf Browne bezieht:

> Mich aber, so schließt der Erzähler, kümmert das nicht, ich feile in der stillen Muße meines Landhauses weiter an einer tastenden, an Quevedo geschulten Übertragung des Urn Burial von Thomas Browne (die ich nicht drucken zu lassen gedenke). (RS 93)[456]

Dieser Satz wird sich für die Interpretation der intertextuellen Beziehung zwischen Borges und Sebald als zentral erweisen, wie noch zu zeigen sein wird.

Auf der inhaltlichen Ebene ist zunächst festzustellen, daß Sebald in seiner Paraphrase, und in dieser Hinsicht folgt er seinem Prätext, die künstliche, phantastisch erscheinende Welt Tlöns als eine totalitäre, diktatorisch organisierte Kultur[457] prä-

---

[454] Das Kriterium der Selektivität, „wie pointiert ein bestimmtes Element aus einem Prätext als Bezugsfolie ausgewählt und hervorgehoben wird", ist vor allem im Broich/Pfisterschen Modell zur Skalierung der Intertextualität ein entscheidendes Kriterium. (Ulrich Broich/Manfred Pfister: Intertextualität (1985), S. 28f.)

[455] Dazu auch Thomas Kastura: Geheimnisvolle Fähigkeit zur Transmigration (1996), S. 205.

[456] Die zitierte Stelle findet sich bei Jorge Luis Borges: *Tlön, Uqbar, Orbis Tertius* (1981), S. 112.

[457] In der Sebald-Forschung haben sich bisher Kastura und Wrobel mit dem Borges-Bezug in *Die Ringe des Saturn* befaßt, doch beide widmen dieser intertextuellen Beziehung nur wenige Zeilen. Kastura rückt Hitlers *Mein Kampf* als „phantasmagorisches Programm" in die Nähe der Tlön-Enzyklopädie und stellt ebenfalls fest, daß Sebald den Borges-Text als eine „Faschismusparabel" verwendet. (Thomas Kastura: Geheimnisvolle Fähigkeit zur Transmigration (1996), S.203ff.) Während diese Beobachtung Kasturas nachvollziehbar und auch durch die Borges-Forschung gedeckt ist, erscheint die These Wrobels eher fraglich, wenn er schreibt: „Das Enzyklopädistenprojekt Tlön, das über das 'rein Irreale im Laufe der Zeit zu einer neuen Wirklichkeit zu gelangen beabsichtigt', korrespondiert mit dem enzyklopädischen Unterfangen Sebalds, das ebenfalls durch die Zusammenschau und Überlagerung von Geschichte und Geschichten zu einer überarbeiteten Auffassung

147

sentiert, die eine organisch gewachsene Geschichte durch eine fiktive Vergangenheit ersetzt. Einen Grund für diese rasche Ausbreitung der neuen, künstlichen Kultur, welche die gewachsene assimiliert, nennt Sebald in seinem Text nicht. Bei Borges jedoch findet sich ein Grund für diese Ausbreitung, den zu betrachten nicht unwichtig ist.

> Noch vor zehn Jahren reichte jede den Anschein von Ordnung erweckende Symmetrie – der dialektische Materialismus, der Antisemitismus, der Nazismus – völlig aus, um den Menschen zu betören. Wie sollte man sich nicht Tlön unterwerfen, der minuziösen und umfassenden Ersichtlichkeit eines geordneten Planeten? Überflüssig zu erwidern, daß auch die Wirklichkeit geordnet ist. Mag sein, daß sie es ist, aber in Übereinstimmung mit göttlichen Gesetzen – ich übersetze: mit unmenschlichen Gesetzen – die wir niemals ganz begreifen werden. Tlön mag ein Labyrinth sein, doch ist es ein von Menschen entworfenes Labyrinth [...] dessen Sinn es ist, von Menschen enträtselt zu werden.[458]

Es ist also die durchschaubar erscheinende Ordnung der tlönischen Welt, welche die Menschen besticht und welche die Durchdringung der Realität durch Tlön erleichtert. Die Interpretation der Erzählung als ironische Parabel auf den Faschismus liegt nahe und wird auch in der Borges-Forschung nicht angezweifelt.[459]

Obwohl nun Sebald diese Borgessche Begründung ausklammert, dient bei ihm der Bezug auf *Tlön, Uqbar, Orbis Tertius* dazu, eine bestimmte Umgangsweise mit historischer Zeit, nämlich die Verfälschung von Vergangenheit und Geschichte, an die Existenz einer totalitären Ideologie zu knüpfen. Die Tlönisten scheinen innerhalb ihrer Ideologie zunächst mit enormer Macht ausgestattet, denn die Schaffung einer fiktiven Vergangenheit suggeriert eine Gewalt über die historische Zeit, die durch die Ausbreitung Tlöns zunächst bestätigt scheint. Dennoch reicht diese Macht nicht unbegrenzt weit: der Borges-Erzähler zieht sich, und hier kommt der oben bereits zitierte, letzte Satz der Borges-Paraphrase ins Spiel, mit der Arbeit an der Übersetzung des *Urn Buriall* von Thomas Browne in ein abgelegenes Landhaus zurück, geht in eine Art innere Emigration und Sebald bzw. sein Erzähler schließt sich ihm an, indem er ihn in seinen eigenen Überlegungen wörtlich zitiert.[460] Die Literatur wird

---

von Wirklichkeit, von Gegenwart und Vergangenheit beitragen will." (Dieter Wrobel: Postmodernes Chaos (1997), S. 340.) Das Anliegen Sebalds ist hier zwar richtig benannt, doch Wrobel übersieht offenbar den totalitären Charakter Tlöns, wenn er dieses Anliegen mit der Zielsetzung der Tlönisten in der Borges-Erzählung gleichsetzt.

[458] Jorge Luis Borges: *Tlön, Uqbar, Orbis Tertius* (1981), S. 111.

[459] Dazu Rodriguez Monegal: Jorge Luis Borges (1978), S. 334, oder Berg, der als ein Kennzeichen des sogenannten „Spanish-American Writing" unter anderem festhält: „Literatur ist eine Form zeitbezogener Interpretation von Geschichte." (Walter Bruno Berg: Neue Welt und alter Buchstabe (1992), S. 87f.) T. Kastura greift hier etwas zu kurz, wenn er diesen letzten Satz lediglich als die Einnahme einer „externen Beobachterposition" bezeichnet. (Thomas Kastura: Geheimnisvolle Fähigkeit zur Transmigration (1996), S. 205.)

[460] „Borges optiert am Ende – daran besteht kein Zweifel – für die Erde, nicht für den monologisch und diktatorisch verfaßten Planeten Tlön." (Walter Bruno Berg: Neue Welt und alter Buchstabe (1992), S. 96.)

damit als Rückzugsraum und Gegenwelt zur totalitären Ideologie installiert. Diese Verweigerung gegenüber der tlönischen Assimilation steht zwar nur als einzelner Satz am Ende der langen vorangehenden Paraphrase, welche ebendiese Assimilation beschreibt, aber die exponierte Position dieses letzten Satzes läßt den Schluß zu, daß in Sebalds Text nicht die Tlönisten das letzte Wort haben, sondern die Literatur und der Schriftsteller bzw. Browne-Übersetzer. Denn dieser hält an der echten, gewachsenen Vergangenheit, hier in Form der Literatur, und am Bemühen um ihre Deutung, fest, und beharrt damit auch auf der sinnlichen Gegenwärtigkeit dieser Vergangenheit.

Der dritte Schritt der Bezugnahme auf *Tlön, Uqbar, Orbis Tertius* bietet, nach der Darstellung der Zerstörung von Vergangenheit durch totalitäre Ideologie, noch einen anderen, weiteren Deutungsaspekt, der im folgenden ausgeführt werden soll.

Sebalds dritte Bezugnahme auf Borges schließt sich, dies ist auffällig, unmittelbar und übergangslos an eine längere Erzählpassage des VI. Kapitels von *Die Ringe des Saturn* an, die noch einmal die totalitäre Ideologie thematisiert: Der Erzähler berichtet hier vom chinesischen Reich zur Zeit des Boxeraufstandes und hier vor allem von der Person der machthungrigen Kaiserin Tz'u h'si. Diese Kaiserin wird dabei als schwermütig und grausam zugleich geschildert und zeigt beinahe hitlerhafte Züge, wenn erzählt wird, daß sie ihre Nächte schlaflos in den Glashäusern verbringt, in denen sie ihre Seidenraupen züchtet. „Diese blassen, beinahe transparenten Wesen, die bald ihr Leben lassen würden für den feinen Faden, den sie spannen, betrachtete sie als ihre wahren Getreuen. Sie erschienen ihr als das ideale Volk, dienstfertig und todesbereit, in kurzer Frist beliebig vermehrbar, ausgerichtet nur auf den einzigen ihnen vorbestimmten Zweck" (RS 191). Die Episode endet mit den letzten Worten der Kaiserin bei ihrem Tod: „Sie sehe jetzt, sagte sie, indem sie zurückblicke, wie die Geschichte aus nichts bestehe als aus dem Unglück und den Anfechtungen, die über uns hereinbrechen, Welle um Welle [...], so daß wir, sagte sie, im Verlauf unserer Erdentage auch nicht einen Augenblick erleben, der wirklich frei ist von Angst" (RS 193). Unmittelbar an diese Passage schließt sich der dritte Teil der Bezugnahme auf den Borges-Text in Form einer Paraphrase an. Diese lautet folgendermaßen:

> Die Leugnung der Zeit, heißt es in der Schrift über den Orbis Tertius, sei der wichtigste Grundsatz der philosophischen Schulen von Tlön. Diesem Grundsatz zufolge hat die Zukunft Wirklichkeit nur in der Form unserer gegenwärtigen Furcht und Hoffnung, die Vergangenheit bloß als Erinnerung. Nach einer anderen Ansicht ist die Welt und alles, was jetzt auf ihr lebt, vor einigen Minuten erst geschaffen worden, zugleich mit ihrer ebenso kompletten wie illusorischen Vorgeschichte. Eine dritte Lehrmeinung beschreibt unsere Erde verschiedentlich als ein Sackgäßchen in der großen Stadt Gottes, als dunkle Kammer voller unbegreiflicher Bilder oder als einen Dunsthof um eine bessere Sonne. Die Vertreter einer vierten Philosophenschule wiederum behaupten, daß alle Zeit bereits abgelaufen und unser Leben nur der nachdämmernde Widerschein eines unwiederbringlichen Vorgangs sei. (RS 193)

Sebald befaßt sich hier also noch mit einer anderen Art und Weise des Umgangs mit der Geschichte und ihrer Zeit, nämlich mit den „Versuchen einer Besinnung über die Weltgeschichte im ganzen, über ihr Ziel oder ihr Ende, über ihre Verlaufsform, ihre Regelmäßigkeiten sowie schließlich über ihren Sinn und ihre Bedeutung für das menschliche Leben"[461] – also mit der Geschichtsphilosophie. Die „Leugnung der Zeit", die, wie die Paraphrase gezeigt hat, der Vergangenheit nur eine geistige Präsenz als Erinnerung, jedoch keine sinnlich-materielle Präsenz zubilligt, wird dabei als die wichtigste Lehrmeinung der philosophischen Schulen des tlönischen Planeten benannt. Diese Lehrmeinung entspricht der bereits in der zweiten Bezugnahme beschriebenen Praxis der Auslöschung von Vergangenheit.

Auch hier soll nun ein Blick auf die Selektion der Prätextelemente geworfen werden, die Sebald in diesem dritten Schritt seiner Bezugnahme vornimmt. Im Unterschied zur ersten Paraphrase gibt Sebald den Inhalt des Borges-Textes nicht ganz originalgetreu wieder, denn im Borges-Original ist die Leugnung der Zeit nur eine der philosophischen Lehrmeinungen von Tlön, aber keinesfalls die wichtigste.[462] Auch die Theorie von der Erde als „ein Sackgässchen in der großen Stadt Gottes, als dunkle Kammer voller unbegreiflicher Bilder oder als einen Dunsthof um eine bessere Sonne" (RS 193) findet sich nicht im Original und ist dem Borges-Erzähler von Sebald sozusagen in den Mund bzw. in den Text gelegt worden. Sebald nimmt hier also Verschiebungen und Modifikationen vor und verändert den Prätext, während er ihn zitiert. Wenn man nun die bisherige Lesart weiterdenkt, die Tlön als totalitäre Diktaktur ausweist, impliziert diese Verschiebung der Lehre von der Leugnung der Zeit zur wichtigsten Lehre auch ihre Wertung als die schlimmste Lehre des tlönischen Totalitarismus.

Bezüglich der Gestaltung der Paraphrase ist außerdem festzuhalten, daß Sebald die philosophischen Lehrmeinungen Tlöns, und hier zitiert er in weiten Teilen (die eben genannten Modifikationen ausgenommen) Borges im Original, in einer rein additiven, numerierenden Reihung vorführt, ohne einen Zusammenhang zwischen ihnen herzustellen. Die philosophischen Schulen stehen in Sebalds Darstellung somit in keiner Form des Kontaktes oder der Auseinandersetzung untereinander. Dies jedoch entspricht wiederum der Ideologie des Planeten Tlön, denn die Zusammenhanglosigkeit der Zeitmodi Vergangenheit, Gegenwart und Zukunft formuliert Borges in seiner Erzählung als konstitutiv für den fiktiven Planeten: „Die Welt ist für sie nicht ein Zusammentreffen von Gegenständen im Raum; sie ist eine heterogene Rei-

---

[461] Karl-Heinz Lembeck: Geschichtsphilosophie (2000), S. 9.

[462] Im Wortlaut des spanischen Originals lautet die Stelle: „Una de las escuelas de Tlön llega a negar el tiempo." Auch die vorliegende Übersetzung spricht von „einer Schule" [Hervorhebung d. Verf.], nicht von der wichtigsten: „Eine der Schulen von Tlön kommt zur Leugnung der Zeit. Sie stellt die Überlegung an, daß die Gegenwart undefiniert sei, daß die Zukunft nur als gegenwärtige Hoffnung Wirklichkeit habe, daß die Vergangenheit nur als gegenwärtige Erinnerung Wirklichkeit habe. Eine andere Schule behauptet, daß bereits die ganze Zeit abgelaufen und daß unser Leben nur die nachdämmernde Erinnerung oder der unzweifelhaft verfälschte Widerschein eines unwiederbringlichen Vorgangs sei." (Jorge Luis Borges: Obras completas, Bd.1 (1989), S. 436, bzw. Ders.: *Tlön, Uqbar, Orbis Tertius* (1981), S. 102.)

henfolge unabhängiger Handlungen. Sie ist sukzessiv, zeitlich, nicht räumlich",[463] was „die Wissenschaft außer Kraft setzt: eine Tatsache erklären heißt ja, sie mit anderen verbinden."[464]

Der Parade der geschichtsphilosophischen Lehrmeinungen Tlöns setzt Sebald am Ende schließlich einmal mehr ein Zitat von Thomas Browne entgegen:

> Sicher ist nur, daß die Nacht weitaus länger währt als der Tag, wenn man das einzelne Leben, das Leben insgesamt oder die Zeit selber vergleicht mit dem jeweils übergeordneten System. *The night of time,* schreibt Thomas Browne in seinem 1658 verfaßten Traktat *The Garden of Cyrus, far surpasseth the day and who know when was the Aequinox?* (RS 194)[465]

Dieses Zitat ruft noch einmal die für Sebald offenbar essentielle Tatsache ins Gedächtnis, die bereits in Bezug auf *Hydriotaphia* von zentraler Bedeutung war, nämlich die Vergänglichkeit der menschlichen Natur und die von dieser Tatsache ausgehende Bedrückung für die Menschen. Die Setzung dieses existentiell-emotionalen Gedankens gegen die Reihe der philosophischen Lehrmeinungen verweist letztere ins Reich der Spekulation oder doch zumindest an einen Ort, von dem keine Hilfe oder kein Trost zu erwarten ist angesichts dessen, daß „der schwerste Stein der Melancholie die Angst ist vor dem aussichtslosen Ende unserer Natur" (RS 37). Die Verfahren, die Denk- und Verlaufsmodelle der Geschichtsphilosophie des Planeten Tlön werden durch die Entgegensetzung des Browne-Zitats als Erkenntnisstrategie eindeutig disqualifiziert. Gleichzeitig ist das Browne-Zitat als ein intertextueller Kommentar zu lesen, welcher die der Borges-Paraphrase vorgeschaltete Erzählung über die Depressionen der chinesischen Kaiserin auf den Begriff bringt bzw. noch einmal in den Worten Brownes formuliert. Man könnte hier davon sprechen, daß Sebald zwei seiner Prätexte, nämlich *Tlön, Uqbar, Orbis Tertius* und *Hydriotaphia,* gegeneinander ausspielt.

Doch welchen Sinn hat es nun, von der Seite des Sebald-Erzählers aus gesehen, derart vehement gegen die geschichtsphilosophischen Lehrmeinungen eines phantastischen, fiktiven Planeten anzugehen? Bei genauer Betrachtung hat es mit der Phantastik Tlöns eine besondere Bewandtnis, denn einerseits hat Tlön fiktionalen Status, wie der Sebald-Erzähler immer wieder betont, andererseits behauptet er, daß diese fiktive Welt die reale durchdringe und am Ende mit dieser identisch sei. Wie kommt dieser Widerspruch zustande und was bedeutet er? Worauf bezieht sich Sebald wirklich, wenn er die phantastisch erscheinenden Philosophien Tlöns in seine Texte einbaut?

Die zentrale Aussage der Borges-Erzählung besteht in der mit Aldous Huxley formulierten Behauptung, der tlönische Entwurf enthalte eine schöne, neue Welt, ei-

---

[463] Ebd., S. 99.

[464] Ebd., S. 101.

[465] Sebalds Prätextangabe ist hier nicht korrekt. Dieses Browne-Zitat stammt nicht aus dem Traktat *The Garden of Cyrus,* sondern aus Thomas Browne: *Hydriotaphia* (1929), S. 47. Für diese falsche Angabe ist jedoch kein poetologischer Grund ersichtlich, weswegen sie wohl schlicht als ein Irrtum Sebalds gewertet werden muß.

ne „brave new world",[466] wobei die Ironie dieser Formulierung durchaus auch die gesamte Borges-Erzählung durchdringt. Doch bei genauer Betrachtung sind die inhaltlichen Elemente der angeblich fiktiven und neuen Welt nicht ganz unbekannt: Einige ihrer Gegenstände werden zwar durchaus in einer phantastisch und skurril anmutenden Sprache beschrieben (wie beispielsweise sogenannte „Sekundärgegenstände", die mit dem Begriff „hrönir" bezeichnet werden),[467] doch gleichzeitig tauchen Namen bekannter Orte oder Philosophen auf. Beispielsweise sind alle Bewohner des Planeten von Geburt an Idealisten[468] und der als Erfinder des Enzyklopädistenprojektes Tlön genannte hybride Millionär Buckley ist als anagrammatisches Doppel des britischen Philosophen George Berkeley zu dechiffrieren, der eine gleichfalls idealistisch geprägte Philosophie praktizierte.[469] Was also als neu und phantastisch ausgegeben wird, erscheint neu nur aufgrund arbiträrer Fragmentarisierung geistesgeschichtlich bedeutsamer Werke und Theorien und deren Lösung aus ihren ursprünglichen Zusammenhängen.[470] Für sich genommen verweisen die konstituierenden Elemente Tlöns aber auf bekannte Motive der abendländischen Kultur.[471] Dies ist also die zu erahnende, „in dem Erzählten verborgene, einesteils grauenvolle, andernteils gänzlich bedeutungslose Wirklichkeit" (RS 92), beschrieben durch den utopischen Zerrspiegel.[472] An dieser Stelle wird auch die Funktion des Spiegels deutlich: Er verdoppelt die reale Welt und stellt ihr ein phantastisch erscheinendes Klon an die Seite. Das Verfahren, das Borges hier anwendet, ist in gewisser Weise wiederum als ein Bricolageverfahren zu bezeichnen: Der Autor bricht Fragmente aus den Denkgebäuden der Philosophie und setzt sie nicht nur zu etwas Neuem zusammen, sondern zu einer phantastisch anmutenden Konstruktion einer scheinbar fremden Welt. Die Bricolage steht hier also für ein Verfahren der Verfremdung und kann damit durchaus als eine Variante der Bricolage im Sinne Lévi-Strauss' aufgefaßt werden.

Sebald wendet sich also in seiner intertextuell vorgenommenen Diskreditierung der Geschichtsphilosophie als brauchbarem Instrument der Erkenntnis über Zeit und Teleologie der Geschichte nicht gegen phantastische, skurrile Denkmodelle, sondern

---

[466] Jorge Luis Borges: *Tlön, Uqbar, Orbis Tertius* (1981), S. 98.

[467] Ebd., S. 106. Diese Wirkung des Phantastischen, Fremden entsteht vor allem durch die Verwendung des Umlauts „ö", der im Spanischen unbekannt ist. (Walter Bruno Berg: Neue Welt und alter Buchstabe (1992), S. 96.)

[468] Jorge Luis Borges: *Tlön, Uqbar, Orbis Tertius* (1981), S. 106.

[469] Dazu Walter Bruno Berg: Neue Welt und alter Buchstabe (1992), S. 92, sowie Emir Rodriguez Monegal: Jorge Luis Borges (1978), S. 333.

[470] Tlön ist also keineswegs, wie McCulloh behauptet, eine fiktionale Welt. (Mark R. McCulloh: Understanding W.G. Sebald (2003), S. 149.)

[471] Berg interpretiert Tlön auf dieser Grundlage interessanterweise auch als „die Erfindung eines neuen Diskurses, des Diskurses der Neuen Welt" in einem Europa, das sich trotz der Beschwörung des Neuen lediglich logozentristisch auf einen neuentdeckten Kontinent projiziert. (Walter Bruno Berg: Neue Welt und alter Buchstabe (1992), S. 92f.)

[472] Emir Rodriguez Monegal: Jorge Luis Borges (1978), S. 335f. Zur Diskussion um das Utopische bzw. Nichtutopische in *Tlön, Uqbar, Orbis Tertius* siehe auch Adelheid Schaefer: Phantastische Elemente und ästhetische Konzepte (1973), S. 53-57.

auf dem Umweg des Phantastischen gegen etablierte Denkmodelle der abendländischen Philosophie. So ist etwa die von Borges genannte und von Sebald wiedergegebene Ansicht einer der tlönischen Philosophenschulen, daß „die Welt und alles, was jetzt auf ihr lebt, vor einigen Minuten erst geschaffen worden ist zugleich mit ihrer ebenso kompletten wie illusorischen Vorgeschichte", Russells *Analysis of mind* entnommen, worauf Borges selbst in einer Fußnote hinweist[473] (was Sebald jedoch nicht erwähnt). Die Theorie von der Leugnung der Zeit hingegen entstammt dem Werk Arthur Schopenhauers, jenes Philosophen, der Borges am längsten und nachhaltigsten beschäftigt hat.[474] Sebald teilt mit Borges zudem ein konservatives Denken, das sich an der Art der Zeitbewertung bei beiden ablesen läßt: „Borges' Phantasie ist rein regressiv, da sie sich nur an der Vergangenheit entzündet und zugleich daran orientiert",[475] schreibt Adelheid Schaefer, und dies läßt sich bis zu einem gewissen Grad auch über Sebald sagen.

Wenn man nun alle drei Schritte des Borges-Bezuges insgesamt betrachtet, eröffnet sich noch eine andere, eine dritte Deutungsperspektive. Wie im zweiten Schritt der Bezugnahme gezeigt wurde, zieht sich Sebalds Erzähler mit den Worten des Borges-Erzählers vor dem totalitären Assimilationsanspruch der tlönischen Welt auf seine Arbeit an der Übersetzung von Brownes *Urn Buriall* in ein Landhaus zurück. Dieser Rückzug in die Literatur ist einerseits, wie bereits gesagt, als ein Akt des Widerstandes zu sehen, andererseits jedoch als eine Flucht. Doch wie läßt sich diese Flucht deuten? Wo sind beispielsweise totalitäre Elemente in der Lebenswelt des Schriftstellers Sebald am Ende des 20. Jahrhunderts zu finden, die eine solche Flucht begründen und den Ansatzpunkt für eine Deutung liefern könnten?

Es ist wohl kaum ein Zufall, daß Sebald in seiner Bezugnahme auf Borges vor allem jene Stellen selektiert, die eine Verbindung des totalitären, diktatorischen Weltentwurfs mit der Verleugnung der Vergangenheit evozieren. Der Holocaust bildet das ausgesprochene oder unausgesprochene Zentrum, um das Sebalds Erinnerungsarbeit in vielen Fällen kreist. In dieser seiner Erinnerungsarbeit geht es dem Autor auch darum, eine bestimmte Art der Vergangenheits(re)konstruktion in Frage zu stellen, die in Deutschland im allgemeinen unter dem Schlagwort „Vergangenheitsbewältigung" firmiert. Es ist nicht nur der Faschismus, es ist auch die spezielle Form des Umgangs mit der nationalsozialistischen Epoche deutscher Geschichte, die Sebald mit Borges' fiktiver Vergangenheit parallelisiert und die er als eine „extreme Verdrängungsleistung"[476] bezeichnet:

---

[473] Jorge Luis Borges: *Tlön, Uqbar, Orbis Tertius* (1982), S. 102.

[474] Die entsprechende Stelle findet sich in Arthur Schopenhauer: *Die Welt als Wille und Vorstellung*, Buch I, Kapitel 54 (1998), S. 384: „Vor allem müssen wir deutlich erkennen, daß die Form der Erscheinung des Willens, also die Form des Lebens oder der Realität eigentlich nur die Gegenwart ist, nicht Zukunft noch Vergangenheit. [...]. In der Vergangenheit hat kein Mensch gelebt, und in der Zukunft wird nie einer leben; sondern die Gegenwart allein ist die Form alles Lebens [...]." Zu Borges' Schopenhauer-Rezeption siehe auch Michel Berveiller: Le cosmopolitisme de Jorge Luis Borges (1973), S. 318-324.

[475] Adelheid Schaefer: Phantastische Elemente und ästhetische Konzepte (1973), S. 56.

[476] Marco Poltronieri: Wie kriegen die Deutschen das auf die Reihe? (1997), S. 141.

Die Vergangenheitsbewältigung geschieht sehr professionell. Das leisten die Historiker, das tun die Literaten, die Politiker sagen, gut, das muß gemacht werden [...] Da gibt es zum Beispiel in Hannover so Sachen wie eine antifaschistische Stadtrundfahrt, all diese wunderbaren Sachen, die wirklich aus gutem Willen entstehen, aber doch etwas sehr Deutsches haben. [477]

Totalitär ist also nicht nur die nationalsozialistische deutsche Vergangenheit, sondern, führt man die bisherige Deutung weiter, in gewisser Weise auch der gegenwärtige Umgang mit ihr, der, wie obenstehendes Zitat verdeutlicht, für Sebald einer unlauteren Entledigung dieser Vergangenheit gleichkommt. Diese Art des Umgangs mit der Vergangenheit wird nicht als bewahrende Aneignung historischer Zeit und Wirklichkeit bewertet, ist also keine positive Machtergreifung über die Zeit, sondern eine negative, zerstörerische. Die Literatur hingegen ist für den Autor Sebald das Mittel der Wahl, um sich der Vergangenheit auf eine angemessene Weise zu bemächtigen: Die Frage Sven Siedenbergs, „ist das für Sie der Sinn von Literatur: das Bewahren der Vergangenheit?" bejahte Sebald ohne Einschränkung. [478]

„Es gibt nur wenige Schreibmodalitäten, die diesem Problem gewachsen sind",[479] sagte Sebald bekanntlich im Interview nach der Frage der Darstellbarkeit des Holocaust. Der Weg über die Intertextualität und im Falle des Borges-Bezuges über die Phantastik erscheinen hier jedoch als gangbar, um den assimilierenden Einbruch des Totalitären, das als das Irreal-Phantastische erscheint, in die wirkliche Welt darzustellen. Dabei setzt Sebald jedoch die Ironie, die Borges' Entwurf kennzeichnet, außer Kraft. [480]

II.3. Geschichte als Dauerkrise: Die Erzählung *1912+1* von Leonardo Sciascia als intertextueller Kristallisationspunkt

Auch das folgende Kapitel handelt wieder von einer intertextuellen Umgangsweise Sebalds mit historischer Zeit. In diesem Fall allerdings geht es um die Gestaltung einer bestimmten Qualität von Zeit, die sich als Endzeitstimmung charakterisieren ließe. Sie ist in allen Texten Sebalds anwesend und weist verschiedene Aspekte auf. Sie wird zum einen von Figuren getragen, die als verstörte, durch ihr Leben irrende Überlebende einer (meist historisch bedingten) Katastrophe erscheinen, hier sind vor allem die Protagonisten in *Die Ausgewanderten,* aber auch einige in *Die Ringe des Saturn* zu nennen, wie beispielsweise die Familie Ashbury, die vor dem Bürgerkrieg in Irland fliehen mußte. Eine andere Facette der Endzeitstimmung besteht darin, daß

---

[477] Ebd.

[478] Sven Siedenberg: Anatomie der Schwermut (1997), S. 248.

[479] Marco Poltronieri: Wie kriegen die Deutschen das auf die Reihe? (1997), S. 142.

[480] Thomas Kastura: Geheimnisvolle Fähigkeit zur Transmigration (1996), S. 204. Dazu auch Rodriguez Monegal, der einen Artikel Borges' aus der Zeitschrit *Sur* aus dem Jahr 1936 zitiert. Er sieht in diesem Artikel den Keim zur Tlön-Erzählung. Dieser Artikel enthalte außerdem Borges' These, daß phantastisch genannte Literatur in der Regel wenig wirklich Phantastisches enthalte. „Borges is being facetious. His ironical reference implies that 'realism' is a branch of fantastic literature." (Emir Rodriguez Monegal: Jorge Luis Borges (1978), S. 334f.)

sie von den Protagonisten nicht zwangsläufig als solche erkannt wird, weil sie sich, von Tatendrang, Hoffnung und auch Hybris getragen, in Unternehmungen stürzen, deren Scheitern für den Erzähler bzw. den lyrischen Sprecher vorprogrammiert erscheint. Als Beispiele seien hier die Polarexpedition Georg Wilhelm Stellers in *Nach der Natur* oder die Lebensplanung der Luisa Lanzberg in *Die Ausgewanderten* genannt. Auch sonst lassen die Texte Sebalds über weite Strecken hinweg den Eindruck entstehen, daß sich die Welt, in der Erzähler und Figuren sich bewegen, am Rande einer Apokalypse befindet. Jener Teil des Werkes, der diese Endzeitstimmung am ausführlichsten und prägnantesten thematisiert, ist intertextuell gestaltet. Es handelt sich dabei um den Erzählband *Schwindel.Gefühle*.

Die mit der Endzeitstimmung verbundene apokalyptische Bedrohung tritt jedoch zunächst nicht in Form eines kurz bevorstehenden, allgemeinen Weltuntergangs in Erscheinung, sondern ereignet sich in erster Linie auf der Ebene des Individuums. Der Erzähler des Bandes *Schwindel.Gefühle* befindet sich, vor allem in der zweiten und dritten Erzählung, in einem permanenten geistigen Ausnahmezustand. Er hat Halluzinationen, sieht sich in seiner seelisch-geistigen Balance bedroht und zeigt, während er durch die literarisch-kulturell gesättigte Landschaft Oberitaliens reist, Symptome, die literaturpsychologisch als Beziehungswahn[481] bezeichnet werden können. Unentwegt zieht er „Verbindungslinien zwischen weit auseinanderliegenden Ereignissen, die derselben Ordnung anzugehören schienen" (SG 112). Seine Wahrnehmung der Welt wird außerdem, und dies auch an jenen Stellen, an denen sie sich auf eigene Erlebnisse stützt, ergänzt durch ein „Geflecht von Sekundärerinnerungen"[482] und eine schwindelartige Irritation, zumal dann, wenn er über den Verlauf von Geschichte reflektiert, die ihm in keiner Form mehr greifbar erscheint: „Je mehr Bilder aus der Vergangenheit ich versammle, desto unwahrscheinlicher wird es mir, daß die Vergangenheit auf diese Weise sich abgespielt haben soll, denn nichts an ihr sei normal zu nennen, sondern es sei das allermeiste lächerlich, und wenn es nicht lächerlich sei, dann sei es zum Entsetzen" (SG 241).

Neben dieser Beobachtung der bedrohten geistigen Gesundheit des Ich-Erzählers ist in *Schwindel.Gefühle* für die Ausgestaltung der Endzeitstimmung eine weitere Feststellung zu treffen. Alle vier Erzählungen des Bandes werden durch das Erscheinen der Zahl 13 vernetzt. Auffallend häufig etwa berichtet der Erzähler von Ereignissen, die sich allesamt im Jahre 1913 zugetragen haben und bei deren Erzählung die Zahl 1913 auch im Text auftaucht.[483] So wird etwa in der Erzählung *Dr. K's Badereise nach Riva* von Kafka geschildert, wie er 1913 in Oberitalien unterwegs und in Riva zur Kur war (SG 102, 107, 163), und wie er im selben Jahr im Kino den Film der „Geschichte des glücklosen Studenten von Prag sieht, der sich um Liebe und Leben brachte, als er am 13. Mai 1820 einem gewissen Herrn Scapinelli seine

---

[481] Dazu Marcel Atze: Koinzidenz und Intertextualität (1997), S. 153. Auch Umberto Eco hat in seinem Aufsatz mit dem Titel „Ars oblivionalis" die These entwickelt, daß eine exzessive Häufung semantischer Bezüge zu Gedächtniszerfall und Wahnsinn führe.
[482] Markus R. Weber: W.G. Sebald (2002), S. 4.
[483] Einlagerungen der Zahl 1913 finden sich in *Schwindel.Gefühle* auf den Seiten 102, 107, 139, 142, 150, 152, 156, 163, 173, 211, 297, 299.

Seele verschrieb" (SG 173).[484] Stendhal taucht auf, der Oberitalien bereits 1813 bereist hat. Die Zahl 1913 ist außerdem in das Haus des Forstverwalters von Wertach geschnitzt, jenes Allgäuer Dorfes, in das der Erzähler in der Geschichte *Il ritorno in Patria* zurückkehrt. Am Ende des Buches ist die Jahreszahl ein weiteres Mal effektvoll in Szene gesetzt, als der Erzähler das Erscheinungsjahr seiner Dünndruckausgabe der Tagebücher von Samuel Pepys, „Everymans Library 1913" (SG 297ff.), hervorhebt und die Weltuntergangvision, die am Ende von *Schwindel.Gefühle* steht, im Jahr 2013 ansiedelt.[485]

Bei den ersten Erwähnungen mag diese Zahl 13 dem Rezipienten nicht weiter auffallen. Doch durch ihre fast beiläufige und gleichwohl suggestiv wirkende wiederholte Plazierung in unterschiedlichen Kontexten entsteht eine Rätselspannung,[486] denn mit jeder Wiederholung rückt die Zahl stärker in den Fokus des Betrachters, ohne daß schon von einer impliziten intertextuellen Markierung gesprochen werden könnte, auch nicht unbedingt von einer Allusion, da jeder Hinweis darauf, daß es sich um einen intertextuellen Bezug handeln könnte, fehlt. Erst in der Mitte von *Schwindel.Gefühle* kommt es zu einer starken Markierungsakkumulation, als der Erzähler auf einem seiner Spaziergänge seinen Bekannten Salvatore trifft, der in ein Buch mit einem zunächst rätselhaften Titel versunken ist:

> Als ich auf die Piazza hinüberkam, saß Salvatore bereits vor der Bar [...] und las, die Brille in die Stirn geschoben, in einem Buch, das er so nah vor sein Gesicht hielt, daß es unvorstellbar war, wie er auf diese Weise etwas zu entziffern vermochte [...]. Das Buch, in dem er las, hatte einen rosafarbenen Umschlag mit einem in dunklen Farben gehaltenen Bildnis einer Frau. Anstelle eines Titels befand sich unter dem Porträt die Zahlenkonstellation 1912+1. (SG 149f.)

Was der Leser an dieser Stelle noch nicht weiß, kurz darauf (SG 151) aber erfährt: es handelt sich bei dieser Zahlenkonstellation *1912+1* um den Titel einer Erzählung des italienischen Schriftstellers Leonardo Sciascia. Die Nennung dieses Textes erhebt die bisher rätselhafte, gleichwohl häufig wiederholte Jahreszahl 1913 zum nunmehr expliziten Intertextualitätsverweis auf der Potenzierungsstufe. Dabei ist bemerkenswert, daß Sciascias Erzählung dem Leser des Sebald-Textes in der oben zitierten Textstelle auf mehreren Ebenen präsentiert wird, zum einen in der direkten Nennung von Titel und Autor. Zum zweiten ist der Text aber auch physisch präsent

---

[484] Es handelt sich dabei um den Film *Der Student von Prag* des dänische Regisseurs Stellan Rye aus dem Jahre 1913, einem Stummfilmklassiker des Genres Horrorfilm.

[485] Weber (Markus R. Weber: Phantomschmerz Heimweh (1993), S.60) und Atze (Marcel Azze: Koinzidenz und Intertextualität (1997), S. 163), erwähnen die Jahreszahl, Atze auch den Bezug auf Sciascia, aber eine diesbezügliche intertextuelle Analyse und Deutung fehlen bisher.

[486] Dazu Jörg Helbig: Intertextualität und Markierung (1996), S. 100f.: „Die Wiederholung ein und derselben Einschreibung im präsenten Text muß als klassischer 'intensifier' betrachtet werden, da durch den eintretenden Konditionierungseffekt, der Aufmerksamkeitswert der gelegten intertextuellen Spuren steigt." Siehe dazu auch Ulrich Broich/Manfred Pfister: Intertextualität (1985), S. 44. Einen vergleichbaren dynamischen Verweisverlauf habe ich im Kapitel B bezüglich der intertextuellen Beziehung zwischen *Schwindel.Gefühle* und Kafkas *Der Jäger Gracchus* gezeigt.

durch die genaue Beschreibung von Farbe und Beschaffenheit des Buchumschlags. Dieser in *Schwindel.Gefühle* mit fast kriminalistischer Spannung inszenierte Prätextverweis dürfte ab diesem Zeitpunkt des Textes und auch bei wiederholter Lektüre als Deutungshintergrund bei jeder weiteren Nennung der Zahl präsent sein.

Sebald beläßt es jedoch nicht bei den schon genannten Verweistechniken, sondern reichert seinen Text zudem mit einer Paraphrase des Inhalts der Erzählung *1912+1* an, indem er die Figur Salvatore über den Inhalt ihrer Lektüre referieren läßt. Salvatore spricht dabei von der Erzählung als einer faszinierenden

> [...] Synopsis der Jahre unmittelbar vor dem Ersten Weltkrieg. Im Zentrum der eher essayistisch entwickelten Erzählung stehe eine gewisse Maria Oggioni, nata Tiepolo, die Ehefrau eines Capitano [...], die am 8. November 1912, ihren eigenen Angaben zufolge in Notwehr, den Burschen ihres Gemahls, einen Bersagliere namens Quintilio Polimanti erschossen habe. Die Zeitungen hätten damals aus der Geschichte selbstverständlicherweise ein Festessen gemacht und der Prozeß, der die Phantasie der Nation wochenlang beschäftigt habe – entstammte die Angeklagte doch, wie die Presse immer wieder hervorzuheben nicht müde geworden sei, dem Geschlecht des berühmten venezianischen Malers –, und dieser Prozeß, der, wie gesagt, die ganze Nation in Atem gehalten habe, habe zuletzt nichts anderes an den Tag gefördert als die im Grunde allen bekannte Wahrheit, daß das Gesetz nicht gleich ist für alle und die Gerechtigkeit nicht gerecht. Es sei eben den Richtern ein leichtes gewesen, sich völlig vereinnahmen zu lassen von dem mysteriösen Lächeln der von aller Welt bald nur mehr Contessa Tiepolo genannten Signora Oggioni, einem Lächeln, das die Zeitungsschreiber, wie man sich vorstellen könne, sogleich an dasjenige der Gioconda erinnert habe, um so mehr als die Gioconda damals, im Jahr 1913, gleichfalls die Schlagzeilen durchgeistere, nachdem sie unter dem Bett eines Florentiner Arbeiters entdeckt worden war, der sie [...] aus ihrem Exil im Louvre befreit und in ihre Heimat zurückgeführt hatte. (SG 151f.)

Sebald läßt Salvatore seine Ausführungen mit einer Aussage schließen, mit welcher der Autor einmal mehr seine Gewohnheit aufgreift, im Anschluß an eine intertextuelle Bezugnahme die für ihn zentrale Aussage dieser Bezugnahme noch einmal explizit auf den Begriff zu bringen und ins Bewußtsein zu rücken: „Eigenartig, sagte Salvatore noch, wie in diesem Jahr alles auf einen Punkt hin zustrebte, an dem sich, ganz gleich, was es kostete, irgend etwas ereignen mußte" (SG 150). Salvatore sieht also die Zeitqualität des präapokalyptischen Augenblicks vor der Katastrophe, dem Kriegsausbruch von 1914, in *1912+1* von Leonardo Sciascia eingeschlossen und kristallisiert.[487] Daß dabei diese Zeitdiagnose, die sich auf die Vergangenheit be-

---

[487] Die Zeitenwende des Jahres 1913 spielt auch in *Die Ausgewanderten* eine Rolle, doch der Bezug auf *1912+1* wird in diesem Werk nicht mehr aktualisiert. Interessanterweise ist die Jahreszahl in *Die Ausgewanderten* nicht primär auf literarische Prätexte bezogen, sondern auf fingierte autobiographische Aufzeichnungen, die im Bereich der Scheinintertextualität anzusiedeln sind. So enthalten die fiktiven Notizen des Onkels Ambros Adelwarth aus dem Jahr 1913 (A 153) Berichte von einer letzten Reise mit seinem Freund Cosmo Solomon vom Bosporus durch die Türkei nach Jerusalem. Diese Orte werden beschrieben als von „grauenvoller Verlassenheit und Leere" (A 202,

zieht, einem Gefühl von Endzeitstimmung beim Sebaldschen Erzähler entspricht, wird beispielsweise in der kurzen Ekphrasis eines „Seestücks" (SG 92) deutlich, das der Erzähler in der Ecke einer Gaststätte, in der er auf seiner Wanderung rastet, hängen sieht:

> Es stellte [...] ein Schiff dar, das zuoberst auf einem türkisgrünen Wellenkamm mit schneeweißen Schaumkronen eben sich neigt, um in die unter seinem Bug sich öffnende gähnende Tiefe hinunterzustürzen. Es war offensichtlich der Augenblick unmittelbar vor der Katastrophe. (SG 92)

Hier ergibt sich eine weitere Parallele zur Figur Salvatore, denn auch bei dieser ist Endzeitstimmung festzustellen. Salvatores geistige Balance ist ebenso bedroht wie diejenige des Sebald-Erzählers. Er rettet sich „in die Prosa wie auf eine Insel. [...] Einzig dank dieser allabendlichen Lektüre bin ich heute noch halbwegs zurechnungsfähig" (SG 150), sagt er von sich. Diese neuerliche Geistesverwandtschaft zwischen dem Sebald-Erzähler und einer seiner Figuren dient offenbar auch dazu, die Endzeit-Empfindungen, die den Erzähler in seiner eigenen Zeit umtreiben, zu bestätigen und durch einen Dritten gleichsam zu objektivieren. Die Funktion des Prätexts ist es hier also, eine Zeitdiagnose über die Gegenwart auf dem Weg über die Vergangenheit zu erstellen, und zwar über eine Vergangenheit, wie sie im Medium Literatur eingefangen erscheint.

An dieser Stelle ist festzuhalten, daß die Elemente, die Sebald in seiner Wiedergabe aus dem Prätext selektiert, durchgehend in inhaltlichen und deutenden Aspekten bestehen, nicht in wörtlichen Zitaten aus dem Prätext, und daß sie nicht auf die literarische Gestaltung des Prätextes abheben. So thematisiert Salvatore nur den Inhalt des Textes, wenn er vom Hergang des Mordfalles in der Zeit vor dem Ausbruch des Weltkriegs spricht, von der sensationshungrigen Presse oder von der Gerechtigkeit bzw. ihrer Nichtexistenz, da die Richter sich von der Schönheit der Angeklagten und ihrer angeblichen Herkunft[488] hätten beeinflussen lassen.

Bezüglich der Symptomatik der Endzeitstimmung läßt sich noch eine weitere, starke Parallele zwischen dem Prätext und dem Sebald-Text feststellen: Ebenso wie es in *1912+1* um ein Verbrechen geht, das aufgeklärt werden soll, beschäftigt sich

---

ebenso A 197), es ist von „Verfall, nichts als Verfall" die Rede (A 204), und über die mondäne Welt des Badeortes Deauville schreibt Adelwarth, daß vor allem die „veränderte und überdrehte Atmosphäre für die im Sommer 1913 [...] auf einmal ansteigenden Einnahmen der Deauviller Bank" verantwortlich gewesen seien (A 135). Auch für Luisa Lanzberg wird 1913 zum Schicksalsjahr: Sie lernt ihren Mann kennen, er macht ihr seinen Heiratsantrag „kurz vor Ende der Saison 1913, an einem vor durchsichtiger Schönheit zitternder Septembersamstagnachmittag" (A 320). Doch es trennen ihn zu diesem Zeitpunkt nur wenige Monate von seinem Tod und die Welt nur noch wenige Monate vom Krieg. Hier ist die Endzeitstimmung verknüpft mit einer „Figure on loan", nämlich mit dem vielbesprochenen Wiedergänger Vladimir Nabokov, der als Glücks- und Todesbote gleichermaßen erscheint (A 321).

[488] Atze macht hier auf eine Namenskoinzidenz aufmerksam: Der venezianische Maler Tiepolo steht in *Schwindel.Gefühle* des öfteren im Zentrum der Betrachtung, außerdem spielen bei Sciascia auch Casanovas Venedigaufenthalt und die Figur Stendhals eine Rolle. (Marcel Atze: Koinizidenz und Intertextualität (1997), S. 163.)

158

auch der Sebald-Erzähler in *Schwindel.Gefühle* mit der Rekonstruktion der geheimnisvollen Mordserie eines Syndikats, das unter dem Namen „Organisazzione Ludwig" Ende der siebziger Jahre in Italien Angst und Schrecken verbreitete und bei deren Aufklärung die Justiz gleichfalls im dunkeln tappt (SG 154). Salvatore dient dem Sebald-Erzähler bei diesen seinen Recherchen als Informant, wobei dessen Berichte über die Terrorgruppe Ludwig unmittelbar an die ihm in den Mund gelegte Sciascia-Paraphrase anschließen. Die Figur Salvatores fungiert also als ein Verbindungsglied von Sebald-Text und Prätext. Dies läßt sich auch durch die folgende Bemerkung Salvatores verdeutlichen: „Man könnte sich einbilden, die Zeit sei nicht vergangen, obwohl die Geschichte jetzt ihrem Ende zugeht" (SG 156).

Bisher wurden die Funktionen des Prätextes *1912+1* nur von der Warte des Sebald-Textes aus betrachtet. Um jedoch weitere Deutungsmöglichkeiten ausloten zu können, die noch über die Funktionen erstens der Kristallisation eines Endzeitgefühls und zweitens der Zeitdiagnose der Gegenwart über den Umweg der Vergangenheit hinausgehen, soll nun dieser Prätext selbst in seinen Eigenheiten und Spezifika betrachtet werden.

Die Erzählung Sciascias behandelt in der Tat die schon erwähnte Rekonstruktion jenes italienischen Kriminalfalls um den Tod eines Dieners, der von der Frau seines Herrn erschossen wurde. Gegenstand und Problem des Prozesses ist in der Erzählung die Klärung der Frage, ob die Dame Oggioni diesen Diener in Notwehr gegen seine Aufdringlichkeit erschossen hat oder ob sie auf diese Weise nicht vielmehr versuchte, ein heimliches, sie zunehmend in Konflikte stürzendes Verhältnis zu beenden. Interessant ist dabei nun die Erzählweise Sciascias, denn die Erzählung zeigt sich in der Tat, wie Salvatore zusammenfaßt, als eine „Synopsis der Jahre vor dem Ersten Weltkrieg" (SG 151), und zwar in Form eines Tableaus der italienischen Gesellschaft, vorgebracht mit ätzendem Spott und beißendem Sarkasmus. Zudem ist es ein hochintertextuelles Stück Literatur, „literarisches Gedächtnistheater",[489] wie es für Sciascia typisch ist: Der Titel der Erzählung beispielsweise, so spöttelt Sciascias Erzähler gleich zu Beginn, beziehe sich auf Gabriele d'Annunzio, der die 13 für eine Unglückszahl hielt und seine Bücher im besagten Jahr deshalb mit *1912+1* signierte. Der Faschismus, der für Italien zum Unglück wurde, habe d'Annunzio dann jedoch – Ironie des Schicksals – auf einer Welle des Erfolges nach oben gespült.

Sciascia setzt seine Erzählung mit der Schilderung des historisch-politischen Hintergrundes jener Zeit fort, vor dem sich der zu rekonstruierende Kriminalfall ereignet. Er läßt Größen der Politik am Leser vorbeidefilieren, skizziert die Parteienlandschaft und die chaotische, überdrehte Kolonialpolitik Italiens. Er tut dies, indem er ein Kaleidoskop aus Bruchstücken von zitierten Zeitungsartikeln erzeugt, insbesondere aus Artikeln der Klatschpresse, aus Zeugenaussagen und Anwaltsplädoyers. Der Text ist als eine atemlose, hastige Präsentation dieser Dokumente zu charakterisieren, die Schlag auf Schlag aufeinanderfolgend zitiert und beschrieben werden. Diese Technik verleiht dem Text jene aufgeheizte, überdrehte, fast hysterische Atmosphäre, die Sciascia als die Grundbefindlichkeit der italienischen Gesellschaft

---

[489] Siehe dazu auch den Aufsatz von Helene Harth: Leonardo Sciascias literarisches Gedächtnistheater (2000).

diagnostiziert.[490] Entsprechend absurd gestaltet sich auch die Justiz, die zu jener Zeit zum Großteil mit der Regulierung des Liebestriebs befaßt scheint. Im Oggioni-Prozeß werden nach der Darstellung Sciascias Hunderte von Zeugen gehört, Anwälte und Vorsitzende schluchzen vor Rührung, sämtliche Interessengruppen Italiens schreiben Unmengen von Leser- und Beschwerdebriefen, ausgefeilte, dekadente Liebesrituale werden wieder und wieder analysiert. Es ist eine „pirandelleske"[491] Gesellschaft, die sich am Abgrund bewegt, in der Wahrheit und Fiktion halluzinatorisch verschwimmen[492] und in der es vor allem um „die vielen Wahrheiten und das Spiel des Scheins gegen das Sein"[493] zu gehen scheint. Dabei kann der Schuß der Gräfin auf ihren vermeintlichen Liebhaber, den sie angeblich aus dem Gefühl aussichtsloser Bedrohung abgab,[494] als Antizipation jener Schüsse auf den österreichischen Thronfolger gedeutet werden, die letztlich zum Ausbruch des Ersten Weltkiegs führten. Das Verbrechen in der Sinnzone der Lebensgeschichte eines Individuums erscheint somit einem Verbrechen in der Sinnzone der Weltgeschichte vorgeschaltet. Die sich bedroht fühlenden, überreagierenden Menschenwesen bilden eine Gesellschaft, die wiederum den Nährboden für den Ersten Weltkrieg abgibt.

Die Erzählung endet mit einer elegischen, rechtsphilosophischen Betrachtung, welche die Nichtexistenz der göttlichen Gerechtigkeit feststellt und die Anwesenheit Gottes in der weltlichen Gerechtigkeit mit Borges und seinem Konzept der phantastischen Literatur negiert: Gerechtigkeit und Wahrheit zeigen nach Sciascia keinesfalls die Anwesenheit von Göttlichem in der Welt, denn diese Begriffe sind vom Menschen ausgedacht und entzifferbar, können demzufolge also nicht göttlich sein. Damit wird auch das Jüngste Gericht zum Phantasma, und aus der Ungerechtigkeit gibt es keinen Ausweg. Sciascia skizziert die Zeit vor dem Weltkrieg damit resignativ als eine gottlose Zeit.[495] Vom ätzenden, hastigen Spott der bisherigen Erzählung ist in diesem Epilog nichts mehr zu spüren.

Welche Funktionen und Deutungen der intertextuellen Beziehung zwischen Sebald und Sciascia ergeben sich also, wenn man die genannten Eigenheiten und Gestaltungsmerkmale des Prätextes zusätzlich zur Kenntnis nimmt? *1912+1* zeigt sich zum ersten nicht nur als Kristallisationspunkt einer Endzeitstimmung innerhalb des Sebald-Textes, sondern nun auch als Beispiel der sehr eigenwilligen literarischen Ausgestaltung einer solchen Endzeitstimmung. Sciascia hat in seinem Text seine Zeitdiagnose auf sehr anschauliche, lebendige Weise eingeschlossen und konserviert. *1912+1* wird damit zu einem literarischen Paralleluniversum, zu einer intertextuellen Nebenwelt von *Schwindel.Gefühle* (der Tlön-Welt in *Die Ringe des Sa-*

---

[490] Auch schon Friedrich Nietzsche hat in seinen Thesen zur Dekadenz Ermüdung, Kriminalität, Hysterie und Nervosität als die Kennzeichen des Verfalls einer Gesellschaft definiert. (Friedrich Nietzsche: Der Wille zur Macht (1964), S. 30-33.)

[491] Leonardo Sciasca: *1912+1* (1991), S. 81.

[492] Helene Harth: Leonardo Sciascias literarisches Gedächtnistheater (2000), S. 66.

[493] Leonardo Sciascia: *1912+1* (1991), S. 81.

[494] Ebd., S. 22.

[495] Auch bei Sebald findet sich zuweilen die Kennzeichnung von Endzeiten durch Gottlosigkeit, z.B. im Falle des Naturwissenschaftlers Georg Wilhelm Steller, den er am Ende seines Lebens als einen „gottlosen Lutheraner aus Deutschland" (NN 67) beschreibt.

turn vergleichbar), deren aufgeheiztes Chaos bei jedem Erscheinen der Jahreszahl im Gedächtnis des kundigen Lesers mit aufgerufen wird.

Zum zweiten sind Korrespondenzen in den literarischen Verfahrensweisen Sciascias und Sebalds erkennbar: Sebald evoziert das Jahr 1913[496] an einer Stelle in *Schwindel.Gefühle* auf die gleiche Art und Weise wie Sciascia, nämlich indem er die Vergangenheit anhand von Zeitungen jener Zeit vergegenwärtigt und in den Folianten blättert, „in welche die Veroneser Zeitungen aus den August- und Septemberwochen des Jahres 1913 gebunden waren" (SG 139). Der Unterschied zu Sciascia besteht jedoch darin, daß Sebald die Zeitungstexte nicht zitiert oder paraphrasiert, sondern daß Relikte damaligen Alltagslebens, nämlich Gewerbeanzeigen aus den besagten Zeitungen, als ikonisierte Texte in den Fließtext integriert werden. Diese Relikte bewirken beim Erzähler vergegenwärtigende Halluzinationen dieses vergangenen Alltagslebens, „Stummfilmszenen" (SG 139), die als „Offenbarungen" (SG 141f.) beschrieben werden, da sie magisch und unheimlich zugleich wirken, und auch durch das Ineinander von Dokumentarischem und Rätselhaftem in den abgebildeten Anzeigen. „Laut- und schwerelos waren sie, die Bilder und Nachrichten von damals, leuchteten kurz auf und verlöschten gleich wieder, jedes [...] ein ausgehöhltes Mysterium" (SG 142). Sie erscheinen dem Erzähler als „Geschichten ohne Anfang und Ende, denen man einmal nachgehen müßte" (SG 142). Dabei kommt Sebald in seiner Zeitungslektüre trotz der magischen Wirkung, die sie auf ihn hat, zur gleichen Diagnose über das Jahr 1913 wie Sciascia: „Die Zeit wendete sich, und wie eine Natter durchs Gras lief der Funke die Zündschnur entlang. Allerorten kam es zu einem Aufwallen der Gefühle. [...] Der gerechte und heilige Zorn der Nation wurde beschworen. *Apoteosi dei titani* stand [...] in gotischen Lettern über einem der Artikel im *Fedele*" (SG 142). Dennoch setzt Sebald, wie auch schon im Falle Borges', die Ironie und den Sarkasmus des Prätextes außer Kraft und bedient sich in seiner Vergegenwärtigung des Jahres 1913 eher des magisch-halluzinatorischen Pathos und des Moments des Rätselhaften.

Ein dritter Deutungsaspekt, der sich erst nach der Lektüre des Prätextes feststellen läßt, ist die Unschärfe der Vergangenheit, mit der beide Autoren gleichermaßen arbeiten und die gleichzeitig eine Unschärfe der Realität im allgemeinen ist. Diese Realität präsentiert sich beiden Erzählern als unauslotbar, als ein „Mysterium" (SG 142) erscheint sie bei Sebald, und auch in Sciascias Gerichtsfällen verschwimmt die Wirklichkeit in dem „labyrinthische Gewimmel" von Wahrheiten und Tatsachen auf halluzinatorische Weise.[497] „Für Sciascia jedenfalls ist die nur bis zu einem gewissen Grad mögliche Aufklärung von punktuellen Verbrechen auf einer Ebene mit historischen Ereignissen angesiedelt, die gleichfalls nicht isoliert, sondern nur im ‚contesto' einer vielschichtigen, schwer zu erzählenden Realität erkennbar oder gar erklärbar sind. Historische, zeitgenössische oder kriminalistische Wahrheiten zu er-

---

[496] Dazu Helene Harth: Leonardo Sciascias literarisches Gedächtnistheater (2000), S. 54: „Die Kraft, Spuren vergangenen und gegenwärtigen Lebens in ihrer sinnlichen Konkretheit festzuhalten, sie in Bildern und Symbolsystemen zu bannen und sie damit verfügbar zu halten [...] ist die Kraft, die Sciascia in erster Linie der Literatur zutraut."

[497] Ebd., S. 66.

zählen erweist sich als Variation derselben Problematik",[498] nämlich der irreduziblen, labyrinthischen Realität sowohl der Gegenwart als auch der Vergangenheit. Sciascia beruft sich diesbezüglich auf einen literarischen Ahnen, der auch bei Sebald schon eine Rolle spielte, als es um die Durchdringbarkeit von Vergangenheit ging, und zwar auf Jorge Luis Borges.[499]

Welches Geschichtsbild bzw. welche Vorstellung vom Verlauf von Geschichte läßt sich aus dieser intertextuellen Gestaltung von Endzeit destillieren, wenn man sie auch im Kontext der anderen Sebald-Texte betrachtet? Schließlich ist an einer Stelle sogar von einem „Ende der Geschichte" (SG 156) die Rede. Welche Art von Ende könnte hier gemeint sein?

Die Funktion der intertextuellen Beziehung zwischen Sciascia und Sebald besteht, dies sei hier noch einmal zusammengefaßt, in der Parallelisierung der Jetztzeit des Erzählers und der des Jahres 1913 als Endzeit, als Zeitenwende hin zum Unglück. Das intertextuelle Symbol dieser Zeitqualität, die Zahl 13, wird jedoch auf unterschiedliche Sinnzonen der Geschichte bezogen, auf die Weltgeschichte einerseits – neben den schon erwähnten Stellen wird 2013 am Ende des Buches als das Jahr des apokalyptischen Weltenbrandes antizipiert –, andererseits bezieht es sich gleichzeitig auf Zeitabschnitte von Endzeitstimmungen in den Biographien einzelner Figuren. Im Falle des Erzählers, der 1980 bzw. 1987 in Oberitalien unterwegs ist, kann durchaus angenommen werden, daß bei ihm die apokalyptische „Vorstellung von einer lautlosen Katastrophe, die sich ohne ein Aufhebens vor dem Betrachter vollzieht" (NN 77) auch durch die ganz konkrete Furcht gefärbt ist, die sich, wenngleich sie in *Schwindel.Gefühle* nicht ausgesprochen wird, aus der atomaren Bedrohung[500] durch den kalten Krieg jener Jahre[501] speist.

Die Endzeitstimmung vor einer Zeitenwende ist nun durch die Tatsache, daß sie erstens in der Gegenwart des Sebald-Erzählers und zweitens in *1912+1* auf der

---

[498] Frank Baasner: Sciascias Kriminalromane (2000), S. 27.

[499] Sciascia schreibt im Epilog zu *1912+1*, der sich ebenfalls auf das weiter oben erläuterte Konzept des Phantastischen bei Borges bezieht: „Etwas irrt durch unser Gehirn, und wir vermögen es nicht zu entziffern: und das ist keine phantastische Literatur. Aber alles übrige ist es" (Leonardo Sciascia: *1912+1* (1991), S. 82). Seine intertextuellen Bezugnahmen auf Borges inszeniert Sciascia jedoch nicht als Rätsel, sondern explizit im Text bzw. in dessen Anhang. Dort taucht noch einmal Borges auf: „Daß die Existenz Gottes in den Bereich der guten phantastischen Literatur gehöre, hat Borges in mehr als einem Interview gesagt. Die Erzählung, auf die ich mich berufe, heißt *Die Theologen* [...]." (Ebd., S. 92).

[500] In *Nach der Natur* ist dieses Gefühl der Bedrohung beispielsweise verbunden mit dem „Ticken der Geiger im Kraftwerk von Sizewell, wo sie langsam den Kern des Metalls zerstören. Raunender Wahnsinn auf der Heide von Suffolk. Is this the promis'd end?" (NN 94f.). Vgl. dazu auch Heinrich Detering: Schnee und Asche, Flut und Feuer (1998), S. 156: „[...] weder 'Ökologie' noch 'Entropie' kommen in diesen Texten als Begriffe vor. Die Sachverhalte aber, die sie bezeichnen, spielen eine große [...] Rolle."

[501] Vergleiche hierzu die Beschreibung der Insel Orford Ness in *Die Ringe des Saturn,* in welcher der Erzähler über geheimnisvolle militärische Versuche berichtet, die die Bewohner der Küste in extreme Unruhe versetzten: „So ist mir beispielsweise zu Ohren gekommen, in Shingle Street sei seinerzeit experimentiert worden mit biologischen, zur Unbewohnbarmachung ganzer Landstriche entwickelten Waffen" (RS 287).

Ebene der Weltgeschichte des Jahres 1913 erscheint, als ein wiederkehrendes, rekurrentes[502] und somit ahistorisches Moment in der Geschichtsvorstellung Sebalds festzuhalten. Dieses ahistorische Element der wiederkehrenden, wenn nicht sogar immer vorhandenen Endzeitstimmung kann jedoch nicht für sich stehen, sondern muß, um seinen Bedeutungsraum vollständig ausloten zu können, in Beziehung gesetzt werden zu einem zunächst gegensätzlich erscheinenden, weil linearen Verlaufsmodell von Geschichte, das bei Sebald ebenfalls vorzufinden ist. Es handelt sich dabei um das Zeitverlaufsmodell der Bahn,[503] das von Sebald wieder auf verschiedene Sinnzonen von Geschichte angewandt wird:

> Auf jeder neuen Form liegt schon der Schatten der Zerstörung. Es verläuft nämlich die Geschichte jedes einzelnen, die jedes Gemeinwesens und die der ganzen Welt nicht auf einem stets weiter und schöner sich aufschwingenden Bogen, sondern auf einer Bahn, die, nachdem der Meridian erreicht ist, hinunterführt in die Dunkelheit. (RS 33)

Bei dieser, für Sebalds Geschichtsauffassung zentralen Passage, handelt es sich um ein Zitat aus der *Religio Medici* von Thomas Browne, der im Original schreibt:

> All states cannot be happy at once; for because the glory of one State depends upon the ruine of another, there is a revolution and vicissitude of their greatnesse, whicht must obey the swing of what wheele, not moved by intelligences, but by the hand of God, whereby all States arise to their Zenith and verticall points, according to their predestinated periods. For the lives not onely of men, but of commonweales, and the whole world, run not upon a Helix that still enlargeth; but on a Circle, where, arriving to their Meridian, they decline in obscurity, and fall under the Horizon againe.[504]

Dieses Bahnmodell taucht in den Sebald-Texten immer wieder auf. So erscheint beispielsweise dem Erzähler in *Die Ringe des Saturn* die Welt nur „zusammengehalten

---

[502] Dazu Reinhart Koselleck: Zeitschichten (2000), S. 21: „Die übliche Weise der Historiker, Zeit zu behandeln, ist bekanntlich doppelpolig: Entweder wird Zeit linear, gleichsam als Zeitpfeil dargestellt, sei es teleologisch oder sei es mit offener Zukunft, oder aber Zeit wird rekurrent oder kreisläufig gedacht. [...] Von beiden Modellen läßt sich sagen, daß sie unzulänglich sind, denn jede geschichtliche Sequenz enthält sowohl lineare wie rekurrente Elemente." Gleiches läßt sich auch für das Verlaufsmodell sagen, das Sebald in seinen Texten von Geschichte entwirft. Assen Ignatow geht im Zusammenhang dieser Problematik so weit, die Geschichte als kantisches *noumenon* zu bezeichnen, als „etwas, was dem Menschen nie zugänglich sein wird", begleitet von der ontologischen Erkenntnis, „daß die Geschichte weder Person noch Ding ist, daß sie weder jene Intentionalität oder Zielstrebigkeit, die nur Personen haben können, noch jene blonde Zufälligkeit, die kontingente materielle Dinge kennzeichnet, besitzt." (Assen Ignatow: Anthropologische Geschichtsphilosophie (1993), S. 146.) So gesehen wäre die Geschichte in dieser festgestellten Undurchschaubarkeit also in der Tat nichts anderes als wirklich phantastische Literatur im Borgesschen Sinne.

[503] Siehe dazu auch Dieter Wrobel: Postmodernes Chaos (1997), S. 344.

[504] Thomas Browne: *Religio Medici* (1992), S. 27: Es handelt sich bei diesem Zitat um eine Referenz auf der Reduktionsstufe. Sie ist an sich nur dann als Zitat zu identifizieren, wenn der Rezipient den Prätext, der hier jedoch nicht genannt wird, kennt. Die Textumgebung, die verschiedentlich Referenzen auf Texte von Thomas Browne enthält, könnte dennoch Indizien für die Zitathaftigkeit dieser Sätze liefern. Siehe dazu auch Mario Praz: Der Garten der Sinne (1988), S. 146.

von den Bahnen, die sie durch den Luftraum zieht" (RS 91), gleichzeitig sieht er hinter sich die „leere Bahn" (RS 91, auf der er gekommen ist. Für Luisa Lanzberg in *Die Ausgewanderten* erscheint „die Kissinger Zeit [...] in der Rückschau wie der Anfang einer von Tag zu Tag enger werdenden Bahn, die unweigerlich führen mußte bis auf den Punkt, an dem ich mich heute befinde" (A 312). Dieser Punkt ist, wie sich herausstellt, die Deportation ins KZ. Auch in den literaturwissenschaftlichen Essays des Bandes *Logis in einem Landhaus* ist dieses Modell der Bahn übrigens durchgängig präsent.[505] An dieser Stelle ist zu bemerken, daß Mark R. McCulloh deshalb zu kurz greift, wenn er schreibt: "While it may appear that time is linear, moving 'forward' and leaving the past 'behind', Sebald suggests that time, if viewed somehow from the outside, is nonsequential."[506] Dieser Eindruck von der Nichtlinearität der Zeit entsteht möglicherweise gerade durch ahistorische Elemente wie die nicht nur in *Schwindel.Gefühle* vorhandene, sondern in allen Werken nachweisbare Endzeitstimmung, die durchaus zu einer Unsicherheit darüber führen können, ob man sich in einer mythischen Vergangenheit, einer rätselhaften Gegenwart oder einer fernen Zukunft befindet. Diese Unsicherheit erleben auch die Ich-Erzähler Sebalds selbst immer wieder, beispielsweise beim Besuch auf der Insel Orford: „Wo und in welcher Zeit ich an jenem Tag auf Orfordness in Wahrheit gewesen bin, das kann ich auch jetzt, indem ich dies schreibe, nicht sagen." (RS 295)

Denkt man nun jedoch diese wiederkehrende Endzeitstimmung, den „Augenblick unmittelbar vor der Katastrophe" (SG 92) und das eben beschriebene Bahnmodell zusammen, so ergibt sich, daß die Endzeitstimmung immer einen bestimmten Zeitabschnitt auf der beschriebenen Verlaufskurve der Geschichte darstellt, und zwar den Moment vor der Katastrophe, vor der Rückführung in die Dunkelheit. Sebald setzt das von ihm als rekurrent etablierte präapokalyptische Moment als den immergleichen, unabdingbaren Bestandteil historischer Ereignisse und Wendepunkte, die sich ja bekanntlich zumeist als kriegerische Aktionen voller Entsetzen und Leiden für alle Beteiligten zeigen.

Das in *Schwindel.Gefühle* verkündete Ende der Geschichte (SG 156) ist also kein endgültiges, auch nicht etwa im Sinne der in den vergangenen Jahren viel diskutierten Thesen Francis Fukuyamas.[507] Es ist vielmehr ein ständig auf unterschiedlichen Sinnzonen der Geschichte nach gleichem Muster und zu allen Zeiten sich ereignendes Ende, eine permanente Projektion der Melancholie, jener „Angst vor dem aussichtslosen Ende unserer Natur" (RS 37), auf die Welt und ihre Ereignisse. Se-

---

[505] Siehe beispielsweise W.G. Sebald: Logis in einem Landhaus (1998), S. 34, 111, 121, 125.

[506] Mark R. McCulloh: Understandig W.G. Sebald (2003), S. 59.

[507] Fukuyama schließt zwar nicht aus, daß Ereignisse wie Auschwitz oder Hiroshima zu einem pessimistisch-apokalyptischen Geschichtsdenken führen können, dennoch sieht er das Ende der Geschichte nicht in einer Apokalypse begründet, sondern in der Durchsetzung aller menschlichen Ziele, beispielsweise in der Tatsache, daß die Menschen rational und effizient, aber so wenig wie möglich arbeiten, sich gegenseitig anerkennen und weltweit die marktwirtschaftliche Demokratie durchsetzen. (Francis Fukuyama: Das Ende der Geschichte (1992), S. 430f.) Dazu auch Otto Pöggeler: Ein Ende der Geschichte? (1995), S. 13: „Das Ende ist auch nicht das Verenden im Fellachentum von Spenglers und Webers Spätzeiten. Es ist eine Vollendung und Erfüllung, die genug an gefährlicher Dynamik enthält."

bald mag beteuern, daß er Endzeitprognosen „prinzipiell für problematisch"[508] hält, doch seine Texte sagen in dieser Hinsicht anderes aus.

Der Endzeit- und Verfallszustand, in dem sich viele der Sebald-Figuren befinden und der von Sebald in weiten Strecken seines Werks zum Zustand der Welt erhoben wird, könnte jedoch, falls man mit Oswald Spengler denken wollte, auch in Sebalds intensivem Einsatz von Intertextualität wiedergefunden werden. Spengler geht vom Synkretismus als dem Merkmal des Verfalls aus. Wer nicht mehr imstande sei, etwas Eigenes und Originelles zu schaffen, schreibt er, greife nach der Vergangenheit und versuche, sie künstlich wiederzubeleben.[509] Ähnliches findet sich auch in der Denkrichtung des „Posthistoire": „Von Kojève über Gehlen bis Baudrillard unterliegt der Proklamation des Endes der Geschichte [...] die erstarrte Phantasie eines zwar sinnlosen, aber unendlich weitergehenden Geschehens."[510] Das Verdikt der erstarrten Phantasie und mangelnden Originalität wäre für den Fall Sebald sicherlich eine zu harte Beurteilung seiner hochartifiziellen, intertextuellen Verfahrensweisen, deren schillerndes Ineinander von Eigen- und Fremdtext durchaus als originell bezeichnet werden kann. Gleichwohl ist eine gewisse Fixierung Sebalds auf eine zu bewahrende Vergangenheit, wie sich im bisherigen Fortgang der Arbeit gezeigt haben dürfte, nicht von der Hand zu weisen.

II.4. Historienmalerei oder die „Fälschung" der Geschichte

Das folgende Kapitel wird sich im Gegensatz zu den drei vorangangenen weniger um den Umgang mit historischer Zeit drehen, als sich vielmehr wieder jener Frage Sebalds zuwenden, die da lautet: „Wer weiß, wie es vor Zeiten wirklich gewesen ist" (RS 108)? Es wird zwei signifikante Textbeispiele behandeln, in denen der Erzähler den Hergang zweier historischer Ereignisse zu rekonstruieren versucht und sich dabei einer ganz bestimmten Gruppe von Prätexten bedient, und zwar Gemälden, die dem Genre der Historienmalerei zuzuordnen sind. Im ersten Fall handelt es sich um ein Seeschlachtengemälde des Niederländers Willem van de Velde des Jüngeren, im zweiten Fall um ein Panoramagemälde der Schlacht von Waterloo, angefertigt von einem Maler namens Louis Dumontin. Beide Textstellen finden sich in *Die Ringe des Saturn*.

In der ersten dieser beiden Textstellen ist das Thema der Erzählung die sogenannte Schlacht von Sole Bay zwischen England und den Niederlanden, die vom 28. Mai bis zum 7. Juni 1672 vor der Küste Suffolks nahe der Ortschaft Southwold stattfand. Der Ich-Erzähler berichtet von dieser Schlacht zunächst als einer Phantasie, die sich nur in seiner Imagination abspielt. Am Strand von Southwold stehend, wird ihm dieser Strand zu einem „leeren Theater" (RS 98), und vor ihm auf dem Meer ereignet sich eben jener 28. Mai 1672, „jener denkwürdige Tag, an dem dort draußen die

---

[508] Sven Siedenberg: Anatomie der Schwermut (1997), S. 148.
[509] Dazu Oswald Spengler: Der Untergang des Abendlandes (1980), S. 379, außerdem Assen Ignatow: Anthropologische Geschichtsphilosophie (1993), S. 136.
[510] Lutz Niethammer: Posthistoire (1986), S. 165.

holländische Flotte, das strahlende Morgenlicht hinter sich, aus dem über See treibenden Dunst auftauchte" (RS 98). Der Erzähler nimmt hier die Perspektive der Bewohner von Southwold ein, die er sich am Strand stehend vorstellt, dem Geschehen auf dem Wasser zusehend: „Mit den Händen die Augen schützend gegen die blendende Sonne werden sie gesehen haben, wie die Schiffe scheinbar planlos sich hin und her bewegten, wie die Segel im leichten Nordost sich blähten und bei den schwerfälligen Richtmanövern wieder zusammensanken" (RS 98). Doch schon im nächsten Satz deutet sich an, daß diese Perspektive wegen der Distanz, die ihr innewohnt, für Sebald offenbar keine erkenntnisrelevante Perspektive darstellt, denn: „Menschen werden sie auf die Entfernung wohl keine wahrgenommen haben, nicht einmal die Herren von der holländischen und englischen Admiralität auf ihren Kommandobrücken" (RS 98). Wie aber aus der bisherigen Darstellung dieser Arbeit hervorgegangen sein dürfte, ist der Blick auf das Individuum und auf die an der Historie beteiligten Menschen für Sebald von zentraler Bedeutung. Die hier eingenommene Perspektive des Blicks aus der Distanz des Strandes wird also zum Gegenstand der Kritik.

Genau diese Perspektive ist jedoch auch die Perspektive verschiedener Seeschlachtenmaler, auf deren Werke sich Sebald im Anschluß bezieht und deren Schlachtendarstellungen er in seine Kritik mit einschließt:

> Sind die Berichte von den auf den sogenannten Feldern der Ehre ausgefochtenen Schlachten von jeher unzuverlässig gewesen, dann handelt es sich bei den bildlichen Darstellungen der großen Seetreffen um pure Fiktionen. Selbst gefeierte Seeschlachtenmaler wie Storck, van de Velde oder de Loutherbourg, von denen ich einige der der *Battle of Sole Bay* gewidmeten Erzeugnisse im Marinemuseum von Greenwich genauer studiert habe, vermögen, trotz einer durchaus erkennbaren realistischen Absicht, keinen wahren Eindruck davon zu vermitteln, wie es auf einem der [...] bis zum äußersten überladenen Schiffe zugegangen sein muß, wenn brennende Masten und Segel niederstürzten (B) oder Kanonenkugeln die von einem unglaublichen Leibergewimmel erfüllten Zwischendecks durchschlugen. Allein auf der Royal James [...] kam beinahe die Hälfte der tausendköpfigen Besatzung ums Leben. Genaueres über den Untergang dieses Dreimasters ist nicht überliefert. Verschiedene Augenzeugen wollen den [...] Earl of Sandwich, den Befehlshaber der englischen Flotte, zuletzt von Flammen umzingelt und verzweiflungsvoll gestikulierend auf dem Hinterdeck gesehen haben. Gewiß ist nur, daß seine aufgedunsene Leiche ein paar Wochen später bei Harwich an den Strand gespült wurde. [...] Die erlittene Pein, das gesamte Werk der Zerstörung übersteigt um ein Vielfaches unser Vorstellungsvermögen. (RS 99f.)

Sebalds Kritik an den von ihm im Marinemuseum von Greenwich betrachteten Seeschlachtengemälden besteht also einmal mehr in dem Vorwurf an die Maler, daß sie in ihren Darstellungen die „Wahrheit" der Geschichte, nämlich das individuelle Leid und den Untergang der einzelnen Menschenwesen, außen vor lassen. Die Künstler werden deshalb aus der Sicht des Erzählers ihrer „durchaus erkennbaren, realistischen Absicht" (RS 99) nicht gerecht. Hier wäre zu fragen, welche Definitionen von Realismus in dieser Kritik, die sich gleichzeitig gegen ein ganzes Genre der Malerei richtet, aufeinanderprallen, doch soll auf diese Frage erst später eingegangen werden.

Sebald montiert in die oben zitierte Textpassage ein Gemälde (B) hinein. Die Markierung geschieht dabei auf der Potenzierungsstufe. Die Textumgebung in dieser Text-Bild-Beziehung legt zunächst zwar nur nahe, daß es sich bei der Abbildung um ein Gemälde von einem der oben genannten Maler handelt, während das Bild selbst vom Text nicht explizit identifiziert wird. Dennoch kann hier von einer Intermedialitätshandlung gesprochen werden, wie sie für die Potenzierungsstufe der Markierungsdeutlichkeit typisch ist. Außerdem nutzt der Erzähler die Passage, um anhand der Bilder über Geschichtsauffassungen zu sprechen, und das Sprechen über Bilder bedeutet immer auch ein Sprechen über eigene ästhetisch-poetologische Konzeptionen.[511]

Wie die Recherchen ergeben haben, handelt es sich bei der Abbildung um einen Ausschnitt aus einem Gemälde mit dem Titel *The burning of HMS Royal James at the battle of Sole Bay, 28 May – 7 June 1672* von Willem van de Velde dem Jüngeren (1633-1707), der zu den bedeutendsten Marinemalern des 17. Jahrhunderts zählt.[512] Das Gemälde zeigt auf einer Wasserlinie gegeneinander vorrückende Schlachtschiffe mit brennenden Rümpfen, der größte Teil des Bildes wird jedoch eingenommen von den Masten der Schiffe, an denen sich die Segel und die Flaggen blähen, und von der Fläche des Himmels, die von Rauchsäulen erfüllt und verdüstert erscheint. Menschen sind auf diesem Bild in der Tat keine zu sehen, das Gemälde zeigt genau jene distanzierte, menschenleere Perspektive, die der Erzähler zuvor schon bei der Betrachtung der Seeschlachtenbilder beschrieben und moniert hat. Das Bild funktioniert als ein visuelles Argument, weil es die geschilderte defizitäre Perspektive auf die Schlacht illustriert, visualisierend verdoppelt und damit belegt. Es steht hier jedoch nicht für sich alleine, wird auch nicht alleine Gegenstand der Betrachtung und Deutung des Erzählers (wie es etwa bei *Die Alexanderschlacht* in *Nach der Natur* der Fall war), sondern wird hier als Vertreter einer ganzen Kunstgattung präsentiert, und zwar der Seeschlachtenmalerei. Die Funktion der einerseits durch den Text, im Falle van de Veldes jedoch auch bildlich evozierten Prätexte besteht also darin, für den Erzähler einen Reibungs- und Kritikpunkt abzugeben, an dem er die eigene Geschichtsauffassung um so deutlicher veranschaulichen kann. Denn das, was auf den Gemälden als defizitär erkannt wird, ergänzt der Erzähler durch seine eigene Imagination, die er diesen Bildern entgegensetzt, wenn er davon spricht, „wie es auf einem der [...] überladenen Schiffe zugegangen sein muß, wenn brennende Masten und Segel niederstürzten oder Kanonenkugeln die von einem unglaublichen Leibergewimmel erfüllten Zwischendecks durchschlugen" (RS 99f.).

Um jedoch die Funktion der Prätexte in diesem Zusammenhang noch differenzierter beurteilen zu können, soll an dieser Stelle ein Blick auf den kunstgeschichtlichen Hintergrund jener distanzierten, menschenleeren Perspektivik geworfen wer-

---

[511] Monika Schmitz-Emans: Zur Geschichte literarischer Bildinterpretation (1999), S. 23.

[512] Das Bild befindet sich in der Tat, wie von Sebald angegeben, im Marinemuseum von Greenwich. (Concise Catalogue of Oil Paintings in the National Maritime Museum (1988), S. 399, Abb. g.)

den, die Sebald der Seeschlachtenmalerei zum Vorwurf macht. Für Sebalds Behauptung, bei den dargestellten Schlachten handele es sich trotz der realistischen Darstellungsabsicht um „pure Fiktionen" (RS 99), finden sich tatsächlich Belege in der Kunstgeschichte,[513] ebenso dafür, daß die besagten Schlachtengemälde, seien sie nun von van de Velde oder seinen Zeitgenossen, sich in einigen Aspekten sehr ähneln, da sie stark konventionalisiert und typisiert erscheinen, unter anderem eben auch in der Perspektive, die Zeugenschaft zu suggerieren beabsichtigt, obwohl viele Schlachten erst längere Zeit nach dem betreffenden Ereignis gemalt wurden.[514] Dieser Blick van de Veldes auf die historischen Ereignisse ist jedoch wiederum von den Entwicklungen seiner Zeit bestimmt, in diesem Falle von der Entwicklung des Seehandels und der Seefahrt, die den Niederlanden im 17. Jahrhundert Wohlstand und Ansehen brachten und Grundlage für Nationalstolz und die europäische Führungsrolle der Niederlande in dieser Zeit bildeten.[515] Viele der Maler, so auch van de Velde, arbeiteten im Auftrag der holländischen Admiralität und hatten in dieser Funktion zur Glorifizierung der Flotte und ihrer Kapitäne beizutragen, was ihren Blick auf die Ereignisse, wie er sich in ihren Gemälden niederschlägt, natürlich maßgeblich mitbestimmte. Außerdem: "[...] the culture of the 17th century Netherlands tended in general to seek in a [...] historical event the typical and the normative, that is, features that fit an existing pattern of meaning."[516]

Diese zeitbedingten Erklärungen für die Perspektive und den Blick der Prätexte läßt Sebald in seiner Darstellung jedoch völlig außer acht. Der vom Erzähler angegriffene Blick der Maler auf die Geschichte wird damit nicht als spezifischer Blick einer bestimmten Zeit, also historisch aufgefaßt, sondern ahistorisch, d. h. als stellvertretend für einen (nationalistisch orientierten) Blick, der das menschliche Leid, das ein historisches Ereignis mit sich bringt, generell außen vor läßt.

In diesem Zusammenhang ist, ohne sich auf die „leidige Realismusfrage",[517] wie Sebald sie selbst nennt, ausführlich einzulassen, nun auch nach der Realismusauffassung zu fragen, die sich hinter der beschriebenen Kritik des Erzählers verbirgt, denn dieser Erzähler betrachtet „trotz einer durchaus erkennbaren realistischen Absicht" (RS 99) der Schlachtenmaler diesen Realismus im Sinne der Wahrheitsübermittlung über den Hergang und die Erscheinungsweise des historischen Ereignisses von den Prätexten als nicht eingelöst. Dabei berücksichtigt er jedoch, wie gesagt, offenbar nicht, daß die Realismusauffassung in der europäischen

---

[513] Dazu Lawrence O. Goedde: Seascape as History and Metaphor (1996), S. 61 und 69: „In some pictures ships close for battle though they never in fact encountered each other directly. In other images opposing flagships that were never in such proximity meet on the high seas. [...] Rather is to emphasize that the pictures are, in fact, representations, that is, pictoral constructs. [...] For all their realistic plausibility, they are in essence fictions, recreations of human experiences that are of necessity selective, conventionalised, and interpretive."

[514] Ebd., S. 59-61: „In this regard, seascapes resembles Dutch art in general in being highly conventionalised. [...] Examining hundreds of tempest pictures revealed that the vast majority conform to just six major types with a distinctive range of incident, setting and weather."

[515] Ebd., S. 12.

[516] Ebd., S. 60.

[517] W.G. Sebald: Wie Tag und Nacht (1998), S. 174.

Seeschlachtenmalerei des 17. Jahrhunderts möglicherweise eine andere ist als seine eigene. Worin unterscheidet sich also der Realismus der Prätexte von dem des Erzählers? Was macht die Realismusauffassung des Erzählers aus?[518] Eine Antwort hierauf kann der Essay Wie Tag und Nacht aus Sebalds Band Logis in einem Landhaus geben, der von den Bildern des Allgäuer Malers und Sebald-Freundes Jan Peter Tripp handelt. Tripp malt Bilder, die ihre Gegenstände oder Fotografien davon so „wahrhaft" wiedergeben, „daß man unwillkürlich die Hand ausstreckt, um an es zu rühren."[519] Im essayistischen Nachdenken über diese zunächst fotorealistisch erscheinenden Bilder entwickelt Sebald gleichzeitig seine Realismusauffassung in nuce.

Für Sebald besteht die wahre Leistung des Freundes nicht in der puren „stupenden Kunstfertigkeit", die professionelle Kritiker zu „laienhaften Verlautbarungen des Staunens"[520] veranlaßt haben soll. Sie besteht vielmehr in den Abweichungen und manchmal kaum wahrnehmbaren Modifizierungen des fotografischen Materials: „Ohne dergleichen Eingriffe, Abweichungen und Differenzen wäre in der perfektesten Vergegenwärtigung keine Gefühls- und keine Gedankenlinie."[521] Sebald zitiert hier Ernst Gombrich, der gleichfalls davon ausgeht, „daß auch der mit peinlichster Präzision arbeitende Realist auf der vorgegebenen Fläche nur eine gewisse Anzahl von Zeichen anzubringen vermag."[522]

Die Vergegenwärtigung der Vergangenheit in den beschriebenen Seeschlachtenbildern besitzt offenbar nicht das, was die Kunst nach Sebalds Auffassung zwingend zeigen muß und was der Autor bei Tripp in Idealform wiederfindet, nämlich „das metaphysische Unterfutter der Realität."[523] Dieses Unterfutter besteht für Sebald in der „Darstellung der Todesnähe des Lebens."[524] Darin sieht er die Aufgabe von Kunst (vgl. dazu auch Kapitel B.IV.), auch dann noch, wenn ein Bild einen, wie bei Tripp, „geradezu unwahrscheinlichen Grad der Wirklichkeitstreue" erreicht. Tripp gelingt es mit der Art und Weise seiner Malerei offenbar, „Bilder der Vergangenheit",[525] also Wahrheit von Vergangenheit, zu erzeugen, ohne das dies etwas mit Historie zu tun hätte. Van de Velde und den anderen Seeschlachtenmalern gelingt dies in Sebalds Augen nicht, da deren Realismus keine existentiell-metaphysische Komponente beinhaltet.

Die zweite signifikante Textstelle, die durch den Bezug auf Prätexte über eine Fälschung von Geschichte spricht, findet sich ebenfalls in *Die Ringe des Saturn*. Der

---

[518] In diesem Fall, da es sich um *Die Ringe des Saturn* handelt, darf hinter den Auffassungen der Erzählerinstanz durchaus auch der Autor selbst vermutet werden, denn die Aussagen des Autors Sebald und die des Erzählers decken sich in den meisten Fällen.

[519] W.G. Sebald: Wie Tag und Nacht (1998), S. 175.

[520] Ebd., S. 174.

[521] Ebd., S. 179.

[522] Ebd.

[523] Ebd., S. 181.

[524] Ebd., S. 178. Den metaphysisch unterfütterten Realismus scheint Sebald in ähnlicher Weise auch in den Bildern Grünewalds wiederzufinden, die gleichfalls für ihre – vor dem Hintergrund der Malerei seiner Zeit besonders auffällige – realistische Darstellungsweise berühmt sind.

[525] W.G. Sebald: Wie Tag und Nacht (1998), S. 175.

Erzähler besucht im V. Kapitel seiner „englischen Wallfahrt" die Gedenkstätte der Schlacht von Waterloo in Belgien und beginnt seine Schilderung bereits in einem auffällig kritischen, beinahe abfällig zu nennenden Tonfall: „Der Inbegriff der belgischen Häßlichkeit ist für mich [...] das Löwenmonument und die ganze sogenannte historische Gedenkstätte auf dem Schlachtfeld von Waterloo" (RS 156). Auch die Gegend, in der dieses Monument gelegen ist, benennt er als öde, häßlich und verlassen. Im Anschluß daran beschreibt er in einer längeren Ekphrasis, der diesmal jedoch keine Abbildung beigefügt ist, die Schlachtszenerie und das „Riesenrundgemälde" (RS 157) in der Panoramarotunde von Waterloo:

> Schließlich kaufte ich mir noch ein Eintrittsbillet für das in einer mächtigen Kuppelrotunde untergebrachte Panorama, in dem man von einer im Zentrum sich erhebenden Aussichtsplattform die Schlacht – bekanntlich ein Lieblingssujet der Panoramamaler – in alle Himmelsrichtungen übersehen kann. Man befindet sich sozusagen am imaginären Mittelpunkt der Ereignisse. In einer Art Bühnenlandschaft [...] liegen zwischen Baumstümpfen und Strauchwerk lebensgroße Rösser in dem von Blutspuren durchzogenen Sand, außerdem niedergemachte Infanteristen, Husaren und Chevaulegers mit vor Schmerzen verdrehten oder schon gebrochenen Augen, die Gesichter aus Wachs, die Versatzstücke, das Lederzeug, die Waffen [...] und die farbenprächtigen, wahrscheinlich mit Seegras, Putzwolle und dergleichen ausgestopften Uniformen jedoch allem Anschein nach authentisch. Über die dreidimensionale [...] Horrorszene schweift der Blick an den Horizont zu dem Riesenrundgemälde, das der französische Marinemaler Louis Dumontin im Jahre 1912 auf der Innenwand der [...] Rotunde ausgeführt hat. (RS 157)

Dieser Prätextbezug weist als Gemeinsamkeit mit der zuvor beschriebenen Szenerie der Seeschlacht erstens die Bühnenmetaphorik auf. Zweitens nimmt die Argumentation denselben Verlauf: Zuerst beschreibt der Erzähler, wie oben zitiert, die entsprechende Bildquelle, von der er sich eine Erkenntnis über die Vergangenheit erhofft. Doch dies kann das Bild auf den zweiten Blick nicht leisten, und es wird deshalb als Quelle darüber, „wie es war" (RS 108), zum Gegenstand der Kritik des Erzählers:

> Das also, denkt man, indem man langsam im Kreis geht, ist die Kunst der Repräsentation von Geschichte. Sie beruht auf einer Fälschung der Perspektive. Wir, die Überlebenden, sehen alles von oben herunter, sehen alles zugleich und wissen dennoch nicht, wie es war. Ringsum dehnt sich das öde Feld, auf dem einmal fünfzigtausend Soldaten und zehntausend Pferde im Verlauf von wenigen Stunden zugrunde gegangen sind. [...] Was haben sie [...] nur mit all den Leichen und mit den Gebeinen getan? Sind sie unter dem Kegel des Denkmals begraben? Stehen wir auf einem Totenberg? Ist das am Ende unsere Warte? Hat man von solchem Platz aus den vielberufenen historischen Überblick? (RS 158)

Gegenstand dieser Kritik ist hier wieder die Perspektive der Distanz auf das historische Geschehen, sowohl die örtliche als auch die zeitliche Distanz, sowie der Detailrealismus in der Darstellung der verwundeten Soldaten.[526] Auch die Tatsache, daß hier – im Gegensatz zu den Seeschlachtenbildern – immerhin leidende Menschen zum Gegenstand der Darstellung werden, versöhnt den Erzähler nicht, denn die ausgestopften Puppen zielen nur auf billige Schockeffekte, und der Autor Sebald hat, was auch für den Erzähler gelten kann, einen „Horror vor allen billigen Formen der Fiktionalisierung."[527] Die Funktion des Prätextes ist es hier einmal mehr, Kritik- und Reibungspunkt in der Suche des Erzählers nach der Darstellbarkeit geschichtlicher Wahrheit, also individuellen Leids, zu sein.

Der hier thematisierte Blick von der „höheren Warte" auf das historische Ereignis ist jedoch gleichfalls in seinem historischen Kontext zu betrachten: Panoramarotunden wie die von Sebald beschriebene sind eine typische Zeiterscheinung im Europa des 19. Jahrhunderts und der Jahrhundertwende,[528] sie gelten als „erstes optisches Massenmedium im engen Sinne."[529] Diese Panoramen enthielten Darstellungen von national bedeutsamen Ereignissen, vor allem von Schlachten. Sie waren in der Regel äußerlich pompös-repräsentativ gestaltet, in ihrer Architektur eng an Zirkus- oder Theaterbauten angelehnt[530] und zielten als patriotische Projekte, die zu nationalen Monumenten stilisiert wurden, auf die breite Bevölkerung.[531] Sie waren damit Ausdruck einer Zeit, die nicht mehr für Religionen ihre Kriege führte, sondern für die Nationalstaaten, „die sich in ihren Schlachten behaupteten oder erst zu sich selbst fanden, wie es die meisten der [...] Gemälde suggerieren."[532] Aufgrund des propagandistischen Impetus wurden solche Gemälde jedoch weniger als Kunst denn als unterhaltende Form der Berichterstattung angesehen.[533]

Wichtig ist im vorliegenden Zusammenhang aber der Blick auf die Welt und die Geschichte, den die Panoramen vermittelten. Ziel dieser Darstellungsform war es, für den Besucher eine vollkommene, von der Außenwelt fast hermetisch abgeschlossene Illusion zu erzeugen. Diese Illusion bestand erstens in einer „Fiktion der Augenzeugenschaft", vor allem bei der Kriegsmalerei,[534] die beim Betrachter den Eindruck hervorrufen soll, er befinde sich mitten im Geschehen. Der zweite essentielle Bestandteil dieser Panoramaillusion ist die erhöhte Aussichtsplattform und die dadurch erzeugte Illusion der Überschau, „der Blick, wie ihn die sich zu dieser Zeit entwickelnden objektiven Wissenschaften benötigten."[535] Stephan Oettermann bezeichnet diesen Blick als Produkt eines „spezifisch modernen, bürgerlichen Natur-

---

[526] Vgl. Gray Kochhar-Lindgren: Charcoal (2002), S. 371: „It is as if, as we look in the direction we think of as 'back', we were also looking 'down' from our self-constructed abstractions".

[527] Sigrid Löffler: „Wildes Denken" (1997), S. 137.

[528] Stephan Oettermann: Das Panorama (1980), S. 7.

[529] Ebd., S. 9.

[530] Ebd., S. 189.

[531] Ebd., S. 204f.

[532] Michael F. Zimmermann: Der Prozeß der Zivilisation und der Ort der Gewalt (1997), S. 37.

[533] Stefan Germer/Michael F. Zimmermann: Bilder der Macht – Macht der Bilder (1997), S. 28.

[534] Ebd., S.11.

[535] Stephan Oettermann: Das Panorama (1980), S. 13.

und Weltverhältnisses."[536] Der Blick dieser Gesellschaft auf die Geschichte war also ein Blick, der das objektiv Nachvollziehbare, Sichtbare und national Bedeutsame von Geschichte in den Mittelpunkt rückte. Doch der Realismus, den das Panorama erzeugt, ist nichts als Illusion, und die suggerierte, künstlich erzeugte Zeitgenossenschaft dient nicht der Erkenntnis, sondern der Indoktrination. Der Blick, den der Sebald-Erzähler in seiner Bezugnahme auf das Panoramabild diskreditiert, ist also wieder ein zeitspezifischer. Der Erzähler geht jedoch auch hier nicht auf die historischen Bedingtheiten ein.

Am Ende der Passage findet sich eine intertextuelle Bezugnahme, die als eine Entgegensetzung zum Panoramabild von Waterloo inszeniert ist. Es handelt sich um eine Leseerinnerung des Erzählers, und zwar an Stendhals Roman *Die Kartause von Parma* und die darin enthaltene berühmte Schilderung der Schlacht von Waterloo, die der Romanheld Fabrizio del Dongo im Heer Napoleons miterlebt. Diese Erinnerung setzt einmal mehr das Element des Literarischen und Autobiographischen (denn die Figur des Fabrizio ist deutlich als Stellvertreter Stendhals erkennbar) und damit gleichzeitig des Fragmentarisch-Verschwommenen gegen den Versuch der Vergegenwärtigung von Geschichte durch allzu detailrealistisch-illusionäre Wiedergabe:

> Ein deutliches Bild ergab sich nicht. Weder damals noch heute. Erst als ich die Augen schloß, sah ich, daran erinnere ich mich genau, eine Kanonenkugel, die auf schräger Bahn eine Reihe von Pappeln durchquerte, daß die grünen Zweige zerfetzt durch die Luft flogen. Und dann sah ich noch Fabrizio, den jungen Helden Stendhals, blaß und mit glühenden Augen in der Schlacht herumirren und einen vom Pferd gestürzten Obristen, wie er sich gerade wieder aufrafft und zu seinem Sergeanten sagt: Ich spüre nichts als nur die alte Wunde in meiner rechten Hand. (RS 159)[537]

An dieser Stelle ist zudem die Abbildung eines ovalen Ausschnittes aus einem auf der Reduktionsstufe markierten, also nicht weiter vom Text kommentierten Schlachtenbildes eingefügt. Das Bild zeigt im unteren Drittel des Ovals ein Batallion Soldaten mit gezückten Säbeln, in den oberen beiden Dritteln sind jedoch keine Menschen mehr zu erkennen, nur noch Heeresteile, die in Rauchwolken versinken.[538] Erkennbar ist jedoch, das auch dieses Bild aus der Perspektive der benannten „höheren Warte" gemalt ist und als Illustration des Satzes „ein deutliches Bild ergab sich nicht, weder damals noch heute" aufgefaßt werden kann. Diese Aussage beinhaltet

---

[536] Oettermann führt hierzu auch die Tendenz des 19. Jahrhunderts an, gezielt Türme des Blicks wie z.B. die Bismarcktürme, das Hermannsdenkmal oder den Eiffelturm zu erbauen, um der Seh-Sucht, der Gier nach dem Horizont, Genüge zu tun. (Stephan Oettermann: Das Panorama (1980), S. 9-11.)

[537] Siehe dazu Stendhal: *Die Kartause von Parma* (1952), S. 72: „In diesem Augenblick schlug eine Kanonenkugel schräg in die Weidenreihe ein, und Fabrizio sah, wie alle die Äste und Zweiglein sonderbar auseinanderspritzten, als wären sie weggemäht worden."

[538] Eine Anfrage beim Musée Wellington in Waterloo hat ergeben, daß es sich bei diesem Bildausschnitt nicht um einen Teil des Rundgemäldes im Panorama von Waterloo handelt. Das Bild konnte jedoch ansonsten nicht genauer identifiziert werden.

entsprechend der Kritik der Position der „höheren Warte" im übrigen auch eine Kritik an der Geschichtsschreibung der historischen Wissenschaft, die ja in vielen Fällen gleichfalls die Geschichte aus der Distanz und von der Warte der jeweiligen Gegenwart aus zu schreiben bestrebt ist.

Zusammenfassend läßt sich also folgendes festhalten: In beiden Beispielen erscheint die Distanz und die fiktive Zeitgenossenschaft zum geschichtlichen Ereignis als die Perspektive der ungültigen Vergegenwärtigung, der Fälschung von Vergangenheit, wobei die Distanz sowohl zeitliche, aber auch emotionale und räumliche Distanz meint. Sebald verzichtet jedoch auf jede historische Einordnung und Begründung der Perspektiven. Dies wiederum löst die Prätexte aus ihren historischen Bedingtheiten und läßt den kritisierten, in Sebalds Augen lediglich pseudorealistischen Blick als ahistorische, anthropologische Konstante durch alle Zeiten erscheinen, für welche die beiden Prätexte nur Beispiele sind.

D. Zusammenfassung

Die Frage, die diese Arbeit nach Formen und Funktionen der Textbeziehungen und nach den Textbezügen als Mittel der Geschichtsdarstellung bei W.G. Sebald formuliert hat, läßt sich nun in konzentrierter Form mit folgenden Ergebnissen beantworten:

Das Ziel des Hauptteils B war es, erstens die reichhaltige Intertextualität der Sebald-Texte in einem Überblick faßbar zu machen und dabei zweitens zu untersuchen, auf welche Weise und mit welchen Strategien Sebalds Werke ihre Intertextualität gegenüber dem Rezipienten kommunizieren, zum einen auf der Text-, zum anderen auf der Text-Bild-Ebene. Aus dieser Zielsetzung ergab sich das Klassifikationssystem der Erscheinungsformen der Intertextualität nach dem Oberkriterium der Markierungsdeutlichkeit. Dieses Klassifikationssystem besteht aus zwei Kontinuen der Markierungsdeutlichkeit und weist vor allem auf der Ebene der sprachlich evozierten Prätexte eine enorme Spannweite und großen Variationsreichtum intertextueller Verfahren auf.

Das Kontinuum der sprachlichen Textreferenzen beginnt auf der Nullstufe der Markierungsdeutlichkeit, was bedeutet, daß die Intertextualität hier nicht vom Text kommuniziert wird und es von der Lektüreerfahrung des Rezipienten abhängt, ob er den jeweiligen Textbezug aktualisiert. Auf der nächsten, der Reduktionsstufe inszeniert Sebald seine Textbezüge dann bereits durch verschiedene Kunstgriffe wie beispielsweise die sogenannten „figures on loan".[539] Gemeinsam ist allen hier behandelten Kunstgriffen die Praxis der gezielten Verwischung von Eigen- und Fremdtext, die auf den Rezipienten einen starken Appell auszuüben imstande ist, der ihn möglicherweise zur Entzifferung von chiffrierten Textbezügen bewegt. Zudem entstehen durch die dynamischen Markierungen, die über lange Strecken hinweg in den einzelnen Büchern aufgebaut werden, weitreichende Verweisnetze. Als das zentrale Kennzeichen der dritten, der Vollstufe der Markierungsdeutlichkeit der sprachlichen Prätextbezüge erwies sich die nun deutliche, nicht länger verwischte Grenze zwischen Eigen- und Fremdtext. Zusätzlich erschien die vom Erzähler beschriebene und gestaltete Welt als eine Textwelt, da nicht mehr wie auf der Null- und Reduktionsstufe vorwiegend literarische Prätexte verwendet werden, sondern nun auch Prätexte aus dem Alltagsgebrauch wie zum Beispiel Zeitungsauschnitte oder Notizzettel. Auf der Potenzierungsstufe schließlich zeichnet sich das intertextuelle Schreiben Sebalds erneut durch verschiedene Kunstgriffe aus (so zum Beispiel durch die sogenannten „authors on loan"[540] oder die physische Präsenz von Prätexten), die dazu führen, daß auf dieser Ebene die Prätexte eindeutig identifizierbar werden, daß die Textbezüge die narrative Grundstruktur der Texte bestimmen und eine Intertextualitätshandlung generiert wird.

---

[539] Näheres dazu siehe Jörg Helbig: Intertextualität und Markierung (1996), S. 113f.
[540] Näheres dazu siehe ebd., S. 115f.

Die drei Ebenen im Kontinuum der Text-Bild-Beziehungen hingegen sind vor allem dazu geeignet, Sebalds Spiel mit dem Illustrations- und Dokumentationspotential zu verdeutlichen, das in Texte einmontierte Abbildungen entfalten können. Während der Erzähler auf der Reduktionsstufe der Text-Bild-Beziehungen der Kolonisierung einer nicht weiter benannten Abbildung durch den Text, der sie umgibt, in vielen Fällen freien Lauf läßt und dadurch des öfteren Authentizitätsfallen stellt, was die Identität des Abgebildeten mit dem Beschriebenen betrifft, benennt der Text die einmontierte Abbildung auf der Vollstufe eindeutig als Referenzobjekt. Auf der Potenzierungsstufe der Text-Bild-Beziehung besitzen die einmontierten Abbildungen dann zweifellos dokumentarischen Charakter, vor allem aber wird hier parallel zur Potenzierungsstufe der sprachlichen Textreferenzen Intermedialitätshandlung aufgebaut: Der Text spricht beispielsweise über eine Abbildung und gibt durch dieses Sprechen Auskunft über Positionen des Erzählers, die in vielen Fällen dessen weltanschauliche oder kunsttheoretische Auffassungen ebenso wiedergeben wie seine Auffassungen von Geschichte und Geschichtsschreibung.

Sebalds intertextuelles Verfahren läßt sich insgesamt als eine Bricolage im Sinne Claude Lévi-Strauss' beschreiben. Die Begründung dieses improvisatorischen Neuanordnens von vorgefundenem Fremdmaterial aus unterschiedlichsten Zusammenhängen ist aus den Sebald-Texten selbst abzulesen: Die Produktion von derartigem „Stückwerk" (A 345) entsteht aus dem Streben des Erzählers nach größtmöglicher Natur- und Lebensnähe, also einerseits nach einer Form der realistischen Mimesis. Die Essenz dieses Sebaldschen Realismus besteht jedoch andererseits gerade in der Gestaltung der „Todesnähe des Lebens".[541] Die Bricolage erweist sich hierfür als das intertextuelle Mittel der Wahl, denn das auf diesem Wege entstehende Kunstwerk ist nicht ungebrochen, sondern sein Bestehen aus Resten und Fundstücken bleibt deutlich erkennbar, das Kunstwerk bleibt „künstlich" (A 52) und ist genau dadurch geeignet, jene „Todesnähe des Lebens" zu kommunizieren. Dieses dichterische Vorgehen impliziert gleichzeitig den Gestus des Bewahrens von Vorgefundenem.

Als der allem anderen überzuordnende Erzählgegenstand hat sich bei Sebald die Geschichte herauskristallisiert, und dabei wiederum haben sich drei Erzählbereiche als zentral erwiesen: Erstens berichtet Sebald von der Geschichte in Form von Schlachten oder Kriegen, wobei es sich nicht um belanglose Gefechte, sondern um wichtige Schlachten der Weltgeschichte handelt. Zweitens thematisiert er Geschichte in der Sinnzone der Biographie. Letztere hat sich als Geschichtserzählung im zweifachen Sinne erwiesen, weil es dabei zum einen um den Verlauf und die Geschichte eines individuelle Lebens geht, zum anderen haben die Schriftsteller oder Künstler, von deren Leben berichtet wird, selbst Geschichte miterlebt. Wie sich am Beispiel des Erzählbandes *Die Ausgewanderten* herausgestellt hat, ist das Erzählkonzept des Rückgriffs auf Text- und Bildmaterial eng verwandt mit der Nutzung von mündlich tradiertem, von Dritten berichtetem Material, mit dem Sebald vor allem in *Die Ausgewanderten* die Biographien dreier Holocaust-Überlebender ausgestaltet. Der Autor überführt auf diesem Wege die Geschichten dieser Überlebenden

---

[541] W.G. Sebald: Wie Tag und Nacht (1998), S. 178.

vom kommunikativen in das kulturelle Gedächtnis.[542] Drittens arbeitet Sebald durch Bezüge auf Prätexte, die sowohl literarischer als auch bildkünstlerischer Natur sind, an Einzelproblemen der Geschichte und der Geschichtsschreibung.

Für den ersten und den zweiten der drei genannten Erzählbereiche von Geschichte lassen sich die folgenden Ergebnisse festhalten:

Zum ersten ist Geschichtserzählung bei W.G. Sebald gleichbedeutend mit der Tätigkeit des Sammelns. Der Erzähler ist ein melancholischer Sammler im Sinne Walter Benjamins, der Abseitiges hochschätzt und bewahrt. Er sammelt seine textlichen und bildlichen Fundstücke und Fragmente, ordnet sie an und legt sie betrachtend nebeneinander. Da Sebald jedoch die Zerstörung, den Schrecken und das Leiden des einzelnen Menschen in allen Texten als die ahistorische Konstante[543] der Geschichte begreift und gestaltet, entstehen auf diesem Wege in der Hauptsache Zerstörungsstudien. Diese Studien handeln sowohl von der Zerstörung auf geistiger und kultureller als auch von der Zerstörung auf materieller Ebene, insbesondere von der Vernichtung menschlichen Lebens.

Zum zweiten bedeutet Geschichtserzählung die Etablierung des Subjekts, auch und vor allem des Geschichte erleidenden Subjekts, als primäres Überlieferungsmedium von Geschichte. Es wird zum Träger der Geschichtserkenntnis erhoben, die in erster Linie die Erkenntnis des Grauens ist, das für das Individuum mit dem Geschichtserleben einhergeht. In diesem Zusammenhang werden für den Erzähler vorrangig solche Prätexte zu Kritik- und Reibungspunkten, die seiner Ansicht nach dieses Leid des Geschichte Erlebenden außen vor lassen und eine distanzierte Perspektive einnehmen wie etwa bestimmte Beispiele aus dem Bereich der Schlachtenmalerei, die in *Die Ringe des Saturn* Gegenstand der Intermedialitätshandlung sind. Ansonsten fungieren die Prätexte bei dieser Etablierung des Subjekts als die Speichermedien der individuellen Geschichtserfahrung, als Lieferanten von Authentizität und Anschaulichkeit. Dabei darf jedoch nicht übersehen werden, daß Sebald gelegentlich die Prätexte, die er zitiert, gleichzeitig modifiziert bzw. fiktional anreichert, wie beispielsweise im Falle Stendhals. Damit schreibt er seinen Protagonisten Sätze und Gedanken zu, die diese selbst so nicht geäußert haben. Sebald nutzt diese Möglichkeit der Modifizierung jedoch, um die Argumente gegen die in der Geschichte erfolgte Anwendung von Gewalt, als die er seine Prätexte stellenweise gebraucht, zu verstärken.

Zum dritten geht mit der intertextuellen Geschichtserzählung die Erzeugung scheinbarer Vielstimmigkeit einher. Die zahlreichen verschiedenen Individuen, die durch die Prätexte in den Sebald-Texten zu Wort kommen, legen zunächst die Idee

---

[542] Näheres zur Begrifflichkeit des kommunikativen und des kulturellen Gedächtnisses siehe Jan Assmann: Das kulturelle Gedächtnis (1992).

[543] Hiermit ist Sven Meyer zu widersprechen, der die These vertritt, daß „durch intertextuelle Verfahren, Zitate und Verweise auf andere Werke der Literatur [...] das Ahistorische überwunden" wird. (Sven Meyer: Fragmente zu Mementos (2003), S. 76.) Aus der Perspektive der Geschichtsdarstellung wird vielmehr gerade durch die Intertextualität die Zerstörung als ahistorische Konstante der Geschichte etabliert, da die Prätexte auch diese Zerstörung in unterschiedlichen Aspekten repräsentieren.

einer polyphonen Geschichtserzählung nahe. Bei genauerer Betrachtung zeigt sich jedoch, daß diese Polyphonie keine Stimmenvielfalt etwa im Bachtinschen Sinne ist oder eine Stimmenvielfalt, die darauf angelegt ist, ein Ereignis von verschiedenen Blickpunkten aus darzustellen. Statt dessen sind alle Figuren und „authors on loan" Bestandteil des alle behandelten Werke Sebalds umspannenden Netzes von Geistesverwandten, das heißt sie teilen dieselbe Geisteshaltung, sind manchmal weit gereist und heimatlos, immer aber Melancholiker, die Geschichte von ihrer Nachtseite her erfahren haben. Der Erzähler selektiert ihre Stimmen dergestalt, daß er nur solche Prätexte in seine Texte einmontiert, die seinem Ziel der Darstellung von Schrecken und Leiden in der Geschichte dienlich sind. Es handelt sich also um eine Vielstimmigkeit, die in Wahrheit eine Selbstvervielfältigung des Erzählers mit intertextuellen Mitteln ist. Die jeweiligen Autoren werden mit ihren Texten zu Zeugen der Anklage des Erzählers gegen den Machtmißbrauch jener Herrschergestalten, die als Handelnde Geschichte machen und andere Menschen dabei „verschrotten" (RS 125).

Viertens bedeutet Geschichtserzählung bei Sebald die Darstellung sowohl der individuellen als auch der weltgeschichtlichen Vergangenheit als Rätsel. So wird beispielsweise für den Dichter Michael Hamburger die eigene Kindheit durch die Erfahrung des Exils zu einem Rätsel, von dem nur noch Bruchstücke vorhanden sind, auf die er in seiner Erinnerung nur einen sehr eingeschränkten Zugriff hat. Auch die Frage danach, „wie es war" (SG 9), wie es zuging auf den Schlachtfeldern der Weltgeschichte, ist im nachhinein nicht mehr zu beantworten, wenn sie überhaupt jemals zu beantworten gewesen sein sollte, und sie bleibt ein Rätsel, selbst wenn man wie Stendhal selbst Schlachten und Kriege miterlebt hat. Sebald führt durch seine Arbeit mit den Text- und Bildbruchstücken dieses Rätsel der Geschichte immer wieder vor, ohne es aufzulösen.[544] Diese Verweigerung einer Antwort bzw. einer Lösung hängt bei Sebald eng mit einer Auffassung zusammen, die das Vorgehen der wissenschaftlich-historischen Geschichtsschreibung, die nach letztgültiger, faktenorientierter Darstellung strebt, als eine unlautere Reduktion dessen, wie es war, versteht. Offizielles Geordnetsein ist für den Autor Sebald gleichbedeutend mit dem Sterben und dem Abgeschlossensein von Geschichte, wie sich auch in seiner massiven Kritik an der Praxis deutscher Vergangenheitsbewältigung sehr deutlich gezeigt hat. Die Darstellung der Geschichte als Rätsel und das Beharren darauf, dieses Rätsel nicht zu lösen, bedeutet die Verweigerung der Reduktion auf eine einzige,

---

[544] Insbesondere die während seiner Jugend im Nachkriegsdeutschland verdrängten Ereignisse im Dritten Reich, darauf sei an dieser Stelle noch einmal hingewiesen, erschienen dem Autor Sebald ebenfalls als ein Rätsel: „Das zweite Element, das mein Interesse an der Vergangenheit ausgelöst hat, ist die spezifische Forme meiner deutschen Vorgeschichte, die ich als Kind nicht wahrgenommen habe, auch als Heranwachsender kaum, und als sie mir dann ab dem siebzehnten oder achtzehnten Lebensjahr nach und nach ins Bewußtsein gerückt ist, hat es sich erwiesen, daß diese Geschichte eine verschwiegene war und insofern so etwas wie ein Enigma darstellte. Aus diesem Grund habe ich mich im Laufe der Zeit dann immer mehr in diese Geschichte zurückgearbeitet und versucht, an den wenigen Dingen, die mir in konkreter Form überliefert worden sind, also zum Beispiel an diversen Fotoalben von Familienmitgliedern, mir so etwas wie einen Reim zu machen auf das, was ich nicht selbst erlebt hatte [...]." (Uwe Pralle: Mit einem kleinen Strandspaten Abschied von Deutschland nehmen (2001).)

offizielle Version eines historischen Ereignisses. Es geht nicht um die wissenschaftliche Rekonstruktion von Geschichte, sondern um ihre Vergegenwärtigung, insbesondere im Falle der Gestaltung von Ereignissen und Entwicklungen, die mit dem Holocaust zusammenhängen.[545]

Für den dritten der zuvor aufgeführten Erzählbereiche, die ausgewählten Einzeltextreferenzen, die in Kapitel C.II. Gegenstand der Untersuchung waren, sind folgende Ergebnisse festzuhalten:

Wie sich gezeigt hat, ist vor allem das Phänomen geschichtlicher Zeit ein Aspekt, den Sebald in seiner Geschichtsdarstellung in Verbindung mit der Intertextualität ausarbeitet.[546] So ließ sich eine intertextuelle bzw. intermediale Versinnlichung und Verräumlichung von Zeit für Bezüge auf Gemälde von Matthias Grünewald und auf Thomas Brownes Essay *Hydriotaphia* feststellen: In den Gemälden Grünewalds (dem Isenheimer Altar und der sogenannten „Basler Kreuzigung") beobachtet der lyrische Sprecher des Langgedichts *Nach der Natur* den Zusammenfall verschiedener Zeitmodi. Angesichts des Basler Kreuzigungsbildes sieht er sich einer „sich überstürzenden Zeit" (NN 26) ausgesetzt, wobei das Grünewald-Gemälde durch seine Bannkraft, die es auf den lyrischen Sprecher ausübt, offenbar imstande ist, diesen dynamischen Vorgang der als sich überstürzend empfundenen Zeit immer wieder aufs neue zu aktivieren. Hierbei ist eine Ambivalenz in den Textbeziehungen festzustellen: Das Subjekt des Sprechers erscheint der sich überstürzenden Zeit dabei einerseits ausgeliefert, andererseits suggeriert die Dynamisierung der Zeit dem Sprecher die Möglichkeit, aus der historischen Epoche, in der er sich befindet, zu entkommen, eine Zeitreise zu unternehmen.

Beim Bezug auf Thomas Brownes *Hydriotaphia* hingegen ist die Versinnlichung und Verräumlichung der Zeit archäologisch-geologischer Natur, ist Teil des von Sebald in *Die Ringe des Saturn* verfolgten Projektes der „Archäologie einer Landschaft".[547] In seiner Paraphrase zeichnet Sebald den Gedankengang seines Prätextes modellhaft nach, um in Brownes Worten schließlich die Geschichte jener Urnen, von denen in *Hydriotaphia* die Rede ist und die nach langer Zeit aus der Erde wieder ans Licht kommen, als eine Auferstehungsphantasie zu erzählen. Die Bedeutung, die den wiederauftauchenden Urnen und den in ihnen enthaltenen menschlichen Überresten und Grabbeigaben im Sebald-Text zugeschrieben wird, ist jedoch

---

[545] Die Feststellung, daß die Geschichtswissenschaft möglicherweise unzureichend sei in ihrem Zugriff auf das Thema Holocaust hat auch schon ein Historiker wie Hayden White getroffen: „Der geschichtswissenschaftliche Zugang macht den Holocaust banal, er verflacht. [...] Der Historiker hat den Anspruch, daß jede Aussage auf einem dokumentarischen Beleg beruht. Das bedeutet eine große Einschränkung der Imagination [...]. Meiner Meinung nach wurden die wichtigsten Arbeiten über den Holocaust eher von Schriftstellern verfaßt und nicht von Historikern." (Hayden White: Ich glaube nicht, daß eine Theorie wie meine dazu da ist, angewandt zu werden (1998), S. 249.)

[546] Als Desiderat künftiger Forschung zu Sebald wäre hier eine spezielle Untersuchung zur Zeitproblematik für den Roman *Austerlitz* zu formulieren. Vgl. dazu etwa auch Markus R. Weber: Sechzehn Wege zu Austerlitz (2001), S. 100f., oder J.M. Coetzee: Erbe einer düsteren Geschichte (2003), S. 130.

[547] Beatrice v. Matt: Archäologie einer Landschaft (1992).

nicht, wie im Browne-Text, die eines Sinnbildes für die jenseitige Auferstehung der menschlichen Seele. Statt dessen nimmt Sebald dem Prätext seinen christlichen Erlösungsgedanken. Die Wiederkehr der Urnen ist bei Sebald somit keine Auferstehung der Seele im christlichen Jenseits, sondern in einer anderen Zeit des weltlichen Diesseits. Auch das aus dem Browne-Text übernommene Seidenfetzchen aus der Urne des Patroklus kann in diesem Zusammenhang als ein Bild für Sebalds intertextuelle Praxis der Wiederentdeckung literarischer Texte gedeutet werden.

Mit dem Bezug auf die Erzählung *Tlön, Uqbar, Orbis Tertius* von Jorge Luis Borges bezieht sich Sebald auf einen Text, in dem es um das Problem der „Leugnung der Zeit" (RS 193) geht, was in diesem Fall die Auslöschung einer echten, gewachsenen Kultur durch die künstliche, totalitäre und diktatorisch verfaßte des Enzyklopädistenprojekts Tlön meint. Wie sich gezeigt hat, formuliert der Erzähler über diesen Prätextbezug erstens sein Beharren auf jeder Form gewachsener Kultur und Geschichte, die vor totalitären Übergriffen zu schützen ist. Zweitens wendet er sich gegen Erkenntnismodelle der abendländischen Geschichtsphilosophie und disqualifiziert diese Geschichtsphilosophie als unbrauchbar für die Erkenntnis von Geschichtsverläufen angesichts der Tatsache, „daß die Nacht weitaus länger währt als der Tag" (RS 194), das heißt angesichts der Tatsache des Leids und der Angst des einzelnen in der Geschichte. Eine weitere Deutung dieses Textbezuges ergab sich außerdem durch die Einbeziehung der von Sebald geäußerten Kritik an gängigen Praktiken deutscher Vergangenheitsbewältigung. In dieser nämlich sieht der Autor gleichfalls einen ihm tendenziell diktatorisch erscheinenden Versuch der Auslöschung „wahrer" Vergangenheit.

Bei der Verarbeitung von Leonardo Sciascias Erzählung *1912+1* im Erzählband *Schwindel.Gefühle* behandelt Sebald einen weiteren Aspekt geschichtlicher Zeit: In *Schwindel.Gefühle* herrscht Endzeitstimmung, und diese Endzeitstimmung erscheint im Prätext, der von Stimmungen und Geschehnissen im Italien kurz vor Ausbruch des Ersten Weltkriegs berichtet, kristallisiert. Der Prätext dient dem Erzähler dazu, eine Zeitdiagnose seiner Gegenwart auf dem Weg über die Vergangenheit zu erstellen, eine Vergangenheit, wie sie im Medium Literatur, in diesem Falle *1912+1,* gespeichert ist. Sciascias Text, der mit jedem Erscheinen der Zahl 1913 (und dies ist häufig der Fall) im Sebald-Text aufgerufen wird, wird dadurch zu einer Art literarischem Paralleluniversum, einer literarischen Nebenwelt. Die Endzeitstimmung ist jedoch nicht etwa als ein Ende der Geschichte im Sinne Francis Fukuyamas zu interpretieren. Vielmehr erscheint sie als ein im Sinne Reinhart Kosellecks rekurrentes, in der Geschichte immer wiederkehrendes Moment. Dabei muß mitgedacht werden, daß Sebald in seinen Büchern ein auf Thomas Browne zurückgehendes Modell ausarbeitet, das für „die Geschichte jedes einzelnen, die jedes Gemeinwesens und die der ganzen Welt" (RS 33) dieselbe Verlaufskurve annimmt, nämlich diejenige „einer Bahn, die, nachdem der Meridian erreicht ist, hinunterführt in die Dunkelheit" (RS 33f.). Die Endzeitstimmung, der Moment kurz vor der Katastrophe, ist also integrativer Bestandteil jeder einzelner dieser Verlaufskurven und somit ein ahistorisches Element.

Kein Thema ist geschichtliche Zeit hingegen bei zwei Historiengemälden, die Sebald in *Die Ringe des Saturn* zum Gegenstand seiner Betrachtung macht. Vielmehr greift er sowohl in der Erzählung über ein Seeschlachtengemälde von Willem van de Velde dem Jüngeren als auch in seinem Bericht über seinen Besuch der Panoramarotunde der Gedenkstätte der Schlacht von Waterloo jeweils den Blick der Maler an. Der Erzähler sieht diesen Blick in beiden Fällen geprägt von sowohl räumlicher als auch zeitlicher Distanz zum Geschehen und damit von einem Verzicht auf eine angemessene Darstellung des Leidens des beteiligten Individuums. Diese Perspektive der Maler auf die dargestellten historischen Ereignisse wird durch die Kritik des Erzählers zur Perspektive der ungültigen Vergegenwärtigung, ja geradezu der Fälschung von Vergangenheit.

E. LITERATURVERZEICHNIS

I. VERWENDETE LITERARISCHE UND LITERATURWISSENSCHAFTLICHE PUBLIKATIONEN VON W.G. SEBALD

W.G. Sebald: Schock und Ästhetik. Zu den Romanen Döblins. In: Orbis litterarum 30 (1975), S. 241-250.

Ders.: Zwischen Geschichte und Naturgeschichte – Versuch über die Beschreibung totaler Zerstörung mit Anmerkungen zu Kasack, Nossack und Kluge. In: Orbis litterarum 37 (1982), S. 345-366.

Ders.: Das unentdeckte Land. Zur Motivstruktur in Kafkas *Schloß*. In: Ders.: Die Beschreibung des Unglücks. Salzburg und Wien: Residenz 1985, S. 78-92.

Ders.: *Nach der Natur. Ein Elementargedicht*. Nördlingen: Greno 1989.

Ders.: *Schwindel.Gefühle*. Frankfurt/Main: Eichborn 1990.

Ders.: Ein Kaddisch für Österreich. Über Joseph Roth. In: Ders.: Unheimliche Heimat. Essays zur österreichischen Literatur. Salzburg/Wien: Residenz 1991, S. 104-117.

Ders.: *Die Ausgewanderten. Vier lange Erzählungen*. Frankfurt/Main: Eichborn 1992.

Ders.: *Die Ringe des Saturn. Eine englische Wallfahrt*. Frankfurt/Main: Eichborn 1995.

Ders.: Le promeneur solitaire. Über Robert Walser. In: Ders.: Logis in einem Landhaus. Über Gottfried Keller, Johann Peter Hebel, Robert Walser und andere. München: Hanser 1998, S. 127-168.

Ders.: Wie Tag und Nacht. Über die Bilder Jan Peter Tripps. In: Ders.: Logis in einem Landhaus. Über Gottfried Keller, Johann Peter Hebel, Robert Walser und andere. München: Hanser 1998, S. 169-188.

Ders.: Luftkrieg und Literatur. München: Hanser 1999.

Ders.: Das Geheimnis des rotbraunen Fells. Annäherung an Bruce Chatwin aus Anlass von Nicolas Shakespeares Biographie. In: Literaturen (2000), H.11/2000, S. 72-75.

Ders.: Scomber scombrus – oder die gemeine Makrele. Zu Bildern von Jan Peter Tripp. In: Neue Zürcher Zeitung, 23./24.9.2000.

Ders.: Zerstreute Reminiszenzen. Gedanken zur Eröffnung eines Stuttgarter Hauses. In: Stuttgarter Zeitung, 19.11.2001. (Zur Eröffnung des Stuttgarter Literaturhauses.)

Ders.: Die Alpen im Meer. Ein Reisebericht. In: Literaturen (2001), H.1/2001, S. 30-33.

Ders.: *Austerlitz*. München: Hanser 2001.

Ders.: *For Years Now*. Poems by W.G. Sebald. Images by Tess Jaray. London: Short Books 2001.

Ders.: Da steigen sie schon an Bord und heben zu spielen an und zu singen. In: Frankfurter Allgemeine Zeitung, 7.7.2001.

Ders. und Jan Peter Tripp: *Unerzählt*. München: Hanser 2003.

Ders.: *Campo Santo*. München: Hanser 2003.

II. Forschungsliteratur zu W.G. Sebald

Arnold, Heinz Ludwig (Hg.): W.G. Sebald. München: Boorberg 2003 (=Text und Kritik 158).

Atze, Marcel: Koinzidenz und Intertextualität. Der Einsatz von Prätexten in W.G. Sebalds Erzählung *All'estero*. In: W.G. Sebald. Hg. von Franz Loquai. Eggingen: Isele 1997 (=Porträt 7), S. 151-175.

Ders.: Bibliotheca Sebaldiana. W.G. Sebald – Ein Bibliophile? Eine Spekulation. In: W.G. Sebald. Hg. von Franz Loquai. Eggingen: Isele 1997 (=Porträt 7), S. 228-246.

Boehncke, Heiner: Clair obscur. W.G. Sebalds Bilder. In: W.G. Sebald. Hg. von Heinz Ludwig Arnold. München: Boorberg 2003 (=Text und Kritik 158), S. 43-62.

Briegleb, Klaus: Preisrede auf W.G. Sebald anläßlich der Verleihung des Lyrikpreises Fedor Malchow am 17.12.1991 im Hamburger Literaturhaus. In: Hamburger Ziegel 1 (1992), S. 473-483.

Ceuppens, Jan: Im zerschundenen Papier herumgeisternde Gesichter. Fragen der Repräsentation in W.G. Sebalds *Die Ausgewanderten*. In: Germanistische Mitteilungen 55 (2002), S. 79-98.

Coetzee, J.M.: Erbe einer düsteren Geschichte. Zu W.G. Sebalds *Nach der Natur*. In: Neue Rundschau (2003), H.1/2003, S. 127-135.

Denneler, Iris: „Das Andenken ist ja im Grunde nichts anderes als ein Zitat." – Zu Formel und Gedächtnis am Beispiel von W.G. Sebalds *Die Ausgewanderten*. In: Die Formel und das Unverwechselbare. Interdisziplinäre Beiträge zu Topik, Rhetorik und Individualität. Hg. von Iris Denneler. Frankfurt/Main u.a.: Lang 2000, S. 165-179.

Dies.: Das Gedächtnis der Namen. Zu W.G. Sebalds *Die Ausgewanderten*. In: Dies.: Von Namen und Dingen. Erkundungen zur Rolle des Ich in der Literatur am Beispiel von Ingeborg Bachmann, Peter Bichsel, Max Frisch, Gottfried Keller, Heinrich von Kleist, Arthur Schnitzler, Frank Wedekind, Vladimir Nabokov und W.G. Sebald. Würzburg: Königshausen und Neumann 2001, S. 133-158.

Detering, Heinrich: Schnee und Asche, Flut und Feuer. Über den Elementardichter W.G. Sebald. In: Neue Rundschau (1998), H.2/1998, S. 147-158.

Görner, Rüdiger: Im Allgäu, Grafschaft Norfolk. Über W.G. Sebald in England. In: W.G. Sebald. Hg. von Heinz Ludwig Arnold. München: Boorberg 2003 (=Text und Kritik 158), S. 23-29.

Hall, Katharina: Jewish Memory in Exile: The Relation of W.G. Sebalds *Die Ausgewanderten* to the Tradition of the Yizkor Books. In: Jews in German Literature since 1945: German Jewish Literature? Hg. von Pol O'Dochartaigh. Amsterdam: Rodopi 2000, S. 153-164.

Harris, Stefanie: The Return of the Dead: Memory and Photography in W.G. Sebald's *Die Ausgewanderten*. In: The German Quarterly 74/4 (2001), S. 379-390.

Heidelberger-Leonard, Irene: Melancholie als Widerstand. Laudatio anläßlich der Verleihung des Heine-Preises an W.G. Sebald am 13. Dezember 2000. Düsseldorf: Kulturamt der Landeshauptstadt 2000.

Hitchen, Christopher: Die Deutschen und der Krieg. W.G. Sebald schrieb über die Qual, zu einem Volk zu gehören, das, in Thomas Manns Worten, ‚sich nicht sehen lassen kann.' In: Neue Rundschau (2003), H.1/2003, S. 116-135.

Huyssen, Andreas: On Rewritings and New Beginnings: W.G. Sebald and the Literature about the 'Luftkrieg'. In: Zeitschrift für Literaturwissenschaft und Linguistik 124 (2001), S. 72-90.

Jeutter, Ralf: Am Rande der Finsternis. The Jewish Experience in the Context of W.G. Sebalds Poetics. In: Jews in German Literature since 1945. German-Jewish Literature? Hg. von Pol O'Dochartaigh. Amsterdam: Rodopi 2000, S. 153-164.

Juhl, Eva: Die Wahrheit über das Unglück. Zu W.G. Sebald *Die Ausgewanderten*. In: Reisen im Diskurs. Modelle der literarischen Fremderfahrung von Pilgerberichten bis zur Postmoderne. Hg. von Anne Fuchs. Heidelberg: Winter 1995 (=Neue Bremer Beiträge 8), S. 640-659.

Kastura, Thomas: Geheimnisvolle Fähigkeit zur Transmigration. W.G. Sebalds interkulturelle Wallfahrten in die Leere. In: Arcadia 31 (1996), S. 197-216.

Klüger, Ruth: Wanderer zwischen falschen Leben. Zu W.G. Sebald. In: W.G. Sebald. Hg. von Heinz Ludwig Arnold. München: Boorberg 2003 (=Text und Kritik 158), S. 95-102.

Kochhar-Lindgren, Gray: Charcoal. The Phantom Traces of W.G. Sebald's Novel-Memoirs. In: Monatshefte 94 (2002), S. 368-380.

Köpf, Gerhard (Hg.): Mitteilungen über Max. Marginalien zu W.G. Sebald. Oberhausen: Laufen 1998.

Korff, Sigrid: Die Treue zum Detail. W.G. Sebalds *Die Ausgewanderten*. In: In der Sprache der Täter. Neue Lektüren deutschsprachiger Nachkriegs- und Gegenwartsliteratur. Hg. von Stephan Braese. Opladen: Westdeutscher Verlag 1998, S. 167-197.

Krüger, Michael (Hg.): W.G. Sebald zum Gedächtnis. München: Hanser 2003 (=Akzente 1/2003).

Loquai, Franz (Hg.): W.G. Sebald. Eggingen: Isele 1997 (=Porträt 7).

Ders. (Hg.): Far from Home. W.G. Sebald. Bamberg: Universität Bamberg 1995 (=Fußnoten zur Literatur 31).

McCulloh, Mark R.: Understanding W.G. Sebald. Columbia: University of South Carolina Press 2003.

Meyer, Sven: Fragmente zu Mementos. Imaginierte Konjekturen bei W.G. Sebald. In: W.G. Sebald. Hg. von Heinz Ludwig Arnold. München: Boorberg 2003 (=Text und Kritik 158), S. 75-81.

Neuhaus, Stefan: W.G. Sebald: *Die Ausgewanderten*. In: Kindlers neues Literaturlexikon. Supplementband 22. München: Kindler 1998, S. 158-159.

Nölp, Markus: W.G. Sebalds *Ringe des Saturn* im Kontext photobebilderter Literatur. In: Literaturtheorie am Ende? 50 Jahre Wolfgang Kaysers „Sprachliches Kunstwerk". Hg. von Orlando Grossegesse und Erwin Koller. Tübingen: Francke 2001, S. 129-141.

Parry, Ann: Idioms for the Unrepresentable: Postwar Fiction and the Shoah. In: The Holocaust and the Text. Speaking the Unspeakable. Hg. von Andrew Leak und George Paizis. New York: St. Martin's Press 2000, S. 109-124.

Schlant, Ernestine: W.G. Sebald. In: Dies.: Die Sprache des Schweigens. München: Beck 2001, S. 278-290.

Sill, Oliver: Aus dem Jäger ist ein Schmetterling geworden. Textbeziehungen zwischen den Werken von W.G. Sebald, Franz Kafka und Vladimir Nabokov. In: Poetica 4 (1997), S.

596-623. (Auch in: Ders.: Der Kreis des Lesens. Eine Wanderung durch die europäische Moderne. Bielefeld: Aisthesis 1997, S. 15-45).

Ders.: Migration als Gegenstand der Literatur. W.G. Sebalds *Die Ausgewanderten*. In: Nation, Ethnie, Minderheit. Beiträge zur Aktualität ethischer Konflikte. Hg. von Armin Nassehi. Köln/Wien: Böhlau 1997, S. 309-330.

Veraguth, Hannes: W.G. Sebald und die alte Schule. *Schwindel.Gefühle*, *Die Ausgewanderten*, *Die Ringe des Saturn* und *Austerlitz*: Literarische Erinnerungskunst in vier Büchern, die so tun, als ob sie wahr seien. In: W.G. Sebald. Hg. von Heinz Ludwig Arnold. München: Boorberg 2003 (=Text und Kritik 158), S. 30-42.

Weber, Markus R.: Phantomschmerz Heimweh. Denkfiguren der Erinnerung im literarischen Werk W.G. Sebalds. In: Neue Generation, neues Erzählen. Deutsche Prosaliteratur der Achtziger Jahre. Hg. von Walter Delabar u.a. Opladen: Westdeutscher Verlag 1993, S. 57-67.

Ders.: Sechzehn Wege zu Austerlitz. In: Neue Deutsche Literatur (2001), H.5/2001, S. 100-108.

Ders.: W.G. Sebald. In: Kritisches Lexikon zur deutschsprachigen Gegenwartsliteratur. Bd. 8. München: Edition Text und Kritik, Stand Juni 2002.

Ders.: Die fantastische befragt die pedantische Genauigkeit. Zu den Abbildungen in W.G. Sebalds Werken. In: W.G. Sebald. Hg. von Heinz Ludwig Arnold. München: Boorberg 2003 (=Text und Kritik 158), S. 63-74.

Williams, Arthur: The elusive First Person Plural: Real Absences in Reiner Kunze, Bernd-Dieter Hüge and W.G. Sebald. In: Whose Story? Continuities in contemporary German-language Literature. Hg. von Arthur Williams u.a. Frankfurt/Main u.a.: Lang 1998, S. 85-113.

Ders.: W.G. Sebald: A holistic Approach to Borders, Texts and Perspectives. In: German-language Literature today: International and popular? Hg. von Arthur Williams. Frankfurt/Main u.a.: Lang 2000, S. 99-118.

Ders:. ,Das korsakowsche Syndrom'. Remembrance and Responsibility in W.G. Sebald. In: German Culture and the unforgettable Past. Hg. von Helmut Schmitz. Singapore/Sydney: Aldershot 2001, S. 65-86.

Wood, James: W.G. Sebald's Uncertainty. In: Ders.: The broken Estate. Essays on Literature and Belief. London: Cape 1999, S. 273-284.

Wrobel, Dieter: Postmodernes Chaos – Chaotische Postmoderne. Eine Studie zu Analogien zwischen Chaostheorie und deutschsprachiger Prosa der Postmoderne. Bielefeld: Aisthesis 1997.

III. Rezensionen, Porträts, Interviews und Nachrufe zu W.G. Sebald

Angier, Carole: Wer ist W.G. Sebald? Ein Besuch beim Autor der *Ausgewanderten*. In: W.G. Sebald. Hg. von Franz Loquai. Eggingen: Isele 1997 (=Porträt 7), S. 43-50.

Anz, Thomas: Feuer, Wasser, Steine, Licht. In: Frankfurter Allgemeine Zeitung, 11.2.1989 (Zu *Nach der Natur*). Auch in: W.G. Sebald. Hg. Von Franz Loquai. Eggingen: Isele 1997 (=Porträt 7), S. 58-60.

Bahners, Patrick: Kaltes Herz. In: Frankfurter Allgemeine Zeitung, 9.12.1995 (Zu *Die Ringe des Saturn*). Auch in: W.G. Sebald. Hg. Von Franz Loquai. Eggingen: Isele 1997 (=Porträt 7), S. 126-131.

Ders.: Wanderers Nachtmarsch. Im Gedenkblätterwald: Zum Tode von W.G. Sebald. In: Frankfurter Allgemeine Zeitung, 17.12.2001.

Boedecker, Sven: Menschen auf der anderen Seite. Gespräch mit W.G. Sebald. In: Rheinische Post, 9.10.1993.

Coe, Jonathan: Takt. In: W.G. Sebald. Hg. von Franz Loquai. Eggingen: Isele 1997 (=Porträt 7), S. 250-256.

Detering, Heinrich: Große Literatur für kleine Zeiten. In: Frankfurter Allgemeine Zeitung, 9.12.1992 (Zu *Die Ausgewanderten*). Auch in: W.G. Sebald. Hg. Von Franz Loquai. Eggingen: Isele 1997 (=Porträt 7), S. 82-87.

Drews, Jörg: Meisterhaft suggerierte Angstzustände. *Schwindel.Gefühle* von W.G. Sebald: Zitate, Echos, Bedeutsamkeiten. In: Die Weltwoche, 21.6.1990. Auch in: W.G. Sebald. Hg. Von Franz Loquai. Eggingen: Isele 1997 (=Porträt 7), S. 67-69.

Ders.: Wie eines jener bösen, deutschen Märchen. W.G. Sebalds *Die Ausgewanderten*. In: Süddeutsche Zeitung, 2./3./4.10.1992. Auch in: W.G. Sebald. Hg. Von Franz Loquai. Eggingen: Isele 1997 (=Porträt 7), S. 79-82.

Hage, Volker: Gespräch mit W.G. Sebald. In: Akzente (2003), H.1/2003, S. 35-50.

Isenschmid, Andreas: Melencolia. W.G. Sebalds *Schwindel.Gefühle*. In: Die Zeit, 21.9.1990. Auch in: W.G. Sebald. Hg. Von Franz Loquai. Eggingen: Isele 1997 (=Porträt 7), S. 70-74.

Ders.: Melancholische Merkwürdigkeiten. W.G. Sebalds „englische Wallfahrt" in leeren Landschaften mit den überraschendsten Funden. In: Die Weltwoche, 9.11.1995. Auch in: W.G. Sebald. Hg. Von Franz Loquai. Eggingen: Isele 1997 (=Porträt 7), S. 124-126.

Ders.: Der Sebald-Satz. In: Neue Zürcher Zeitung, 5.8.1994. Auch in: W.G. Sebald. Hg. Von Franz Loquai. Eggingen: Isele 1997 (=Porträt 7), S. 247-249.

Just, Renate: Stille Katastrophen. In: Süddeutsche Zeitung Magazin, 5.10.1990. Auch in: W.G. Sebald. Hg. Von Franz Loquai. Eggingen: Isele 1997 (=Porträt 7), S. 25-30.

Köhler, Andrea: Gespräche mit Toten. W.G. Sebalds Wanderungen durch die Jahrhunderte. In: Neue Zürcher Zeitung, 28.9.2000.

Dies.: Der Staub der Toten, die Asche der Zeit. In: Neue Zürcher Zeitung, 24./25.2.2001 (Zu *Austerlitz*).

Kübler, Gunhild: Von der Schönheit einer weißen, leeren Welt. W.G. Sebald: *Nach der Natur*. In: Neue Zürcher Zeitung, 3.3.1989. Auch in: W.G. Sebald. Hg. Von Franz Loquai. Eggingen: Isele 1997 (=Porträt 7), S. 60-62.

Löffler, Sigrid: „Wildes Denken". Gespräch mit W.G. Sebald. In: Profil 16, 19.4.1993. Auch in: W.G. Sebald. Hg. Von Franz Loquai. Eggingen: Isele 1997 (=Porträt 7), S. 135-137.

Matt, Beatrice von: Archäologie einer Landschaft. Erkundungen um W.G. Sebalds neues Buch. In: Neue Zürcher Zeitung, 11.12.1992 (Zu *Die Ringe des Saturn*). Auch in: W.G. Sebald. Hg. Von Franz Loquai. Eggingen: Isele 1997 (=Porträt 7), S. 102-108.

Dies.: Die ausgelagerten Paradiese. *Die Ausgewanderten*, W.G. Sebalds vier lange Erzählungen. In: Neue Zürcher Zeitung, 30.9.1995. Auch in: W.G. Sebald. Hg. Von Franz Loquai. Eggingen: Isele 1997 (=Porträt 7), S. 91-95.

Meyer, Martin: Memoria. Zu W.G. Sebalds Buch *Schwindel.Gefühle*. In: Neue Zürcher Zeitung, 10.5.1990. Auch in: W.G. Sebald. Hg. Von Franz Loquai. Eggingen: Isele 1997 (=Porträt 7), S. 64-67.

Poltronieri, Marco: Wie kriegen die Deutschen das auf die Reihe? Ein Gespräch mit W.G. Sebald. In: Wochenpost, 17.6.1993. Auch in: W.G. Sebald. Hg. Von Franz Loquai. Eggingen: Isele 1997 (=Porträt 7), S. 138-144.

Pralle, Uwe: Mit einem kleinen Strandspaten Abschied von Deutschland nehmen. In: Süddeutsche Zeitung, 22.12.2001.

Scholz, Christian: Aber das Geschriebene ist ja kein wahres Dokument. In: Neue Zürcher Zeitung, 26./27.2.2000.

Siedenberg, Sven: Anatomie der Schwermut. Interview mit W.G. Sebald über sein Schreiben und die Schrecken der Geschichte. In: Rheinischer Merkur, 19.4.1996. Auch in: W.G. Sebald. Hg. Von Franz Loquai. Eggingen: Isele 1997 (=Porträt 7), S. 146-148.

Steinfeld, Thomas: Der Eingewanderte. Literarische Größe: W.G. Sebald und die Angelsachsen. In: Frankfurter Allgemeine Zeitung, 2.3.2000.

Tonkin, Boyd: Ghostly Trains of Thought. In: The Independent, 24.10.2001 (Zu *Austerlitz*).

IV. SONSTIGE PRIMÄRLITERATUR

Bachmann, Ingeborg: *Böhmen liegt am Meer*. In: Dies.: Werke. Bd.1. Hg. von Christine Koschel u.a. München/Zürich: Piper 1978, S. 167.

Benjamin, Walter: *Berliner Kindheit um Neunzehnhundert*. Gießener Fassung. 1. Aufl. Frankfurt: Suhrkamp 2000.

Benjamin, Walter: Gesammelte Schriften. Bd. IV und V. Hg. von Rolf Tiedemann und Hermann Schweppenhäuser. Frankfurt/Main: Suhrkamp 1991.

Benjamin, Walter: *Über den Begriff der Geschichte*. In: Ders.: Gesammelte Schriften. Bd. I. Hg. von Rolf Tiedemann und Hermann Schweppenhäuser. Frankfurt/Main: Suhrkamp 1978, S. 691-704.

Bernhard, Thomas: *Amras*. Frankfurt/Main: Suhrkamp 1976.

Béthune, Maximilien de: *Mémoires de Maximilien de Béthune, Duc de Sully, Principal Ministre De Henri le Grand*. Liège: Desoer 1788.

Borges, Jorge Luis: *Tlön, Uqbar, Orbis Tertius*. In: Ders.: Gesammelte Werke. Bd 3/1: Erzählungen 1935-1944. Hg. von Gisbert Haefs. München: Hanser 1981.

Ders.: Obras completas. Bd. 1. Buenos Aires: Emecé 1989.

Braun, Volker: *Böhmen am Meer*. In: Ders.: Texte in zeitlicher Folge. Bd. 10. Halle/Leipzig: Mitteldeutscher Verlag 1993.

Browne, Thomas: *Hydriotaphia or Urn Buriall*. In: The Works of Sir Thomas Browne. Bd. 4. Hg. von Geoffrey Keynes. London: Faber and Gwyer 1929.

Ders.: *Religio Medici*. In: The Works of Sir Thomas Browne. Bd. 1. Hg. von Geoffrey Keynes. London: Faber and Gwyer 1929.

Büchner, Georg: *Dantons Tod*. In: Ders.: Sämtliche Werke, Briefe und Dokumente in zwei Bänden. Bd. 1: Dichtungen. Hg. von Henri Poschmann. Frankfurt/Main: Deutscher Klassiker-Verlag 1992, S. 11-90.

Conrad, Joseph: *Letters of Joseph Conrad to Marguerite Poradowska 1890-1920*. 2. Aufl. Hg. von John A. Gee und Paul J. Sturm. Washington: Kennikat Press 1968.

Ders.: *Herz der Finsternis*. Übersetzt von Reinhold Batberger. Frankfurt/Main: Suhrkamp 1992.

Dante Alighieri: *La Divina Commedia*. Bd. 1: Inferno. Hg. von G.A. Scartazzini. Bologna: Amaldo Formi 1965.

Ehrenstein, Albert: *Der Selbstmörder*. In: Ders.: Werke. Bd. IV/1. Hg. von Hanni Mittelmann. München: Boer 1997, S. 147.

Fühmann, Franz: *Böhmen am Meer*. Erzählung. In: Ders.: Erzählungen 1955-1975. 2. Aufl. Rostock: Hirnstorff 1980, S. 283-318.

Gordon, Charles Georg: *The Journal of Major-Gen. C.G. Gordon*. London: Kegan Paul, Trench und Co 1885.

Grass, Günter: *Im Krebsgang*. Eine Novelle. Göttingen: Steidl 2002.

Jean Paul: *Doktor Katzenbergers Badereise*. In: Ders.: Werke. Bd. 6. Hg. von Nobert Miller. München: Hanser 1963, S. 77-365.

Ders.: *Vorschule der Ästhetik*. In: Ders.: Werke. Bd. 5. Hg. von Norbert Miller. München: Hanser 1963, S. 7-475.

Hamburger, Michael: *Verlorener Einsatz*. Erinnerungen. Übersetzt von Susan Nurmi-Schomers und Christian Schomers. Stuttgart: Flugasche-Verlag 1987.

Hazzi, Joseph von: Lehrbuch des Seidenbaues für Deutschland und besonders für Bayern oder vollständiger Unterricht über die Pflanzung und Pflege der Maulbeerbäume, dann Behandlung der Seidenwürmer, sohin über die ganze Seidenzucht. München: Fleischmann 1826.

Herbeck, Ernst: *Im Herbst da reiht der Feenwind*. Gesammelte Texte 1960-1991. Hg. von Leo Navratil. Salzburg/Wien: Residenz 1992.

Kafka, Franz: *Amerika*. In: Ders.: Gesammelte Werke. Bd. 4. Hg. von Max Brod. Frankfurt/Main: Fischer 1958, S. 7-331.

Ders.: *Der Jäger Gracchus*. In. Ders.: Gesammelte Werke. Bd. 6: Skizzen und Aphorismen aus dem Nachlass. Hg. von Max Brod. Frankfurt/Main: Fischer 1946, S. 99-105.

Ders.: Brief an Felice Bauer vom 2.9.1923. In: Ders.: Gesammelte Werke. Bd. 10: Briefe an Felice und andere Korrespondenz aus der Verlobungszeit. Hg. von Max Brod. Frankfurt/Main: Fischer 1967, S. 459-462.

Klopstock, Friedrich Gottlieb: *Die Welten*. In: Ders.: Oden. Bd. 1. Hg. von Franz Muncker. Stuttgart: Göschen 1889, S. 154 f.

Lenz, Jakob Michael Reinhold: *Catharina von Siena. Ein Künstlerschauspiel* (erste Fassung). In: Ders.: Werke und Briefe in drei Bänden. Bd. 1. Hg. von Sigrid Damm. München: Hanser 1987, S. 421-433.

Lessing, Gotthold E.: Laokoon: oder über die Grenzen der Malerei und Poesie. In: Ders.: Werke und Briefe, Bd. 5.2: Werke 1766-1769. Hrsg. von Wilfried Barner. Deutscher Klassiker Verlag: Frankfurt/Main 1990, S. 11-206.

Lovecraft, H.P.: *Das Grauen von Dunwich*. In: Ders.: Cthulhu-Geistergeschichten. Frankfurt/Main: Suhrkamp 1980, S. 125-192.

Nabokov, Vladimir: *Erinnerung, sprich*. Übersetzt von Dieter E. Zimmer. Reinbek: Rowohlt 1991.

Nietzsche, Friedrich: Der Wille zur Macht. Versuch einer Umwertung aller Werte. Hg. von Peter Gast. Stuttgart: Kröner 1964.

Nossack, Hans Erich: *Der Untergang*. Mit einem Nachwort von Siegfried Lenz. 3. Aufl. Frankfurt/Main: Suhrkamp 1996.

Roth, Joseph: Werke. Bd. 2: Das journalistische Werk 1924-28. Köln 1990.

Richard, Timothy: *45 Years in China. Reminiscences*. London: Fisher Unwin 1916.

Schopenhauer, Arthur: Die Welt als Wille und Vorstellung I. In: Ders.: Sämtliche Werke. Bd. 1. Hg. von Wolfgang v. Löhneysen. Frankfurt/Main: Suhrkamp 1998.

Sciascia, Leonardo: *1912+1*. Erzählung. Übersetzt von Peter O. Chotjewitz. München: Deutscher Taschenbuchverlag 1991.

Serres, Olivier de: Théâtre d'agriculture et mesnage de champs. Paris: Métayer 1600.

Shakespeare, William: *King Lear*. In: The Arden Edition of the Works of William Shakespeare. Bd. 2. Hg. von Kenneth Muir. London: Methuen 1952.

Stendhal.: *Die Kartause von Parma*. Übersetzt von Walter Widmer. München: Winkler 1952.

Ders: *Das Leben des Henry Brulard und Autobiographische Schriften*. Übersetzt von Walter Widmer. München: Winkler 1956.

Ders.: Tagebücher und andere Selbstzeugnisse. Bd. 1. Übersetzt von Katharina Scheinfuß. Berlin: Rütten und Loening 1983.

Vergil: *Ekloge*. In: Ders.: *Eclogae*. Hg. von H.E. Gould. New York: St. Martins Press 1967, S. 3.

Wittgenstein, Ludwig: Tractatus locgico-philosophicus In: Ders.: Schriften. Frankfurt/Main: Suhrkamp 1963, S. 11-83.

V. FORSCHUNGSLITERATUR ZU INTERTEXTUALITÄT UND INTERMEDIALITÄT

Adelsbach, Eva: Bobrowskis Widmungstexte an Dichter und Künstler des 18. Jahrhunderts. Dialogizität und Intertextualität. St. Ingbert: Röhrig 1990.

Allen, Graham: Intertextuality. London: Routledge 2000.

Antonsen, Jan E.: Text-Inseln. Studien zum Motto in der deutschen Literatur vom 17. bis zum 20. Jahrhundert. Würzburg: Königshausen und Neumann 1998.

Bachtin, Michail M.: Die Ästhetik des Wortes. Hg. von Rainer Grübel. Frankfurt/Main: Suhrkamp 1979.

Barthes, Roland: Über mich selbst. München: Matthes und Seitz 1978.

Ders.: Die helle Kammer. Frankfurt/Main: Suhrkamp 1989.

Bauer, Edith: Drei Mordgeschichten. Intertextuelle Referenzen in Ingeborg Bachmanns *Malina*. Frankfurt/Main u.a.: Lang 1998.

Ben-Porat, Ziva: The Poetics of literary Allusion. In: PTL 1 (1976), S. 105-126.

Bloom, Harold: The Anxiety of Influence. A Theory of Influence. London: Oxford University Press 1973.

Broich, Ulrich/Pfister, Manfred (Hg.): Intertextualität. Formen, Funktionen, anglistische Fallstudien. Tübingen: Niemeyer 1985.

Culler, Jonathan: The Pursuit of Signs: Semiotics, Literature, Deconstruction. Ithaca/New York: Cornell University Press 1981.

Ders.: Presupposition and Intertextuality. In: Modern Language Notes 91 (1976), S. 1380-1396.

Dirscherl, Karl: Antoni Tàpies' Plakate. Ikonische Schrift und zeichenhaftes Bild. In: Bild und Text im Dialog. Hg. von Karl Dirscherl. Passau: Rothe 1993, S. 409-428.

Eicher, Thomas: Zeitdiagnose und Utopie in zitierten Bildern. Grünewalds Isenheimer Altar und Hermann Brochs Schlafwandler-Trilogie. In: Intermedialität. Vom Bild zum Text. Hg. von Thomas Eicher und Ulf Bleckmann. Bielefeld: Aisthesis 1994, S. 123-141.

Genette, Gérard: Palimpseste. Die Literatur auf zweiter Stufe. Frankfurt/Main: Suhrkamp 1993.

Grivel, Charles: Serien textueller Perzeption. Eine Skizze. In: Dialog der Texte. Hg. von Wolfgang Schmid und Wolf-Dieter Stempel. Wien: Gesellschaft zur Förderung slavistischer Studien 1983 (=Wiener Slavistischer Almanach 11), S. 53-84.

Hansen-Löve, Aage A.: Intermedialität und Intertextualität. Probleme der Korrelation von Wort- und Bildkunst am Beispiel der russischen Moderne. In: Dialog der Texte. Hg. von Wolfgang Schmid und Wolf-Dieter Stempel. Wien: Gesellschaft zur Förderung slavistischer Studien 1983 (=Wiener Slavistischer Almanach 11), S. 291-360.

Hebel, Udo J.: Intertextuality, Allusion and Quotation. An international Bibliography of critical Studies. London/New York: Greenwood Press 1989.

Helbig, Jörg: Intertextualität und Markierung. Untersuchungen zur Systematik und Funktion der Signalisierung von Intertextualität. Heidelberg: Winter 1996 (=Beiträge zur neueren Literaturgeschichte 141).

Ders. (Hg.): Intermedialität. Theorie und Praxis eines interdisziplinären Forschungsgebietes. Berlin: Schmidt 1998.

Hempfer, Klaus W.: Intertextualität, Systemreferenz und Strukturwandel: Die Pluralisierung des erotischen Diskurses in der italienischen und französischen Renaissance-Lyrik. In: Modelle literarischen Strukturwandels. Hg. von Michael Titzmann. Tübingen: Niemeyer 1991, S. 7-43.

Höfele, Andreas: 20th Century Intertextuality and the Reading of Shakespeare's Sources. Tokio 1997 (=Poetica 48).

Holthuis, Susanne: Intertextualität. Aspekte einer rezeptionsorientierten Konzeption. Tübingen: Stauffenburg 1993.

Jenny, Laurent: La stratégie de la forme. In: Poétique 7/27 (1976), S. 257-281.

Klotz, Volker: Zitat und Montage in neuerer Literatur und Kunst. In: Literatur und bildende Kunst. Ein Handbuch zur Theorie und Praxis eines komparatistischen Grenzgebietes. Hg. von Ulrich Weisstein. Berlin: Schmidt 1992, S. 180-195.

Kristeva, Julia: Bachtin, das Wort, der Dialog und der Roman. In: Literaturwissenschaft und Linguistik. Bd. 3. Hg. von Jens Ihwe. Frankfurt/Main: Athenäum 1972, S. 345-375.

Dies.: A quoi servent les intellectuels? In: Le Nouvel Observateur, 20.-26.6.1977.

Lachmann, Renate: Dialogizität. München: Fink 1982.

Dies.: Intertextualität als Sinnkonstitution. In: Poetica 15 (1983), S. 66-107.

Dies.: Ebenen des Intertextualitätsbegriffs. In: Das Gespräch. Hg. von Karlheinz Stierle und Rainer Warning. München 1984 (=Poetik und Hermeneutik 11), S. 133-138.

Dies. (Hg.): Gedächtnis und Literatur. Intertextualität in der russischen Moderne. Frankfurt/Main: Suhrkamp 1990.

Lévi-Strauss, Claude: Das wilde Denken. 10. Aufl. Frankfurt/Main: Suhrkamp 1997.

Meyer, Hermann: Das Zitat in der Erzählkunst. Zur Geschichte und Poetik des europäischen Romans. 2. Aufl. Stuttgart: Metzler 1967.

Müller, Wolfgang G.: Interfigurality. A Study on the Interdependence of literary Figures. In: Intertextuality. Hg. von Heinrich Plett. Berlin/New York: De Gruyter 1991 (=Untersuchungen zur Texttheorie 15), S. 101-121.

Paech, Joachim: Intermedialität. Mediales Differenzial und transformative Figuration. In: Intermedialität. Theorie und Praxis eines interdisziplinären Grenzgebietes. Hg. von Jörg Helbig. Berlin: Schmidt 1998, S. 14-30.

Preisendanz, Wolfgang: Zum Beitrag von Renate Lachmann ‚Dialogizität und poetische Sprache'. In: Dialogizität. Hg. von Renate Lachmann. München: Fink 1982, S. 25-28.

Riffaterre, Michel: The Semiotics of Poetry. London: Methuen 1978.

Ders.: La syllepse intertextuelle. In: Poétique 40 (1979), S. 496-501.

Schmeling, Manfred/Schmitz-Emans, Monika (Hg.): Das visuelle Gedächtnis der Literatur. Würzburg: Königshausen und Neumann 1999 (=Saarbrücker Beiträge zur vergleichenden Literatur- und Kulturwissenschaft 8).

Schmid, Wolfgang/Stempel, Wolf-Dieter (Hg.): Dialog der Texte. Wien: Gesellschaft zur Förderung slavistischer Studien 1983 (=Wiener Slavistischer Almanach 11).

Schmidt, Julia: Intertextualität in Arno Schmidts Novellen-Comödie *Die Schule der Atheisten*. Amsterdam: Rodopi 1998.

Schmitz-Emans, Monika: Zur Geschichte literarischer Bildinterpretation: Ekphrasis als Entdeckung der Texte im Hintergrund der Bilder. In: Dies.: Die Literatur, die Bilder und das Unsichtbare. Spielformen literarischer Bildinterpretation vom 18. bis zum 20. Jahrhundert. Würzburg: Königshausen und Neumann 1999, S. 17-24.

Dies.: Die „Sprache" der Bilder und das Projekt ihrer Übersetzung. In: Dies.: Die Literatur, die Bilder und das Unsichtbare. Spielformen literarischer Bildinterpretation vom 18. bis zum 20. Jahrhundert. Würzburg: Königshausen und Neumann 1999, S. 6-13.

Starobinski, Jean: Le texte dans le texte. In: TelQuel 37 (1969), S. 4-33.

Stierle, Karlheinz: Werk und Intertextualität. In: Das Gespräch. Hg. von Karlheinz Stierle und Rainer Warning. München: Fink 1984 (=Poetik und Hermeneutik 11), S. 139-150.

Ders.: Mythos als Bricolage und zwei Endstufen des Prometheusmythos. In: Terror und Spiel. Probleme der Mythenrezeption. Hg. von Manfred Fuhrmann. München: Fink 1971, S. 455-472.

Strauch, Michael: Rolf-Dieter Brinkmann. Studie zur Text-Bild-Montagetechnik. Tübingen: Stauffenburg 1998.

Titzmann, Michael: Theoretisch-methodologische Probleme einer Semiotik der Text-Bild-Relationen. In: Text und Bild – Bild und Text. DFG-Symposion 1988. Hg. von Wolfgang Harms. Stuttgart: Metzler 1990, S. 368-384.

Varga, Aaron K.: Visuelle Argumentation und visuelle Narrativität. In: Text und Bild – Bild und Text. DFG-Symposion 1988. Hg. von Wolfgang Harms. Stuttgart: Metzler 1990, S. 356-367.

Weisstein, Ulrich (Hg.): Literatur und bildende Kunst. Ein Handbuch zur Theorie und Praxis eines komparatistischen Grenzgebietes. Berlin: Schmidt 1992.

Willems, Gottfried: Anschaulichkeit. Zu Theorie und Geschichte der Wort-Bild-Beziehungen und des literarischen Darstellungsstils. Tübingen: Niemeyer 1989 (=Studien zur deutschen Literatur 103).

Ders.: Kunst und Literatur als Gegenstand einer Theorie der Wort-Bild-Beziehungen. Skizze der methodischen Grundlagen und Perspektiven. In: Text und Bild – Bild und Text. DFG-Symposion 1988. Hg. von Wolfgang Harms. Stuttgart: Metzler 1990, S. 414-429.

Wirth, Dieter: Paraphrase und Übersetzung an einem Inhalt-Text-Modell. Tübingen: Niemeyer 1996.

Ziolkowski, Theodore: Figuren auf Pump. Zur Fiktionalität des sprachlichen Kunstwerks. In: Akten des VI. Internationalen Germanistenkongresses Basel 1980. Berlin u.a.: Lang 1980 (=Jahrbuch für Internationale Germanistik 8/1), S. 166-177.

VI. SONSTIGE FORSCHUNGSLITERATUR

Alter, Robert: Stendhal. Eine Biographie. Reinbek: Rowohlt 1992.

Anonym: Concise Catalogue of Oil Paintings in the National Maritime Museum. Woolbridge: Antique Collectors Club 1988.

Arts Council of Great Britain (Hg.): Frank Auerbach. Hayward Gallery, London: 4 May - 2 July 1978. Arts Council of Great Britain 1978.

Assmann, Aleida: Späthumanismus im Zeitalter der Konfessionalisierung. John Milton und Thomas Browne. In: Späthumanismus. Studien über das Ende einer kulturhistorischen Epoche. Hg. von Notker Hammerstein. Göttingen: Wallstein 2000, S. 148-159.

Assmann, Aleida/Frevert, Ute: Geschichtsvergessenheit – Geschichtsversessenheit. Vom Umgang mit der deutschen Vergangenheit nach 1945. Stuttgart/München: Deutsche Verlagsanstalt 1999.

Assman, Jan: Das kulturelle Gedächtnis. Schrift, Erinnerung und politische Identität in frühen Hochkulturen. München: Beck 1992.

Ders.: Kollektives Gedächtnis und kulturelle Identität. In: Kultur und Gedächtnis. Hg. von Jan Assmann und Tonio Hölscher. 1. Aufl. Frankfurt/Main: Suhrkamp 1988, S. 9-19.

Assman, Jan/Hölscher, Tonio (Hg.): Kultur und Gedächtnis. Frankfurt/Main: Suhrkamp 1988.

Baasner, Frank: Leonardo Sciascias Kriminalromane und ihre literarischen Erben. In: Leonardo Sciascia. Annäherungen an sein Werk. Hg. von Sandro Moraldo. Heidelberg: Winter 2000 (=Beiträge zur neueren Literaturgeschichte 174), S. 21-36.

Baines, Jocelyn: Joseph Conrad. A critical Biography. London: Weidenfeld und Nicholson 1960.

Benz, Wolfgang (Hg.): Die Juden in Deutschland 1933-1945. Leben unter nationalsozialistischer Herrschaft. München: Institut für Zeitgeschichte 1988.

Belting, Hans: Bild-Anthropologie. Entwürfe für eine Bildwissenschaft. München: Fink 2001.

Berg, Walter Bruno: Neue Welt und alter Buchstabe oder: Ist Borges ein lateinamerikanischer Schriftsteller? In: Iberoromania 35 (1992), S. 84-96.

Berthier, Philippe: Stendhal et Chateaubriand. Essai sur les ambiguités d'une antipathie. Genf: Droz 1987 (=Histoire des idées et critique littéraire 253).

Berveiller, Michel: Le cosmopolitisme de Jorge Luis Borges. Paris: Chastrusse 1973.

Bloch, Marc: The Historian's Craft. Manchester: Manchester University Press 1954.

Bock, Petra/Wolfrum, Edgar (Hg.): Umkämpfte Vergangenheit. Geschichtsbilder, Erinnerung und Vergangenheitspolitik im internationalen Vergleich. Göttingen: Vandenhoeck und Ruprecht 1999.

Buchner, Ernst: Die Alexanderschlacht. Stuttgart: Reclam 1969.

Courthion, Pierre: L'opera completa di Courbet. Mailand: Rizzoli 1985.

Cramer-Schroeder, Susanne: Die Deklination des Autobiographischen. Goethe, Stendhal, Kierkegaard. Berlin: Schmidt 1993.

Damus, Martin: Gebrauch und Funktion von bildender Kunst und Architektur im Nationalsozialismus. In: Kunst und Kultur im deutschen Faschismus. Hg. von Ralf Schnell. Stuttgart: Metzler 1978.

Eckel, Walter: Von Berlin nach Suffolk. Zur Lyrik Michael Hamburgers. Würzburg: Königshausen und Neumann 1991 (=Epistemata 62).

Eco, Umberto: Ars oblivionalis. In: KOS 30 (1987) S. 40-53.

Emden, Christian J.: Stückwerk. Geschichte und Sammlung bei Walter Benjamin. In: Deutsche Vierteljahresschrift für Literaturwissenschaft und Geistesgeschichte. Sonderheft 1999. Stuttgart: Metzler 1999, S. 69-91.

Forte, Dieter: Schweigen und Sprechen. Frankfurt/Main: Fischer 2002.

Friedländer, Saul: Das Dritte Reich und die Juden. München: Beck 1998.

Friedrich, Jörg: Der Brand. Deutschland im Bombenkrieg 1940-1945. Berlin: Propyläen 2002.

Fukuyama, Francis: Das Ende der Geschichte. Wo stehen wir? München: Beck 1992.

Geissler, Heinrich: Meister Mathis – Leben und Werk. In: Mathis Gothardt Nithard Grünewald. Der Isenheimer Altar. Hg. von Max Seidel. Stuttgart u.a.: Belser 1980, S. 24-64.

Germer, Stefan/ Zimmermann, Michael F.: Bilder der Macht – Macht der Bilder. Zeitgeschichte in Darstellungen des 19. Jahrhunderts. München/Berlin: Klinkhardt und Biermann 1997 (=Veröffentlichungen des Zentralinstituts für Kunstgeschichte 12).

Goedde, Lawrence O.: Seascape as History and Metaphor. In: Praise of Ships and the Sea. Hg. von Jeroen Giltaji und Jan Kelch. Rotterdam/Berlin: Museum Bajmans van Beuningen / Gemäldegalerie Staatliche Museen Berlin 1996.

Goetsch, Paul: Fingierte Mündlichkeit in der Erzählkunst entwickelter Schriftkulturen. In: Poetica 17 (1985), S. 202-218.

Goldberg, Gisela: Die Alexanderschlacht und die Historienbilder Herzog Wilhelms IV. München: Hirmer 1983.

Gombrich, Ernst: Kunst und Illusion. Zur Psychologie der bildlichen Darstellung. Stuttgart u.a.: Belser 1978.

Haffner, Sebastian: Von Bismarck zu Hitler. Ein Rückblick. München: Kindler 1987.

Hage, Volker (Hg.): Hamburg 1943. Literarische Zeugnisse zum Feuersturm. Frankfurt/Main: Fischer 2002.

Ders.: Die Literaten und der Luftkrieg. Essays und Gespräche. Frankfurt/Main: Fischer 2003.

Hagedorn, Heike: Das Sprachgewebe der Bilder. Max Ernst und Mathis Grünewald. Biographische Konstellation und Werk-Konfiguration. Frankfurt/Main: Suhrkamp 1995.

Hanenberg, Peter: Peter Weiss. Vom Nutzen und Nachteil der Historie für das Schreiben. Berlin: Schmidt 1993.

Harth, Helene: Leonardo Sciascias literarisches Gedächtnistheater. In: Leonardo Sciascia. Annäherungen an sein Werk. Hg. von Sandro Moraldo. Heidelberg: Winter 2000 (=Beiträge zur neueren Literaturgeschichte 174), S. 53-68.

Hawkins, Hunt: Conrad's Critique of Imperialism in *Heart of Darkness*. In: Publications of the Modern Language Association of America 94/2 (1979), S. 286-299.

Hirsh, R.S.M: The Works of Chidiock Tichborne. In: English Literary Renaissance 16 (1986), S. 309-310.

Ignatow, Assen: Anthropologische Geschichtsphilosophie. Für eine Philosophie der Geschichte in der Zeit der Postmoderne. Sankt Augustin: Academia Verlag 1993.

Iser, Wolfgang: Die Appellstruktur der Texte. Unbestimmtheit als Wirkungsbedingung literarischer Texte. Konstanz: Universitätsverlag Konstanz 1971.

Kern, Hermann: Labyrinthe. Erscheinungsformen und Deutungen. 5000 Jahre Gegenwart eines Urbilds. München: Prestel 1982.

Köppen, Manuel/Scherpe, Klaus H. (Hg.): Bilder des Holocaust. Literatur, Film, Bildende Kunst. Köln u.a: Böhlau 1997.

Koopmann, Helmut: Geschichte, Mythos, Gleichnis. Die Antwort des Exils. In: Ästhetik der Geschichte. Hg. von Johann Holzner. Innsbruck: Institut für Germanistik 1995, S. 77-98.

Koselleck, Reinhart: Zeitschichten. Studien zur Historik. Mit einem Beitrag von Hans-Georg Gadamer. Frankfurt/Main: Suhrkamp 2000.

Lauer, Gerhard: Erinnerungsverhandlungen. Kollektives Gedächtnis und Literatur fünfzig Jahre nach der Vernichtung der europäischen Juden. In: Deutsche Vierteljahresschrift für Literaturwissenschaft und Geistesgeschichte. Sonderheft 1999. Stuttgart: Metzler 1999, S. 215-245.

Lembeck, Karl-Heinz: Geschichtsphilosophie. Freiburg/München: Alber 2000.

Löffler, Arno: Sir Thomas Browne als Virtuoso. Die Bedeutung der Gelehrsamkeit für sein literarisches Alterswerk. Nürnberg: Hans Carl 1972.

Lyotard, Jean-Francois: Postmoderne für Kinder. Briefe aus den Jahren 1982-1985. Hg. von Peter Engelmann. Wien/Köln: Passagen 1987.

May, Gita: Stendhal and the Age of Napoleon. New York: Columbia University Press 1977.

Müller-Wieferig, Matthias: Jenseits der Gegensätze. Die Lyrik Michael Hamburgers. Essen: Die Blaue Eule 1991 (=Anglistik in der Blauen Eule 14).

Nabokov, Vladimir: Good Readers and Good Writers. In: Lectures on Literature. Hg. von Fredson Bowers. New York/London: Harcourt Brace Jovanovich 1980, S. 1-6.

Naumann, Hans Heinrich: Das Grünewaldproblem und das neuentdeckte Selbstbildnis des 20jährigen Mathis Neithard aus dem Jahre 1475. Jena: Diederichs 1930.

Navratil, Leo: Schizophrenie und Sprache. München: Deutscher Taschenbuchverlag 1976.

Nerlich, Michael: Stendhal. Reinbek: Rowohlt 1993.

Niethammer, Lutz: Posthistoire. Ist die Geschichte zu Ende? Reinbek: Rowohlt 1986.

Oettermann, Stephan: Das Panorama. Die Geschichte eines Massenmediums. Frankfurt/Main: Syndikat 1980.

Pochat, Götz/Wagner, Brigitte (Hg.): Kunst/Geschichte. Zwischen historischer Reflexion und ästhetischer Distanz. Graz: Akademische Druck- und Verlagsanstalt 2000 (=Kunsthistorisches Jahrbuch Graz 27).

Pöggeler, Otto: Ein Ende der Geschichte? Von Hegel zu Fukuyama. Opladen: Westdeutscher Verlag 1995 (=Vorträge G 332).

Post, Jonathan: Motives for Metaphor. *Urn Buriall* and *The Garden of Cyrus*. In: Ders.: Sir Thomas Browne. Boston: Twayne Publishers 1987, S. 120-146.

Praz, Mario: Der Garten der Sinne. Ansichten des Manierismus und des Barock. Frankfurt/Main: Fischer 1988.

Rauh, Horst Dieter: Im Labyrinth der Geschichte. Die Sinnfrage von der Aufklärung zu Nietzsche. München: Fink 1990.

Rebel, Ernst (Hg.): Sehen und Sagen. Das Öffnen der Augen beim Beschreiben der Kunst. Ostfildern: Edition Tertium 1996.

Reichels, Peter: Untersuchung Vergangenheitsbewältigung in Deutschland. Die Auseinandersetzung mit der NS-Diktatur von 1945 bis heute. München: Beck 2001.

Richter, Virginia: Tourists lost in Venice: Daphne du Maurier's *Don't Look Now* and Ian McEwan's *The Comfort of Strangers*. In: Venetian Views, Venetian Blinds. English Fantasies of Venice. Hg. von Manfred Pfister und Barbara Schaff. Amsterdam: Rodopi 1999, S. 181-194.

Robbe-Grillet, Alain: Neuer Roman und Autobiographie. Übersetzt von Hans Rudolf Picard. Konstanz: Universitätsverlag Konstanz 1987 (=Konstanzer Universitätsreden 165).

Rodriguez Monegal, Emir: Jorge Luis Borges. A literary Biography. New York: Dutton 1978.

Ruhmer, Eberhard: Matthias Grünewald – Der Isenheimer Altar. München: Piper 1979.

Sandrart, Joachim von: Teutsche Academie der Bau- Bild- und Mahlereykünste, Nürnberg 1675-1680. In ursprünglicher Form neu gedruckt mit einer Einleitung von Christian Klemm. Nördlingen: Verlag Dr. Alfons Uhl, 1994.

Schaefer, Adelheid: Phantastische Elemente und ästhetische Konzepte im Erzählwerk von Jorge Luis Borges. Wiesbaden/Frankfurt am Main: Humanitas 1973.

Scherpe, Klaus R.: „Ein Kolossalgemälde für Kurzsichtige". Das Andere der Geschichte in Alfred Döblins *Wallenstein*. In: Geschichte als Literatur. Formen und Grenzen der Repräsentation von Vergangenheit. Hg. von Helmut Eggert und Ulrich Profitlich. Stuttgart: Metzler 1990, S. 226-241.

Schmeling, Manfred: Der labyrinthische Diskurs. Vom Mythos zum Erzählmodell. Frankfurt/Main: Athenäum 1987.

Schnell, Ralf: Die Zerstörung der Historie. Versuch über die Ideologiegeschichte faschistischer Ästhetik. In: Kunst und Kultur im deutschen Faschismus. Hg. von Ralf Schnell. Stuttgart: Metzler 1978.

Schöllgen, Gregor: Das Zeitalter des Imperialismus. 3. Aufl. München: Oldenbourg 1994.

Schörken, Rolf: Begegnungen mit Geschichte. Vom außerwissenschaftlichen Umgang mit der Historie in Literatur und Medien. Stuttgart: Klett-Cotta 1995.

Schrager, Samuel: What is social in Oral History? In: International Journal of Oral History 4 (1983), S. 76-98.

Sontag, Susan: Im Zeichen des Saturn. Übersetzt von Werner Fuld. München: Hanser 1981.

Spengler, Oswald: Der Untergang des Abendlandes. Umrisse einer Morphologie der Weltgeschichte. 6. Aufl. München: Deutscher Taschenbuchverlag 1980.

Steiner, George: Sprache und Schweigen. Essays über Sprache, Literatur und das Unmenschliche. Frankfurt/Main: Suhrkamp 1973.

Tellenbach, Hubertus: Melancholie. Problemgeschichte, Endogenität, Typologie, Pathogenese, Klinik. 4. Aufl. Berlin u.a.: Springer 1983.

Vorländer, Herwart (Hg.): Oral History. Mündlich erfragte Geschichte. Göttingen: Vandenhoeck und Ruprecht 1990.

Wagenbach, Klaus: Franz Kafka. Bilder aus seinem Leben. 2. Aufl. Berlin: Wagenbach 1994.

Weiand, Hermann J.: Joseph Conrad. Werk und Leben. Düsseldorf: Bagel 1979.

Welsch, Wolfgang: Unsere postmoderne Moderne. 4. Aufl. Berlin: Akademieverlag 1993.

Weyergraf, Bernd: Aspekte faschistischer Demagogie und Volkstümlichkeit. In: Kunst und Kultur im deutschen Faschismus. Hg. von Ralf Schnell. Stuttgart: Metzler 1978.

White, Hayden: „Ich glaube nicht, daß eine Theorie wie meine dazu da ist, angewandt zu werden." Ein Gespräch zwischen Hayden White und Judith Huber. In: Österreichische Zeitschrift für Geschichtswissenschaften 9 (1998), H.2, S. 246-255.

Winzinger, Franz: Albrecht Altdorfer. Die Gemälde. München: Hirmer 1975.

Wright, Thomas: The Life of Edward Fitzgerald. Bd. 2. London: Richards 1904.

Young, James E.: Die Texte der Erinnerung. Holocaust-Gedenkstätten. In: Holocaust. Die Grenzen des Verstehens. Hg. von Hanno Loewy. Reinbek: Rowohlt 1992, S. 213-232.

Zima, Peter V.: Moderne/Postmoderne. Tübingen/Basel: Francke 1997.

Zimmermann, Michael F.: Der Prozeß der Zivilisation und der Ort der Gewalt. Zur Darstellung von Gegenwart und Geschichte seit der Aufklärung. In: Bilder der Macht – Macht der Bilder. Zeitgeschichte in Darstellungen des 19. Jahrhunderts. Hg. von Stefan Germer und Michael F. Zimmermann. München/Berlin: Klinkhart und Biermann 1997 (=Veröffentlichungen des Zentralinstituts für Kunstgeschichte 12), S. 37-106.

Zülch, Walther Karl: Der historische Grünewald – Mathis Gothard Neithardt. München: Bruckmann 1938.

VII. LEXIKA

Brockhaus-Enzyklopädie. Bd. 16. 17. Aufl. Wiesbaden: F.A. Brockhaus 1973.

Geschichtliche Grundbegriffe. Lexikon zur politisch-sozialen Sprache in Deutschland. Bd. 2. Hg. von Otto Brunner, Werner Conze und Reinhart Koselleck. Stuttgart: Klett 1975.

Kindlers neues Literaturlexikon. Supplementband 22. Hg. von Walter Jens. München: Kindler 1998.

Kritisches Lexikon der deutschsprachigen Gegenwartsliteratur. Bd.8. Hg. von Heinz Ludwig Arnold. München: Edition Text und Kritik.

Reallexikon für Antike und Christentum. Bd. 4. Hg. von Theodor Klauser. Stuttgart: Hiersemann 1950ff.

Redaktionsschluß April 2003